【投稿による総合文芸誌】

あとらす42号　目次

2020・7

表紙イラスト＆デザイン◉桂川　潤

パヴェーゼを読んだ夏

——そして、ブザンソンでの仲間たち

木方元治

「あのころはいつもお祭りだった。家を出て通りを横切れば、もう夢中になれたし、何もかも美しくて、とくに夜にはそうだったから、死ぬほど疲れて帰ってきてもまだ何か起こらないかしら、火事にでもならないかしら、家に赤ん坊でも生まれないかしらと願っていた、あるいはいっそのこといきなり夜が明けて人々がみな通りに出てくればよいのに、そしてそのまま歩きに歩きつづけて牧場まで、丘の向こうまで、行ければよいのに。」

チェーザレ・パヴェーゼ『美しい夏』（河島英昭訳）

一九七九年、僕はフランス東部の街ブザンソンでひと夏をすごしました。

この物語は、その時出会った忘れえぬ友人たち、そしてイタリアの作家パヴェーゼについての物語です。

I

マラ、ボリス・ビアン

「僕は、スノッブ。これが僕がもっている唯一つの欠点」

ボリス・ビアンの歌はこの一節で始まります。

マラとの出会いはこの歌で始まりました。

マラは、ユーゴスラビアのベオグラードから来た大学生。そのころのユーゴスラビアは、まだチトーが支配する美しくて平和な国。社会主義国の一角だったけれど、そのなかでは最も西側に近く、マラ達の考え方も西側の僕たちとほとんど一緒。フランスでおそらくは最も美しい月である六月を心の底から楽しんで日々を送っていました。

「ねえ、マラーねえ……」

僕のこんな呼びかけにマラは決まって答えます。

「何回言ったらわかるの。私はマラよ。マラーじゃないんだってば。」

僕はマラと呼びきるにはちょっと抵抗があるその日本人ならではの理由を説明することもできず、マラはその大きな目で僕をにらみつける。その表情がフランスの夏を表しているようで、その夏が永遠に終わらないで欲しい。そんな気持ちになりました。

「僕はスノッブ、僕はスノッブ
これが僕がしょい込んだたった一つの欠点
これには何か月ものヤバイ仕事と辛い生活が必要
Hildegarde(＊)と一緒に外出するとき、
いつも注目されるのはボク
僕はスノッブ、ヒドクスノッブ、
ボクの友達はみんなスノッブ、これがいいんだ」

（＊）Hildegarde：一九三〇年代に活躍したアメリカのキャバレー歌手

一九五四年にボリス・ビアンが作った歌。ボリス・ビアンは一九二〇年パリ郊外生まれの小説家、詩人でジャズトランペッター。そのアメリカ的な華麗な生き方は一九五〇年代のパリジャンに大きな影響を与えました。五〇年代を疾風のごとく駆け抜け、一九五九年その短かった三十九年の生涯をパリで閉じました。


マラにこの歌を説明すると信じられないような顔つきで、

「この歌のどこがいいのよ！　こんな退廃した歌が。」と返してきます。

「君は西側の良さがわかってないね。」

西側に理解を持った国ユーゴスラビアから来たマラにはこの言葉が耐えられなくて、

「何言ってんのよ！　あんたにはユーゴスラビアの良さなんかちっともわかってないんだから！」

僕たちの夏は三か月であっさり終わりました。

彼女が帰っていったユーゴスラビアはそのころは僕にとってまだ謎の国。

でも、彼女の語ったベオグラードの夏は美しく、優しさに満ちた夏でした。

それから四十年、ユーゴスラビアはすでになく、僕はそんなベオグラードの夏を経験せずじまい。あの動乱の中、マラはどうなったのか。

マラはユーゴスラビアに帰る間際に僕にこう言いました。

「あんたがボリス・ビアンみたいにならないでまっとうな人生を送ることを祈ってるわ。」

そう僕も今、祈ってます。

「マラ、君がユーゴスラビアの戦火を乗り越えて幸せな人生を送っていることを。」

Ⅱ　ソン、ベトナム

ソン。ベトナムから流れ着いた十代の若者。ベトナムでは比較的裕福な家庭に育ちお父さん、お母さんはサイゴンで料理店を経営していました。

一九七五年のサイゴン陥落で、世界中に散ったベトナム難民、いわゆるボートピープルの一人。フランスも九万六千人のベトナムからのボートピープルを受け入れました。まだ十五歳のソンも生まれて初めて踏む土地フランスに馴染もうとしていました。

でもお父さん、お母さんも失い、祖国を失ったソン。国を失うとはどういうことか、日本人の僕にとってちょっと縁遠いことを初めて教えてくれたのはソンでした。

フランスといえば文化の国ということくらいしか思い起こさなかった僕にとって、それとは違うフランス、難民を受け入れ彼らに生活の場を与える国としてのフランスを初めて考えさせてくれたのもソンでした。

寡黙でほとんど自分から話かけることもなかったソンは夏が終わった後、勉強を続けるために違う街へ移りました。

それきりになってしまったけれど、君はフランス人として幸せに生きているのかしらん。あるいは、ベトナムを復興させて偉い人になっているのかしらん。

四十年たった今、思いは尽きません。

Ⅲ　ホセ、チリ

「サンチャゴに雨が降る。」

一九七五年に公開されたこの映画によってチリのピノチェット軍事政権による一九七三年のクーデターは世界史にその名前をとどめることになりました。

ホセはその時、チリの名門サンチャゴ大学で化学を専攻し、将来を嘱望された科学者。

このクーデターが彼の生涯をかえました。

一九七〇年チリでは社会主義政権アジェンデ政権が誕生。これに対し、南米の左翼化を恐れたアメリカはピノチェット将軍を使い、一九七三年クーデターを起こさせる。軍事政権ピノチェット政権の誕生です。これに抗して多くの市民が立ち上がりました。チリの生んだ世界的な詩人、パブロ・ネルーダもこの戦いの中、命を失いました。ホセも立ち上がった市民の一人。大学内のバリケードに立てこもってホセは戦いました。

彼はその戦いの多くは語りませんでしたが、その後彼はピノチェット政権に捉えられ、愛する祖国チリを追われ、国連難民としてフランスに流れ着いたのでした。

僕には彼が僕に語ったことよりも語らなかったことにより心を打たれました。

ある時、彼が僕に無言で差し出したのは国連難民パスポート。

祖国を失った悲しみはそのパスポートにすべて語られていました。

その後、目覚ましい経済発展を遂げたチリ。でもホセの居場所は決してそこにはありませんでした。

Ⅳ　ジェラルドとガブリエル、ベネズエラ

ジェラルドもガブリエルもベネズエラの陸軍大学を卒業したエリート軍人。

その態度は自信に満ち溢れ、国に選ばれてフランスに留学してきた、そんな誇りがその行動の節々を支配していました。

一九七〇年代のベネズエラはオイルショック後の石油価格高騰により財政は潤い、中南米で最も豊かな国。一九七三年に就任したペレス大統領下で経済は繁栄を極め、欧米からも注目を受けていた国でした。一方でペレス大統領下で財政も緩み、一部富裕層のみがその繁栄を享受、一九七九年にはすでにその弊害も明らかになり、民衆の不満も高まっていた時期。

でも軍のエリートたちにはたっぷり給与も支払われ、ジェラルドもガブリエルもその他の中南米から来た留学生と違い、余裕のある留学生生活を堪能、中南米から来た女性たちを脇に従えフランスの夏を楽しんでいました。ベネズエラがどんなに素晴らしい国か、彼らは僕にその国歌を教えてくれるとともに二十世紀が中南米復権の世紀になるという信念を語り聞かせてくれました。

でもその後のベネズエラがどうなったか。それを思うとあの夏がつかの間のベネズエラの輝きだったのかと今思います。

Ⅴ　アリーナ、ペルシャの王女様

アリーナ。僕たちにとってペルシャから来た王女様。

彼女はシャー体制のイランから来た誇り高いペルシャの淑女。

お父さんはテヘラン大学の医学部教授というエリート家庭。彼女自身はパリでデザインの勉強をするために来て、夏の間僕たちと一緒にフランスの田舎生活を楽しんでいました。

彼女の家でご馳走になるペルシャ料理はそれまで味わったことのないような素敵な料理。いつしか、アリーナは僕たちの仲間でペルシャの王女様として扱われるようになりました。

ある時、僕はイエメンから来た国費留学生に呼ばれ、アリーナと付き合いたいんだけど紹介してくれないかとのリクエスト。なんせ彼は中近東の田舎イエメンから来た貧乏学生、「それはムリダロー」と言いたい気持ちを抑えて、アリーナには「今度、アラビア半島から来た仲間たちとカフェにでも行こう」とやんわりお願いする。

さすがはペルシャの王女様。「いいわよ」

でも当日イエメンの学生はアリーナに会った途端、緊張で

口もきけず。

アリーナさんは何事もなかったように午後の授業にいそいそと出かける。

その年、イランは大きな変革の真っただ中にありました。

一九七九年一月イランを支配していたシャーは、パリに亡命中のホメイニが指導する反体制運動の高まりにエジプトに亡命。二月ホメイニは亡命先のパリからイランに十五年ぶりに帰国。同月十五日「イスラム共和国」の樹立を問う国民投票の結果、国民の九十八％の賛同を得る。この結果を受けて四月一日ホメイニは「イスラム共和国」を宣言。

フランスにも多くのイラン人が流れ込み、シャー派と新政府派の殴り合いの戦いはその街角で日常の出来事として続いていました。

この大変革期の中、アリーナさんは祖国イランの今については沈黙を続け、誇り高いペルシャ文化と自分が関わりたい今のフランス文化について黙々と勉強を続けていました。

アリーナさんと、街角で殴り合っているイラン人たちはどうしても僕の頭の中で結びつけることができず、僕にとってアリーナさんはいつもペルシャの王女様でした。

今でも、僕にとってイランはアリーナ王女を生み出した気高い国です。

Ⅵ　ポール、シリアの秀才

ポール、シリアのダマスカスから来た政府留学生。物理学を勉強していて僕が今までに出会った人たちの中でも最も頭が良い人間の一人。いつも冷静でシリアの国をどうしていくか、理路整然と話してくれました。決して政治的にならず、シリアをきちんとした国にどう立て直していくか。日本から来た僕には考えられないくらいの真剣さで考えていました。

国を愛するとはどういうことか、ポールはその夏に僕に教えてくれました。

今、内戦状態にあるシリアで彼は何をやっているのだろうか?

既に交流が途絶えて四十年。この四十年はお互いにとても長くて、何が起こっても（特にシリアという国にあっては）おかしくない四十年だけれども、今でも彼の冷静沈着な目つきと語り方はくっきりと出てきます。

シリアの現実を前に僕たちができることは?

今でもポールに問いかけている僕がいます。

Ⅶ　サム、ウィスコンシンのアメリカ人

サム。アメリカのウィスコンシンから来た交換留学生。サムは僕の会った学生たちの中で最も内気で自信を無くした学生でした。

「僕にはどうしてもフランスが馴染めない。早く僕の街に帰りたい。」

会うたびに弱音を吐いていたサム。フランス人の誰一人友達を作ることなく、一緒に来たアメリカ人とだけ話していたサム。そのころのアメリカはベトナム戦争の後遺症に苦しみ、国民が自信を失っていた時期。

サムは従軍経験もなく、政治的な話も一切することはありませんでしたが、アメリカ人が自信を失っていることは、彼の話のはしばしから感じ取ることができました。

アメリカに帰る時のサムの一言が今でも思い出されます。

「結局、フランスは僕にとって縁遠い国だった。僕にとって生きる場所は僕の生まれた街しかない。」

世界の中心にある大国アメリカは一方で世界から孤立した辺境の国。アメリカの歴史で繰り返しやってくる孤立主義の波、今のアメリカを見るにつけ僕はサムの言葉を思い出します。

Ⅶ　フレデリックとショパン

フレデリックはショパンを命の次に愛した二十歳の少女。フランスでユダヤ系の人を見るのは珍しいことではありませんが、フレデリックもその一人。

第二次世界大戦ではフランスにいた三十三万人のユダヤ人のうち約八万人が強制収容所に連行されたと言います。フランスでもユダヤ人のアイデンティティー問題は深く傷を残し、フランス社会に同化していく人が多く存在する一方、ユダヤ人のアイデンティティー問題は常にフランスの根底に存在し続けてきました。フレデリックはそんなユダヤ人問題を語ることはありません。常にショパンへの愛を語るのです。でも、ふと感じる時があるのです。ショパンの曲は美しい。でもショパンを生み出したヨーロッパという社会には何かとても深くて到達できないものがある。

フレデリックはそんな複雑な女の子でもあったのです。

Ⅷ　マリアとキリスト様

マリア。彼女はアテネから来た経済省の役人。ご主人を早

く亡くし、女手一つで男の子を育てています。この夏は経済省から派遣されてフランスに経済研修へ。

ギリシャは戦後、対共産主義の重要拠点としてアメリカの介入を受け左派・右派の入り乱れる政治混乱が続き、一九六〇年代以降は軍政が支配していました。一九七四年カラマンリスが亡命先のフランスから帰国、民主政権が誕生しましたが、脆弱さは否めず、国際社会からも不安視される政治体制でした。

マリアは忠実な国家官僚、政治的な話は一切口に出しませんでしたが、僕は彼女を通じて初めてギリシャ正教を知ることになりました。

ギリシャ正教ではマリア様は、生神女マリア様。

「救いたまえ。マリア様」

僕たちのマリアもみんなを救ってくれる素敵な生神女マリア様。

ベトナムから来たソンのことをいつも思い、僕たち頼りない若者をじっと見守ってくれました。

そんなマリアが一番喜んだのは、後年、彼女の一人息子が結婚式をあげた時。

マリア様の子供が美しい妻を娶り、幸せな家庭の第一歩を歩み始めた時、僕たちすべてのマリアの子供たちはとても幸せな気持ちになり限りない祝福を送ったのでした。

Ⅸ　アランとポール

アランは大学で化学を教えている先生。日本語の論文で興味がある論文があるのでフランス語に訳してくれないかという依頼を受け手伝ったのがつきあいの始まり。アランの家に昼食をご馳走に通ううちに、一緒に住んでいるアメリカ人のポールと知り合いました。ポールはデザイナーでいつも素敵なシャツを着ていました。ある日のポールのシャツはレース地のシースルーシャツ。「ポール、今日の君のシャツはとても素敵だよ」普段冷静なアラン先生の眼が輝きました。

カトリックの国フランスでは長い間、同性愛は一部文化人の間を除けば冷たい目つきで見られていた時代が長く続きました。一九六八年の五月革命を経て同性愛の権利が徐々に社会問題としてとらえられるようになり、一九七九年にはルーアンの教会で同性愛者の結婚を認めるか否かという論争も出てきた時代でした。フランスで同性愛が法的に認められるのは二〇一三年。長い道のりでした。

Ⅹ　パヴェーゼ、夏

そんな、仲間たちと過ごした一九七九年の夏。

パヴェーゼの夏はさらに続きます。

「あなたたちは元気だから、若いから」と人には言われた、「まだ結婚していないから、苦労がないから、むりもないわ」でも娘たちのひとりのびっこになって病院から出てきて家にはろくに食べ物もなかったあのティーナ、彼女でさえわけもなく笑った、そしてある晩などは、小走りにみなのあとをついてきたのが、急に立ち止まって泣き出してしまった。だって眠るのはつまらないし楽しい時間を奪われてしまうから。

チェーザレ・パヴェーゼは一九〇八年北イタリアのトリノの近くの小さな村サント・ステファーノ・ベルボに生まれたイタリアの作家。彼の青年時代の一九二〇年代はイタリアでファシズムが台頭した時期に重なります。政治に一定の距離を保とうとはしつつも次第に反ファシズムの運動に巻き込まれていきました。一九三五年には雑誌「Cultura（文化）」の編集長となりましたが、トリノの知識人大量検挙に巻き込まれ逮捕、八月には南イタリアの僻村ブランカレオーネに流刑の身となり、一九三六年三月に流刑がとかれるまでその地に幽閉の身となりました。

「美しい夏」が執筆されたのは一九四〇年、パヴェーゼ三十一歳の年でした。すでにイタリアは第二次世界大戦に突入、パヴェーゼはひたすら沈黙を保ち、執筆に集中しました。

発表はその十年後の一九四九年。発表と同時に大反響を呼び一九五〇年にはイタリア文学界の最高の賞であるストレーガ賞を受賞することになります。

「美しい夏（La bella estate）」は、十六歳の少女ジーニアが三歳年上の女性アメーリアの導きで大人になっていく物語。アメーリアの紹介でジーニアは、彼女の兄と同年代の画家グイードに出会い、グイードと男と女の関係を結ぶ。憧れと怖れ、嫉妬の間で激しく揺れ動くジーニアの心。アメーリアを知り、グイードを知ったジーニアが見る世界は同じものを見ても違った世界になりました。

「家を出て通りを横切れば、もう夢中になれたし、何もかも美し」かった夏はどんどん遠いものになっていくのです。

しかしながら、この物語では、アメーリアが梅毒と診断されることを除けばジーニアの身辺に事件らしい事件はなにもおこらず、すべては平凡で退屈な日常的時間の中で過ぎていきます。美しい夏を永遠に失わせるような大事件は何一つ起こらないのです。

元々この小説は「カーテン（La Tenda）」という題名がつけられる予定でした。

グイードのアパートの寝室とアトリエを兼ねたリビングを仕切る赤いカーテン。それはジーニアにとっては、それまで過ごしてきた何か起こりそうで何もおこらない日常空間と、今までの自分が憧れるとともに恐れていた大人の空間を隔てる厚いカーテンです。

ジーニアはその日常空間であるアトリエであえて裸になることを選びます。

自分の目の前でアメーリアがモデルとしてグイードに裸を晒しているのに嫉妬を起こし。今まで憧れつつも恐れていた行為、自分の裸を晒すことをグイードのみならずアメーリアにも行ってしまうのです。

この時、あってはならないことが起こります。

カーテンを隔てた寝室にはグイードの友人ロドリゲスが寝ていました。目をさましたロドリゲスはジーニアの裸を目撃してしまうのです。

ジーニアにとって何か起こるのではないかと期待しつつ何も起こらないそんな居心地の良かった美しい夏が終焉を迎える決定的瞬間です。

ジーニアはこの事件以来、仲間とのコンタクトを断ち、自殺も考えるようになります。

そんなある日、ジーニアはアメーリアの訪問を受けます。みんなから見放されたと思い込んでいるジーニアにとっては信じられない訪問です。アメーリアはそこでロドリゲスがとても大きなショックをうけたこと、グイードがロドリゲスに嫉妬を感じていること、アメーリアがジーニアのことを好きかどうか盛んに気にしていること（この小説はアメーリアとジーニアの二人の恋愛小説とも読めるのです）、そして自分の梅毒の治癒の目処がたったことを話すとともにジーニアに映画にいかないかと誘います。

この小説でジーナの最後の言葉は象徴的です。

「あなたの好きなところに行きましょう、あたしをつれてって。」（Andiamo dove voi, conducimi tu.）

一九七九年の夏もそんな夏だったかも知れません。

そこで集まった仲間は思い思いの期待を抱きつつ、何か起こりそうで何も起こらない日常の時間を楽しんでいた。

そしてその夏は、仲間たちが皆こう言うことで終わりを告げたのかもしれません。

「あなたの好きなところに行きましょう。あたしをつれてって。」

今でもその夏を思い出します。

初めて読んだパヴェーゼの夏とともに。

その時以来、パヴェーゼは、僕の日常に寄り添って生きてくれました。

平凡で退屈な夏を何回も繰り返す僕に。

パヴェーゼその人は一九五〇年夏のトリノでその四十二年の短い生涯を自ら閉じたのだけれども。

「ビッグW」が教えてくれたこと

ハンス・ブリンクマン
溝口広美［訳］

その人は、初対面の時、仕事の手を休めることなく、机の上の船積書類を見据えていた。その横にも書類が高く積まれており、それらはひと組ごとにまとめられ、その人の最終確認とオランダ人のサインを得たうえで、世界中の銀行へ発送されることになっていた。

昭和二十五年十一月のことだった。シンガポールから日本に赴任したばかりの私は、ナショナル・ハンデルス銀行の、業務再開して三年目の神戸支店の六人目のオランダ人で、しかも最年少だった。日本人スタッフは五十人ほどいたと記憶している。日本における我が銀行の歴史は大正九年にまでさかのぼる。

私の所属先となる預貯金課のウィレム課長が「こちらは矮松さんです。我が銀行で最も重要な人です。矮松さん、こちら新しく来ましたブリンクマンさんです」。その人、つまり、矮松さんは半分椅子から立ち上がり、こちらを見上げ、もそっと返事をしながら、そろばんで素早く計算をすませた。

三揃のスーツの上着は、デスクの側に置かれたコート掛けに掛けられており、椅子のアームには白手ぬぐいが巻かれていた。落ち窪んだ目と、突き出した耳と、浅黒い顔に優しそうな笑顔を浮かべ「はじめまして」と言ったものの、忙しいので一刻も早く仕事に戻りたいということは、彼の態度から明らかだった。

無礼ではなかったが、こういう場面で交わされる礼儀正しい挨拶や当たり障りのない会話を、彼はしなかった。

こちらの声が聞こえないほど離れた場に私たちが移った時、ウィレムに「あの人、あまり……」と囁いた途端、遮られ、そっけない返事をくらった。

「何も言うな。あの人は千金に値する。我々がミスをしないように確認してくれる。信用状や船積書類や海上保険など、とにかく何もかも把握しているので、あの人が、最終的な決定をするのだ。ここのオランダ人は彼のことを「ビッグW」と呼んでいる。だから、君も、失礼のないように気をつけなさい」

十八歳にしては未熟な私は、多くのことを学びたかった。オランダ人駐在員の一員として、数年以内にはしかるべき役職と署名権が与えられるに違いなかったわけだが、差し当たっては、単なる下っ端にすぎなかった。将来私の部下となる人たちから学ぶということが、私の主たる任務だった。戦前のアジアにおけるヨーロッパ人の植民地主義は完全に消え去ったわけではなかった。

植民地化されなかった日本においてさえ、現地のスタッフを駐在員と同格に扱うことはなかった。現地スタッフは事務員にすぎなかったわけだが、専門知識が求められており、それゆえ尊敬されてはいたが、それに見合う署名権をはじめとする正式な権限は与えられていなかった。

仕事中の矮松さん

すぐに、ビッグWの仕事の重要性がわかってきた。当時の日本はまだアメリカ主導の連合国軍占領下にあり、邦銀が海外の銀行と直接取引を行うことは禁じられていた。そこで、成長を遂げていた日本の輸出入に関連する書類や信用状などのすべては、日本国内で銀行業の免許を得た外国銀行を窓口として処理されていた。

そう言うわけで、神戸市内にあった大手邦銀の中二階に間借りしていた私たちの狭いオフィスには、「手形」と呼ばれていた書類が次々と送られ、そのほとんどは輸出関連のもので、当時は玩具や瀬戸物や鉄鋼や繊維などの、いわゆる「ローテク」物品が主な輸出品だった。

ビッグWこと矮松さんは、神戸支店の中枢だった輸出手形課の筆頭事務員で、仕事に精通していることは明らかだった。毎日、業務提携を結んでいた邦銀から運ばれてくる輸出手形の束を目の前にしても不平も言わず、書類に目を通し、誰が何をするのかを決め、時計の針を見ながら締め切りに間に合うよう、できあがった仕事の再確認をし、支払いを許可し、不平不満に耳を傾け、電信、手紙、保証内容を承認し、最後に書類の表書きに自身のイニシャルを完了の印としてつけた。

そうすることで、オランダ人マネージャーは、必要な箇所に安心して署名をすることができた。また、矮松さんは日本人スタッフの父親のようでもあったし、定期的に変わるオランダ人駐在員の悩み相談役でもあった。家政婦とのトラブルや日本人のガールフレンドとの諍い、在留許可の更新を怠り警察が現れた時などに助けてくれるのが矮松さんだった。

仕事に対する彼の献身ぶりというものを、私はよく覚えている。昭和二十五年の大晦日から二十六年の元日にかけて東京へ行って戻って来た私は、翌二日の朝に出勤した。すると、大晦日の夕方に見かけたビッグWが、その時とまったく同じ格好で仕事をしているではないか。前かがみ気味で、書類を確認している。机の上のみならず、椅子の上や床にも書類は山積みになっていた。

彼の周りにいた輸出担当のスタッフも、正月なぞ日本で一番ありがたい祝日ではないという風情で働いていた。本来なら、三が日はどこの職場も休みのはずであるのに。しかし、当時は尋常ではない時期だった。輸出ブームで、我が銀行に輸出関連書類を送ってくる邦銀からは「大至急」とせきたてられていた。

残業は日本人スタッフだけではなかった。輸出手形課のオランダ人課長も机にかじりつき、若い日本人(「ボーイさん」と呼ばれていた雑用係)がビッグWから受け取り運んできた書類の束に、ものすごい勢いでサインをしていた。

神戸支店で働き出して三年が経つうちに私の仕事内容も何度か変わり、いつしか、この私が、輸出手形課課長になってい た。その頃には、邦銀も自分たちで業務をこなすようになり、だからだろうか、輸出手形の量は徐々に減っていったわけだが、それでも忙しい毎日が続いた。仕事量を減らすため、日本の慣習に従うつもりで、私は自分のサイン用印鑑を作ることにした。

ブリンクマンのサイン用印鑑

輸出手形に添付する表書きに署名をするかわりに、アシスタントに頼んで代わりに印鑑を押してもらう。ただし、正式な書類だけは自筆の署名が必要ではあった。私の「印鑑作戦」は上々だった。ところが支店長に見つかってしまい、直ちに印鑑の使用は禁じられてしまった。

課長という役職に就いたのだから矮松さんの上司だったわけだが、実際のところ、私は彼の補佐役だった。仕事内容を熟知はしたものの、長い年月をかけて培われた矮松さんの経験には、自分は決してかなうことはないことは分かっていた。彼の物腰というか振る舞いは、どこか野暮ったく洗練されていなかったので、矮松さんの仕事ぶりを賞賛しつつも、「営業には不向き」という評価を下した支店長の報告書を読んでも驚かなかった。

それでも私は矮松さんを「ビッグW」として尊敬し、私たちは良好なチームワーク関係を築いていった。私が日本の自然や文化や寺社に対する興味を深めつつあることを察したからだろうか、昭和二十八年のとある日、彼の生まれ故郷の淡路島に一緒に出かけないかと誘われた。淡路島はイザナギとイザナミが最初に造ったと言われている島だ。

ブリンクマンと矮松さん（淡路島にて）昭和28年

夏の終わりの日曜の早朝に出発した私たちは、フェリーと列車とバスを乗り継いで、三時間ほどかけ島の南東にある由良と呼ばれる地にたどり着いた。列車の旅が、殊に楽しかった。七〇キロに及ぶ沿線には明治時代の美しい駅舎が建ち並んでいた。風雨にさらされた木板に墨と筆で短歌が書かれており、そうした木板がホームの柱に釘づけにされていた。どの駅舎も花壇や盆栽であふれ、駅員たちによって大切に手入れされていたので、まるで庭のようだった。このような片田舎の土地に根付く文化の深さというものを、私は感じ取ったのである。

簡単な英語と最低限のジェスチャーで、ビッグWは私に自分の生い立ちを、ぽつりぽつりと話してくれた。貧しい漁師だった父親は、淡路には息子の未来がないと考え、大正九年に村の尋常高等小学校を卒業したばかりの十四歳の岩一を神戸へ送り出した。第一次世界大戦後の神戸は、活気にあふれ好景気にわいていた。父親は息子の将来を神戸へ託したのであった。

当時の神戸には外国領事館や外資系の商社、船舶会社、銀行などに勤務する外国人のコミュニティーが興り、岩一少年は同村出身の、彼より数年前に神戸にやって来た青年を紹介され、その青年の助けで神戸に支店を出したばかりのオランダの銀行での働き口を見つけることができた。

日本では「蘭印商業銀行」と呼ばれており、昭和二十五年に私が赴任する直前に「ナショナル・ハンデルス銀行」と改名された。雑用係から始まり長い勤務年月を経て、矮松岩一は確実に出世を遂げ、第二次世界大戦が始まった頃には筆頭事務員となっていた。

大戦前の蘭印商業銀行は、インドから綿花を大量に輸入する日本の繊維業界の信用状を発行するなどのサポートに特化していた話も、この時聞かされた。

由良に到着した。矮松さんから聞かされていた通り非常に貧しい村で、百にも満たない世帯が十二、三隻の漁船に頼って生きていた。私たちが訪れた夏の日曜日には、こじんまりとした美しい海岸に日帰り客が集まり賑わっていた。

岩一の育った時代には、よそから訪れる者などいなかった。海岸へ来るのは浜辺に打ち寄せられた漂流物を見つける岩一少年と、潮の香りのする日に焼けた彼の仲間たちのみだったという。銀行勤めで都会暮らしも長いのに、太陽にさらされた両眼となめし皮色した肌に短髪の矮松さんは、どこか淡路島の漁師と言っても通じるところがあった。まるで島から離れたことがなかったかのように。

矮松さんは自分の妻のことや、馴れ初めについては語らなかった。神戸市内の彼の家を訪問した時にご夫人にお会いしたことがある。男性同士が話している間は夫の後ろで静かに控えているしっかり者の、典型的な主婦のように見受けられた。二十代の息子が二人おり、長男は医学生、次男は我が銀行のジュニアスタッフだった。他に二人の娘がいたが、若くして亡くなったという。

由良からの帰り道で、その二人が亡くなった時の悲惨な話を聞かされた。昭和二十年三月の神戸大空襲の犠牲となったのだった。二人の娘さんを残し、家族全員が出かけ戻ってみると、二人とも焼死体となっていたという。あまりにも多くの人が亡くなったので葬儀は追いつかず、矮松さん自身が裏庭で自らの手で薪を積み上げ、二人の娘を火葬しなければならなかった。

それは、ほんの八年前の出来事だったが、この話をしてくれた時の彼は、感情的にもならず、すべては戦争のせいであり、九千人ちかくが亡くなり、数え切れないほど多くの人たちが苦しんだということを強調していた。私はこの時、矮松さんが仏教徒で、宿命や来世を固く信じているということに気がついた。

銀行でも、矮松さんは辛い経験を味わった。昭和十六年十二月に太平洋戦争が始まると、日本国内で営業していた英国、オランダ、アメリカの合計五つの銀行は営業停止となり、オランダの銀行の駐在員たちは「敵国民」とみなされ、捕虜となり、収容所に送られた。日本人スタッフは失業し、新たな職を見つけなければならなかった。

矮松さんがどうやって戦時下を生き延びたのかはわからないが、神戸支店長のチャールズ・ブラントは、終戦後の昭和二十二年に銀行が再開した時、矮松さんをはじめとする多くの日本人スタッフを再雇用したのだった。ブラント自身は、日本人のお妾さんが極秘で差し入れした食料のおかげで収容所暮らしを生き延びることができたのである。

矮松さんは日本人スタッフの人事全般に関わっていた。彼の決断なしには雇用も解雇もままならなかった。給与体系や業務体制について支店長にアドヴァイスをし、日本人スタッフの間で反目が起こると仲裁役を買って出た。電車と観光バスを予約して山奥の温泉へ出かけた毎年恒例の社員旅行には必ず参加した。

そうした社員旅行は、日本の企業や銀行にとって大切な行事だった。というのも、組織の垣根を超えて人間関係を円滑にし、くつろいだ雰囲気の中、酒を酌み交わしながら不平不満を吐き出すには格好の機会であったからだ。旅行のハイライトは土曜日の夜の宴会だった。

誰もが揃いの旅館の浴衣をまとい、広い日本間に集い、設えた舞台で歌や演芸や寸劇を披露しあう。それから大浴場へ向かい、男性は男湯、女性は女湯で熱い湯に浸かり合う。否が応でも、同胞意識が育まれる。それが社員旅行というものだった。

矮松さんは自分なりにくつろいでいた。あまり飲むタイプではなかったが、頼まれると宴会芸に参加してくれた。特に人気があったのが「徳利競争」と呼ばれるもので、二、三人の男性が頭に徳利をのせ、畳に腹ばいになりながら前進し、速さを競い合うというものだった。部屋中に三味線の音が響き渡り、矮松さんは、いつも一番早かった。

「徳利競争」で競い合う矮松さん（中央）

オフィスの調和を保つために無私無欲で働いた矮松さんではあったが、それでも、昭和三十二年に神戸支店で惨事が起きてしまった。

その日は月給支給日で、当時は現金の入っ

た給料袋をポケットに入れて帰宅するのが常だった。年配の夜勤の警備員も、出納係が閉まる前に月給を受け取ろうと、早めに銀行にやってきた。

その日の夜遅く、銀行の若い雑用係が戻ってきて、鍵のかかったオフィスの裏口のドアを叩いた。夜警はのぞき穴でその若者を確認し、ドアを開けた。彼は夜警に、一文無しで金が必要だと迫った。

夜警が断ると、その若者は刃物をふりかざし、逃げ回る夜警を何度も刺して、死に至らしめた。哀れな夜警は瀕死の状態にありながらも非常ボタンを押したが、警察が駆けつけた時には息絶えていた。その後の調べで殺人犯は九州にいることがわかった。若い女性と駆け落ちし、遊びまわっていたところを逮捕され、死刑判決を受けた。

これほど悲惨ではなかったが、もっと辛い出来事が翌年に起きた。

ナショナル・ハンデルス銀行の東京と神戸支店は、インドネシアの大規模で多数ある我が銀行の支店が構成するネットワークの恩恵を受けていた。つまり、インドネシアに輸出する日本の輸出業者の輸出手形業務が東京と神戸に絶え間なく供給されていたのだった。

ところが、インドネシアが独立し、昭和三十三年の終わりにスカルノ大統領が全てのオランダの銀行を国営化すると、我が銀行は突然「ネットワーク」を失い、東京と神戸へ供給されていた業務もストップした。さらに悪いことに、関西の貿易経済の中心は神戸から大阪に移行し、神戸支店はすでに顧客を失いつつあった。

アムステルダムの経営陣は神戸支店を閉じ、残りの業務は開業したばかりの大阪支店に一本化することを決断した。私の友人のエイスブラント・ロッへが神戸支店の業務整理を任された。矮松さんは日本人スタッフの半分を解雇しなければならなかった。大阪支店が受け入れることができたのは、半分の人員だったからだ。

終身雇用制度が当たり前の日本で、これは解雇されたスタッフにとっては受け入れ難いことだった。矮松さんは、同情を示すためと身内贔屓をしないことを示すために、十年近く働いていた自分の次男も、解雇の対象者に加えた。そして、新しい職場を探すため奔走し、上手く事が運んだ場合もあった。ついに神戸支店は昭和三十四年五月に閉鎖され、友人のエイスブラントは東京へ配属された。

矮松さんは大阪支店へ移り、それから八年ほど、神戸支店と同格の日本人筆頭事務員として勤続、やがて、彼と何人かの日本人スタッフは、私の助言により、オランダ人と同等の役職を、アムステルダムの本社より与えられたのである。日本におけるナショナル・ハンデルス銀行の成長に、彼らが重要な役割を長年果たしてくれたことを、銀行は正式に証明したのだった。

昭和四十三年に退職した矮松さんは、夫婦揃って淡路島に戻った。それから二年後に、私は妻を伴って矮松さんを訪ねた。彼は盆栽を育てながら幸せに、のんびりと暮らしていた。盆栽とは、老漁師の息子にふさわしい趣味のように私には思えた。「小さな松」という意味の「矮松」さん。この再会のあとしばらくし、私は彼についての詩を作った。

前かがみに歩く
淡路の黄金色の浜辺にそって
時折ひと休みしながら　日に焼けた額にしわ寄せて
水平線を見据えているその瞳

漁師だろうか　ああ　親父はそうだった
だが彼は　五十年前にここを立ち去り
いま戻った　勤めを終えて
幼い日々を過ごしたこの村に

彼を覚えている者は　もちろん　いない
半世紀も経てば　全ては消え去るものだ

ただ　あの岩と　この古寺だけが
変わらずそこにあり　彼のことを覚えている

道のりは長く　報いはわずかだった
搾取は笑顔でなされ
外国人上司はタフだった
彼らも　しかし　システムの犠牲者だった

オランダ商業銀行の筆頭事務員
正式な権限はなかったが
ソロモン王のように
すべてをこなすことのできた　偉大な人物

大空襲で失くした娘ふたり
独りで　ふたりを火葬した　誰も立ち会うことなく
今は医者となった息子と　銀行員の息子
長患いの妻は　敬虔な仏教徒

前かがみに歩く
はるか遠くの神戸の海岸線を　じっと見つめながら
そこがキャリアの始まりと　終わりの地
外人部隊の一兵士　それでも

漁師小屋から離れることは　決してなかった

昭和四十九年、日本を去る私のために大阪支店のスタッフが送別会を開いてくれた時、矮松さんも駆けつけ、皆をあっと言わせた。最後に彼と会ったのは昭和六十一年のことだった。私と妻の豊子と矮松ご夫妻の四人で、神戸ポートピアホテルのレストランで食事を共にした。その時八十四歳の矮松さんも、彼よりやや若いご夫人もかくしゃくとしており、それは仏教の教えを実践しているおかげだと矮松さんは話してくれた。その後も年賀状を交わし続けたが、やがて途絶えた。

平成になり、私は神戸でクリニックを開業している矮松さんの長男を訪れることにした。妻を亡くした後、矮松さんは淡路島から長男ご一家のもとに移り住み、そこで晩年を過ごしたと聞かされた。勤めを欠かさぬ熱心な仏教徒だったという。

長男ご夫婦は矮松さんの献身と意志の強さを称えた。矮松さんが最期に過ごした部屋は、故人を偲んで生前のままであったが、その日の一夜を過ごすよう勧められ、仏壇の前に布団を敷いてくれた。「義父も喜んでいるでしょう」と、ご夫人が優しく述べてくれた。私は線香をお供えした。

それから何年も経ったある日、大阪でOB会が開かれた。話題はさっそくビッグWとなった。誰もが「矮松さんのおかげで、素晴らしい一体感があった」ことに同意し、「年はとったが、今でも集まる、あの楽しい時代を思い出すために」と頷きあった。

半世紀にわたり、周りの人々の手本となるよう、矮松岩一がひたむきに働いたことは明らかだ。いかなる状況においてもオランダの銀行のために、重要な役割を果たしてくれたことは言うまでもない。だが、彼の最大の功績は、何十年間にもわたり彼の下で働いた男性女性スタッフたちに対する無私無欲の献身だった。誰もが「ビッグW」を忘れることはあるまい。

ハンス・ブリンクマン氏は「ハブリ」サイトを公開しておりますのでご覧ください。https://habri.jp

私の先生「網野善彦」

恩田統夫

目　次

はじめに

高校一年の秋、私は山梨県立日川高校から東京都立北園高校に転校した。そこでの日本史の担任が網野善彦という先生だった。若干気後れ気味の転校生だったが、日本史は好きな科目であり、二学期と三学期、日本史の授業は皆勤した。先生とは時間外に個人的にお話するような機会もなかったが、今でも何故か私の先生の思い出は鮮明である。

若い東大出たての非常勤講師、マルキシスト、よれよれの服にドタ靴姿、大きな目と高い鼻が特徴の気品を漂わす面長な顔立ち、風呂敷包みの中から分厚い四〜五冊の本を取り出す授業開始前のルーティーン、教壇上での長身の背骨を伸ばした直立不動の姿勢、無駄話を一切しない授業中の生真面目さ、学校指定の山川出版社版教科書を完全無視した手書きノートを棒読みする授業スタイル、「……ということから、……であったことも確かであろうと思われます」を多用する丁寧で穏やかな低音の話し振り、時おり黒板に書く白墨の字の「稚拙さ」加減、さらに生徒をイライラさせる書くスピードの遅さ、授業終了後はさっと学校から姿を消してしまう行動などなど次々と鮮明に甦ってくる。

後輩は先生のニックネームを「光の君」と命名した由。その心は一年中同じ背広で袖と腰のあたりがピカピカと光っていたからと。正に、グッドネーミングではないか。

肝心の具体的授業内容については、残念ながら、すっかり忘れてしまった。正直いって、ノート棒読みの授業は全く面白くなかった。これは多くのクラスメートに共通する感想で、後日、「退屈だった」という評判を先生に伝えた仲間に対し、先生は、「初めてだったので、そうだったかも知れない」と率直に認め、自省の弁を漏らされていた由。そういえば、我々は先生の北園高校教え子第一期生だったのだ。

ただ、先生のお話で私の脳裏に強烈に刻み込まれた忘れられないことが一つだけある。「歴史とは、天皇とか将軍とかの社会の上部構造を知ることではなく、その時代の一般の人々がどんな生活をしていたかの実態を解明すること」という教えだ。当時の私の歴史への関心と興味は歴史上有名な人物や事件、政治や権力の動向ということのみに集中していた。それだけに、先生のこの一言は衝撃的で「歴史とは何か」について改めて考えさせられた。

六か月後一年次の日本史の授業は終わった。以降繋がりは完全に切れ、先生のことはすっかり忘れ去っていた。

一、先生との地縁

北園卒業後私は大学で法律を学び、銀行に就職した。中堅スタッフとして忙しく働いていた一九八〇年頃だったと思う、読書界では、日本史ブームが湧き起こっていた。中世が面白い、中世の復活、庶民が跳梁跋扈する中世、歴史を書き替えた網野史観等の宣伝文句を新聞で頻繁に目にするようになった。「ひょっとしたら」と書店に並ぶ本で確認すると、先生がその人だった。正直言って大変吃驚した。その著作は学術書としては異例のベストセラーとなり、その史観は一世を風靡していた。先生は歴史ブームの火付け役となり、歴史学界のスーパースターになっていたのだ。

さらに調べ、先生につき以下の事実を知った。

一九二八年山梨県東八代郡錦生村（現笛吹市御坂町）生。生家網野家は戦国時代武田氏の家臣だった土豪の家柄。一九世紀に入り、御坂町井之上在の村役人となり郡中惣代を務め、近隣に土地を集積、幕末には養蚕や酒造にも乗り出し、甲府盆地東部を代表する大地主に成長。祖父の網野善右衛門は下岩崎村の大地主雨宮家から婿入りし、酒造業を営むほか、網野銀行を創業、多額納税者として貴族院議員にもなる。実父も婿養子で善右衛門を襲名、多額納税者。実父の生家は七里村（塩山市）の旧家広瀬家で、衆議員議員を務めた広瀬久政の次男。広瀬家は地元一番の名門。久政の長男久忠は内務官僚出身で山梨県初の大臣経験者（厚生大臣）、戦後も参議院議員を二期務めた改憲派保守政治家。久政の三男忠彦は甲府の豪商で山梨貯蓄銀行の頭取などを歴任した名取忠愛の婿養子となり、山梨中央銀行頭取・会長として県経済界に君臨した保守派経済人。久忠・善右衛門・忠彦の秀才三兄弟はいずれも日川中学（現在の日川高校）出身。

先生は男三人、女二人の五人兄弟姉妹の三男の末っ子。実父網野善右衛門は養父創業の網野銀行を継いだが、後に破綻、山梨中央銀行に吸収される。先生の幼少時、実父の事業の関係で一家は東京に転居。先生は官立七年制東京高校を経て、東大文学部国史学科（中世史）に入学。在学中日本共産党に入党。一九五〇年三月卒業日前日に渋沢敬三が主宰する日本常民文化研究所月島分室に研究員として就職。五四年北園高校の日本史の非常勤講師、翌年六月常勤教師となり一三年間在職。六七年名古屋大学助教授に転じ、一二年間在籍。七九年神奈川大学が日本常民文化研究所を統合するのを機に同大学短期学部に移り、一九年間同大教授として在籍。九八年同大特任教授で定年退職。以降、研究と著作・講演活動に没頭。晩年は山梨県史等いくつかの地方史の編纂にも携わる。人類学者中沢新一は義理の甥（妻の兄の子供）。

何と先生は私とは同郷の山梨県出身だった。網野家は県内屈指の旧家で、名家として有名な広瀬家・名取家等とも親戚筋。笛吹市は私の父と私の六人の兄弟姉妹の生れ故郷、塩山市は私の母親の故郷、先生の実父は私の母校日川高校の大先輩。先生の実母は私の母の甲府高女の先輩。思いもしない縁を発見した。担任だった先生が世間から注目される著名な歴史研究家になられたとは。非常に嬉しく、誇らしく思った。同時に、「なぜ、もっと親しくご面識を頂戴できなかったのか」「何ともったいない」という思いもした。

二、積ん読だけだった「網野本」

以降、先生に格別の関心を払うようになり、書店で目にするその著作を買い入れてきた。これがいつの間にか、一〇冊以上に積み上がっていた。網野本は素人にはとっつき難い本で、仕事で忙しいという立派な口実もあり、我が家では積ん読だけで、断捨離対象本として放置されていた。だが、私の心の片隅では、縁ある歴史家の思想や人生をもっと深く、正しく理解したいという重たいが楽しみでもあるいつかは取り組むべき課題として意識されるようになっていた。残念乍ら、宿題は長い間手付かずのままだった。

尤も、購入直後二～三〇分ざっと目を通すだけでも、網野本には類書と違う際立った特徴があることに気付く。

一つ目は、本を開くと最初に目に入る巻頭のグラビア。通常、歴史本の巻頭グラビアは本文に登場する歴史上の人物肖像画とか関連する時代の誇るべき建築物・仏像・美術品などが多い。網野本は全く違う。南北を逆さまにした日本地図や地方で発掘された民衆が多く描かれた名もなき絵巻物などが登場する。これは先生の意向が強く反映されたものに違いなく、その革新的、実証的研究活動の原点が示されている。

確かに、ユーラシア大陸極東部を下に日本列島を上にした地図をじっくり眺めていると、先生が主張される「日本海は大きな内海だった」「日本列島は大陸の南北をつなぐ懸け橋だった」という発想がなるほどと肯ける。また、多くの民衆が登場する絵巻物を仔細に見続けると当時の民衆の生き生きとした生活振りが窺えてくる。「異形の者たちが中世には満ち溢れていた」「物売りは女性たちの仕事だった」「海は古来活動の場だった」「市場には様々な人々と産物が集まっていた」等のことが一目瞭然、納得できるから不思議である。

二つ目は、とても専門的で読むのに忍耐力が要るということ。頁をめくると漢字だらけの古文書が随所に現れる。その叙述は学界の常識・定説に真っ向から挑戦する独創的なものが多く、実証的歴史学者としては信憑性の高い具体的な史料で自らの論理を展開することが求められる。先生が読み込んだ中世史料の量は学界でも右に出る者はいない由。大学の資料室、古寺、地方の旧家、遺跡の発掘現場等に労をいとわず入り込み、埋没している古文書、襖の下張紙、木簡、出土品等の中からも新たな史料を発掘、これらの丹念な読込と綿密な分析とを通じて検証された新たな史実、新たな視座、新たな史観で叙述する論考は説得力抜群である。しかし、読解力の貧弱な私などが簡単に読み進めるものではない。極めて難解本である。

三つ目は、その著作数の多さ。私がよく行く渋谷ジュンク堂には「網野コーナー」が設けられ、大きなスペースを占拠している。「歴史家の成果は叙述である」との信念からか、多数の著作を残した。生涯著作数一九八冊。著作目録四八六作品。執筆速度は驚異的で、一晩に原稿を五〇枚書き上げたこともあった由。現在でも網野本は学術書には珍しく人気書籍である。

この多産の網野本の中で世評が高いのは、『蒙古襲来』『無縁・公界・楽』『「日本」とは何か』の三作か。他に、『古文書返却の旅』もよく読まれており、昨年五月三〇日付日経新聞夕刊「文学周遊」欄にも取り上げられていた。

先生には著作に限らず講演ついても同じテーマの繰り返しが多いとの批判があるが、「壊れた蓄音機だそうだ。いつも同じことばかりを繰り返しているから」と笑い飛ばしている。網野史学の首尾一貫性の証と言えるかも知れない。

三、私の理解する「網野史観」

偶々新聞広告で気付いたが、二〇一四年は網野善彦没後一〇年、年末以降、先生に係る特別記念出版物が多数刊行された。当時、私は会社人生に終止符を打っていたこともあり、一念発起、新刊本も含め益々増えた網野本読破に挑戦を試みることとした。未だ、道半ば、浅学菲才で門外漢の身には多岐に亘る高邁・深遠な史観の全体像を俯瞰し、正しく理解できたとは到底思えないが、取り敢えず、私なりの手法での整理を試みた。以下、網野史観を中世論、日本論、天皇論、歴史学論の四つの視点で取り纏めてみた。以下私の理解するところを披瀝させて頂きたい。

（一）「中世」論

先生は、日本の中世は暗黒時代ではなく、「自由」と「平等」があり、人々が躍動する輝かしい時代であった。又、日本の歴史を時代区分する大分水嶺であったと主張する。

中世史は先生の専門分野であり、研究活動の出発点であった。既存の中世観を見直すべしとの主張は、律令制下の「古代」と明治維新後の日本の勃興期の「近代」を重視する歴史学界主流への中世史家網野善彦からの果敢な挑戦とでもいえようか。

先生の中世史観の論拠は次の四点に集約できる。

1．先ず、第一に、中世は天皇の権力の弱体化という「上部構造の大変動」が起きた時代であったとする。

南北朝期を挟む前後の動乱の時代は、古来続いてきた天皇制を未曾有の危機に陥れ、大きく変容させた。文永・弘安の二度に亘る蒙古襲来を何とか凌いだ鎌倉幕府は、最盛期を迎えていた。一方、朝廷は、承久の変以降、幕府との力関係では弱体化が目立ったものの、概して天皇は幕府との良好な関係の維持に意を用いてきた。ところが、一三一八年史上極めて特異な後醍醐が践祚、復古的な天皇親政を目指す。観念的、独裁的、謀略的、不撓不屈な「異形の王」後醍醐は摂政関白を排し、院政も廃止し、門閥・家格を考慮せず股肱の臣を登用し、慣例を無視した強引な反幕政治を展開した。二度の倒幕計画に失敗し、隠岐島への配流等の憂き目に合うが、これにもめげず、倒幕に執念を燃やし続けた。悪党とも呼ばれる人々と結託、足利尊氏が京都を、新田義貞が鎌倉を攻め、一三三三年鎌倉幕府を崩壊させた。建武の新政は成功したかに見えたが、それは一時で、その専制的、反動的政治は僅か三年で蹉跌する。結局、足利幕府の成立を許し、自らは吉野に逃れる他なかった。皇統は南北に分裂、何とか天皇制の崩壊を食い止めるのが精一杯だった。その後六〇年に及ぶ南北朝動乱を経て、「家業は儀式」と言われるまでに天皇の権力は弱体化し、権威は失墜する。これが明治維新まで続くこととなる。

2．さらに、「社会の下部構造にも大変動」が生じていた。

この時期、非農業民（特に、職人、芸能民、遊女等の漂泊民）によって形成され、「無縁・公界・楽」と呼ばれる為政者の権力が及ばないアジールともいえる世界が各地に誕生する。そこには、名もない人々が生活し、農耕せず、定住せず、現世の利益や栄誉と無縁であったが、真の自由と平等があった。そこから茶の湯・立花・連歌・能・狂言等新たな大衆文化が生まれた。また、権力から比較的自由であった大寺社には枯山水等の庭園文化も生まれた。さらに、庶民の間では読み・書き・そろばんも普及し、都市を中心に経済活動も活発化する。商業・流通活動の活発化、貨幣（宋銭）の流通、金融（信用・為替等）の活動も始まる。

3．従って、従来、文化の陥没・衰退の暗黒時代と軽視されてきた中世には、未開の野生が躍動する**「ルネッサンスの開花」「重商主義の誕生」**が見られる輝かしい時代であったと評価する。この**自由で平等な社会**は、後に続く戦国大名・織豊政権・徳川幕府によって完全に弾圧される。アジールの痕跡は後世駆け込み寺にわずかに残されているものの、遊女が遊郭という「苦界」に閉じ込められ、士農工商の身分に外れる人々は非人として「部落」で差別されることとなる。

4．以上から、**南北朝期は天皇制弱体化と専制政治のスタート期で日本史の時代区分の大分水嶺**になると主張する。

（参考）

①「アジール」：統治権の及ばない地域＝聖域・避難所のこと。歴史的には、教会、神社、仏閣、市場、商業都市、大使館等がその事例。日本におけるアジールの先駆けとしては戦前皇国史観を主導した平泉澄東大教授の若き日の研究がある。古代対馬の天童山周辺にアジールが存在していたことを実証。さらに、中世の寺社の特権を支えていたのはこの古代的なアジールであると歴史学者として初めて論じた。これは国家の未発達な人類史のある時期に現れ、国家権力の人民生活への浸透とともに消滅すると論じた。先生はこの研究を高く評価する反面、「アジールは、確固たる政府があり、正統なる保護と刑罰とを当局が掌握するときには、存在の意義を有せず、強いて存在させれば、百害あって一利なし」との教授の結論には異論を唱える。「アジールは人間にとって根源的に価値あるもの」が先生の主張である。

②「無縁・公界・楽」：日本の中世にアジールが存在した事例として、この三つが象徴的であるとする。「無縁」とは世俗的な権力・主従・家族等の関係から切り離された人々（漂泊民等）や場（河原、橋、道路等）のこと。「公界」とは俗界から離れた修行の場や人のことで、私的な主従・隷属の関係から切り離された公の領域を意味し、具体的には無縁寺、自治都市、一揆等がその例。能役者・連歌師・遊女・陰陽師等の自由な人々もこの範疇で想定。「楽」とは、自治都市（例えば、堺）や楽市・楽座等のこと。

（二）「日本」論

日本は**多様性に満ちた**国である。日本列島には「東」と「西」とでは大きな違いがある。「単一民族」「均質国家」「瑞穂の国」「自給自足国家」「島国」等の論はいずれも明治以降の近代社会が生み出した虚像であると主張する。

1．日本「国」も当初から列島全域をおおった国家ではなかった。ヤマトに中心を置き、列島西部（北部九州・四国・本州西部）を基盤とし、南九州以南・東北北東部以北は統治下に入っていなかった。そこでは文字だけは共通していたものの、人種的・政治的・社会的にも決して均質、単一ではなく、「東と西」とでは著しく様相を異にしていた。これは、蝦夷・アイヌ・琉球人等の存在、東での武家政権の誕生、差別の地域的偏り、全く相互に通用しない方言の存在等の事実を考えただけでも明白である。因みに、日本の方言の違いは、ドイツ語とイタリア語との違いより大きい由（金田一春彦）。

2．また、海洋は交通の障壁ではなく、通路であり、日本は、北はサハリン・沿海州と、西は朝鮮・中国と、南は沖縄・台湾と、東は遠くペルーとも活発な交流があった。日本列島は大陸の南北をつなぐ懸け橋の役割を担っていた。日本は決して閉ざされ孤立した島国などではなかった。日本列島内に限っても、古来、陸路、河海を通じて各地の往来は活発で、商品の流通も盛んで、人々は自給自足の生活ではなかった。さらに、最近の若い歴史学者の研究成果によれば、徳川幕府による「鎖国令」は存在しなかったという事実も明らかになっていると。

3．また、古来、日本は水田が不足し、主食は必ずしも米ではなく、雑穀類、堅果類等も食べていた。先生の実証的研究によれば、中世の荘園からの年貢の米比率は四〇％弱、江戸時代の人口に占める農民比率は、これまでいわれているような八割ではなく、精々四割程度であると明らかにされた。日本は米食民族ではなく、米食願望民族だったと主張する。

4．「百姓」とは様々な生業をもった人々のこと、「水呑」とは年貢を米以外の品で納める土地をもてない・もつ必要のない人々のことと実証した。これまでの歴史の常識を覆した革命的な発見であり、近代歴史学界の定説、「百姓＝農民＝稲作民」「水呑＝貧農」は俗説で、誤りであると看破した。この看破のプロセスは別途詳述したい。

（三）「天皇」論

天皇の本質は儀礼的・神聖的・文化的であったと主張する。歴史的に見れば天皇には権力的・専制的・政治的な表の顔と儀礼的・神聖的・文化的な裏の顔の二つがあったが、天皇が権力をもっていたのは古代と近代の三天皇だけで、日本の歴史の中では精々二百数十年に過ぎなかったからと。

天皇制は律令国家成立とともに誕生してから一三〇〇年余り、姿を変え、中身を変じ生き延びてきた。天皇に言及せずしては日本の歴史は語れない。中世期を除き、天皇や天皇制というテーマを真正面から取り上げた著作は先生にはないが、それへの言及は多くの著作や対談集の中で随所に見られる。それ等は次の四点に要約できる。

1．先ず、「日本」と「天皇」についての歴史的起源を明確にした。「日本」という国号は七〇一年に遣唐使によって初めて対外的に使用された。それまでは倭国と呼ばれていた。「天皇」という称号は六八一年天武朝の飛鳥浄御原令で初めて使用された。それまでは大王（オオキミ）と呼ばれていた。「日本」という国号の使用と「天皇」という称号の制度的定着はセットになっていた。「日本人」とは、日本という国政下に存在していた人ということで、それ以上の意味はない。従って、それ以前には、日本国も日本人も天皇も存在しなかった。厳密に言えば、邪馬台国は「日本」ではなかったし、縄文人・弥生人も卑弥呼・聖徳太子も「日本人」ではなく、推古「天皇」も天智「天皇」も存在しなかったという。日本列島には「はじめから日本人・天皇ありき」という発想はとるべきではない。

2．天皇制の変遷

　天皇制は七世紀末天武・持統朝に導入された。古代の天皇の政治は多くは親政だった。摂関政治、院政を経て武家政権となる中世では天皇の権威は徐々に失墜、南北朝分裂後は儀式が家業となり、近世まで続く。明治維新で王政復古、一君万民の君主として表舞台に復帰。太平洋戦争での敗戦後は、人間宣言で神から人間となり、新憲法で象徴天皇となる。

3．天皇制の本質

　歴史的に天皇には二つの顔があった。一つは、食膳に捧げる贄の形で山の幸、海の幸を奉納される「儀礼的・神聖的・文化的」な顔。これは中国の皇帝にはなく、敢えて譬えれば、インカ帝国とかアフリカの王様に似た顔だ。あと一つは、班田農民から租庸調という形で年貢を徴収する「権力的・専制的・政治的」な顔。律令制度とともに定着した儒教風国家の首長という顔で中国の皇帝に類似する。どちらを天皇制の本質と見るべきか。制度的に見れば、後者が表の顔で、前者は裏の顔と言える。先生は何人かの識者の見方を紹介している。

○「権力型」を本質と看做す論

①権力型こそ本質と見なし、承久の変の後鳥羽や建武の中興の後醍醐を高く評価する（皇国史観の平泉澄）。

②天皇らしい天皇は天武・後醍醐・明治の三天皇である。
　「後醍醐なくして明治大帝なし」（村松剛）。

○「儀礼型」を本質と看做す論

①農耕儀礼を主催する天皇こそ本質で、新古今和歌集編纂という文化的側面からのみ後鳥羽を評価する（保田與重郎）。

②天皇には「刀に血塗らざる伝統」があり、その本質は「不執政、権力をもたないこと」である。壬申の乱の天武、承久の乱の後鳥羽、宋から強い影響を受けた倒幕の後醍醐の三天皇こそ史上最悪の天皇である（石井良助）。

先生はご自身の見解を披瀝していない。明確化することにより、天皇制強化に繋がるのではないかと恐れているからであろうか。

ただ、日本列島の人類社会の歴史の中で天皇誕生後の一三〇〇年はほんの一瞬に過ぎない。また、天皇が中心的な権力をもっていたのは、古代の天皇と、中世は例外的に一時の後醍醐のみ、それに軍服を着て新興宗教「国家神道」の現人神となった近代の明治・大正・昭和の三天皇だけである。一三〇〇年の天皇制の歴史の中でも、古代の一〇〇年に明治以降一五〇年余を加え精々二百数十年に過ぎない。権力型の天皇の時代は時間的には極短期間であったとする。この示唆から読み取れる先生の主張は明瞭で、天皇制の本質は儀礼型であったということ。

4. 天皇の支持基盤

「天皇・米・百姓」を日本のアイデンティティーと見るこれまでの歴史観では、天皇の支持基盤は「稲作農民」であると考えられてきた。この定説に対し、先生は、少なくとも中世では、悪党を含む非農業民こそ天皇の支持基盤であったと実証する。

因みに、堀田善衞はこれに賛同し次の通り語っている。

「中世では、皇室は芸能人（和歌詠み人+技術職人）、遊女、傀儡師、庭師（河原者）、絵描き、博打等も含む漂泊民の親玉だった。年末の紅白歌合戦は皇室が主催するのが相応しい。流行歌の『カラオケ歌詞集』とも言える『梁塵秘抄』を撰したのは後白河上皇だ。勅撰和歌集は皇室による世論調査、情報収集が目的だった」と。

長い歴史を通じ、天皇は稲作農民も非農業民も含めた民衆と強く繋がっていたという先生の史観は天皇制を肯定することとなるとし、一部に「網野は右翼だ」との批判も惹起している。

5. 天皇制の将来

対外的発信には抑制的であるが、先生の立ち位置は明解だ。天皇制を廃絶して、天皇をその「象徴」たる地位から解放し、一般的な国民の一人として振る舞えるようにしなければ、民主主義も、平等な社会も日本には到来しない。天皇制は手厚く葬るべきであると主張する。「この問題はもはや主要な問題ではない。無関心の中で自然に風化してゆく」と考える学者も多いが、先生はこれには与しない。歴史の本質に係わる問題であり、根源より超克する必要があると主張する。

尚、先生は皇室の伝統に言及、北朝の子孫の天皇家が南朝を正統としている点と天皇家の婚儀と葬儀が古来の伝統と異なる神式であることの二点を問題だと指摘する。聖武天皇以来葬儀は仏式で火葬、結婚は人前結婚だったと。大王時代は確かに神式だったかも知れないが、当時は全てがそうで大王家だけではなかったと。

（四）「歴史学」論

歴史は理論ではなく、実体である。歴史学は実証された史実に基づくべきだと主張する。歴史は進歩し法則性があるという観念的な唯物史観や、戦前の日本の歴史研究の中心を占めていた為政者中心の皇国史観をともに否定する。

人類の歴史は進歩し続けるという進歩史観は明確に否定する。『日本』とは何か」の本の前文では、「人類は自然破壊を続け、ついに人類をも絶滅できる核兵器を開発するに至った。人類の青年期は終わり、壮年期に入った…」と地球史的発想から書き出し、自説を展開している。

また、「権力者・農業・男性・定着民・陸」のみを重視する歴史を否定し、「庶民・非農業民・女性・漂泊民・海」をも重視する民衆生活史ともいえる歴史学を主張する。歴史の中で虐げられ、世俗的に敗れた地域や人々（例えば、アイヌや沖縄）にも暖かい視線を向けるべきであるとした。同時に、近代歴史学が文献資料を王者として、隣接の学問はみな補助学と言って憚らなかったことに批判的であった。文献についても公文書は基本的に勝者＝支配者が作ったもの。庶民の生活の実体を知るためには、埋没されている私文書・木簡・絵画・民間伝承等の非文書史料にも着目すべきと。日付のない学問として歴史学界が軽視してきた柳田国男、折口信夫、宮本常一等の民俗学とも積極的な連携を探った。更に考古学、文化人類学、民具学などとの学際的研究成果も取り入れ、その知見も活用し、従来の歴史学が作り上げてきた概念や用語についても疑いの目を向け、検証と見直しに躊躇しなかった。社会史、地域史を活発化させた先生の研究活動は、混迷・停滞を続けた戦後のわが国の歴史学界に大きな刺激と方向性とを与えた。

（五）網野史観の評価

網野史観は破壊力抜群で読書界並びに学界に大きな革新の風を吹き込んだ。

特に、一般人には熱烈なファンが多かった。影響は隆慶一郎や北方謙三の時代小説、宮崎駿のアニメ映画、山田光の音楽、ＮＨＫの大河ドラマ、司修の絵本等広く文化面にも及ぶ。堀田善衞、司馬遼太郎、五木寛之等も強く共感、賛同を示した。網野本は大人気を博しベストセラーとなる。

一方、学界では、先生が専門の中世を越え古代から近現代迄幅広く論述するようになるにつれ、批判も多くなり、毀誉褒貶相半ばする。概して歴史学者の反応は冷たく、非歴史学者は好意的であった。勿論、網野学派と呼ばれる若手歴史学者の中には熱烈な信奉者は多かったものの、学界主流からはその研究が独創的であるが故か反発も強く、素直に受け入れられていない。批判は中西輝政、西尾幹二等の右の学者からも、永原慶二、安良城盛昭等左の学者からも痛烈である。江戸文化見直し論の渡辺京二も強く批判。

網野善彦は歴史学界の「寵児」なのか、「孤児」なのか。今後、多くの歴史家の厳しい目での検証に晒されることとなろう。これは革新的歴史家の避けられない宿命である。以下、私が目にした何人かの具体的網野評を紹介したい。

1．賛同論

○柄谷行人（文芸評論家）：中世の天皇支配権の基盤は非農業民とする新たな視点は歴史学を揺るがし活気づけた。
○田中優子（法大総長）：歴史を見る人間の眼差しを、「観念」から「生活」へ向け直した。これは、決して文献を疎かにすることではない。むしろ、古文書を人が実際にはどう生きたかという視点で読み直したものである。
○司馬遼太郎（作家）：室町時代は乱世ではあったが、生活文化の最も華やかな花盛りの時代であった。
○宮崎駿（アニメ映画監督）：時代劇が面白くないのは、登場人物が侍と農民だけだから。黒澤明の「七人の侍」が呪縛となった。中世が舞台の「もののけ姫」では山を漂流する製鉄民「タタラ者」を主人公とした。
○五木寛之（作家）：網野さんの登場と文章に触れて日本の歴史は「これだ！」と興奮した。デラシネたちのアジールとその歴史に果たした大きな役割に光を当てた。網野さんの功績は、天皇論も含めて様々あるが、基本的にはアジール論から出発している。確かに、「無縁・公界・楽」の副題には「自由」と「平和」とあるが、ここで平和と言ってしまうと一向一揆の方が片付かなくなる。「自由」と「自治」の方がよい。網野さんは私が考え、イメージ化してきたものを理論化してくれた。驚きと感動をもらった。網野さんには知的興奮をもらい、私が仕事をしてゆく上での同志だ。
○梅原猛（哲学者）：これまでの中世史研究は農民中心だったが、狩猟採集民、商人といった要素も取り入れた独自な学説を打ち立てた。その業績には学ぶところ多い。私の縄文史観にも似た面がある。この柔軟な研究姿勢を古代に適用されたら面白い。
○服部英雄（九大教授、中世史）：「虐げられた人の側にこそ本当に人間らしい心がある」「敗れ去った側にこそ歴史で大切なものがある」という網野史学の原点はすごい。
○二野瓶徳夫（常民研同期生）：意欲的ロマンに支えられた筋のよい問題意識と構想力に溢れていた。歴史解明の目標を権力者・支配者の側だけではなく、広く庶民に向け、有効な史実と見解を沢山提供。その業績は完成された史実ではなく、今後への問題提起として受け取るべき。
○W・ジョンストン教授（マサチューセッツ大・歴史学）：網野善彦は二〇世紀後半の日本で最も影響力のある歴史家の一人であり、最も重要な知識人として記憶されるであろう。具体的な歴史学への貢献は次の五点である。

①「日本」を国号と看做したこと。
②「非農業民」概念を導入したこと。
③「無縁・公界・楽」概念を導入したこと。
④天皇の支持基盤等を実証的に研究したこと。
⑤「海の視点」を導入したこと。

2．半面賛同・半面批判論

○山折哲男（哲学者）：網野史観の両輪は歴史学と民俗学である。一四世紀の南北朝期を歴史変動の画期とし、その前後で遍歴・芸能民の運命に重大な変化が生じたとする。自由・野生、特権・狼藉の自由人の境涯から抑圧・無権利、差別・賤視に閉ざされた隷属民の運命への転落であると。これは分かるが、この他に南北朝前後を彩るのが前期の鎌倉仏教のカリスマ達（法然・親鸞・日蓮・道元・一遍）の活動と後期の一向一揆の頻発の二つの事象だが、網野史観では殆ど取り上げられていないのは不審だ。

○尾藤正英（東大教授、東大国史科一年先輩）：単一民族で古来統一国家だったという通説を壊そうとしている。一応分るが、壊した後のイメージが不明確。破壊が目的なのか。

3．批判論

○中西輝政（京大名誉教授、国際政治学）：日本の中世は、政治史的には日本史の「陥没期」、社会的には「混乱期」、伝統という点では「喪失期」であった。日本など溶けてなくなった方がよいと考えて室町時代を高く評価するのが戦後の日本史家網野善彦などの一派だ。彼らの民衆史観では、被抑圧者の反乱というのは「市民革命の萌芽」「民衆による自己主張の発露」ということとなる。文化には何百年も変わらず国民性までに昇華される「基層」文化と、個性や直観などに重きを置いた「表層」文化とがある。鎌倉仏教や古代の神祀りなどは前者であるが、芸術や芸能、工芸などは後者である。能・茶・花・連歌・作庭などの芸術が開花した室町文化は、所詮、逃避的・趣味的なものに過ぎない。

○西尾幹二（独文学者）：「七世紀以前には日本は存在しなかった」などは愚にもつかない唯名論に過ぎない。この列島には縄文・弥生という無文字の六千万年超の歴史がある。列島には古来海を渡って多種多様な人間集団の渡来があったことを殊更強調し、縄文以来の長時間尺の中で自己完成度の高い一つの固有の純粋文化を形成してきたという事実を否定することなどどうしてできるのか。

○渡辺京二（歴史家）：遊女の自由等中世的事象である「無縁」を「自由」と解釈するとき、「戦後左翼の切ない夢想」が見て取れる。戦後左翼の反国家主義、自由・平等のラジカリズムの理想郷に過ぎない。

○永原慶二（一橋大学名誉教授、高校・大学の先輩）：日本浪漫派と同じで空想的浪漫主義的歴史観、国家を無視している。「百姓が農民ではない」は常識である。

○安良城盛昭（沖縄大学学長、マルクス主義学者）：一九八〇年代、無縁論・天皇論等で先生と論争を繰り返し、「網野は右翼だ」等最も辛辣に批判した。二人の激しい論争は低迷状況にあった歴史学会を活気付けた。

○小谷野敦（文学者）：「日本売春史」の中で、遊女は聖なるものなどではなく、売春にロマンはないと網野の「遊女＝聖女」論に果敢に疑義を突き付けている。

（六）感動を覚えた一つの研究活動

：奥能登・時国家での「史実」の発見

長い間歴史学界のみならず日本人全員の常識だった「百姓＝農民」という認識の「誤り」を見事看破し、真実を発見するに至った先生の研究活動に私は強く感銘を受けた。その発見に至る具体的プロセスを知るにつけ、社会科学における真実発見の喜びとはこういうことかと実感し、深く感動した。この大発見に至る経緯は以下の通りである。

1．先生は各地での古文書調査で次の疑問をもった。

① 常民研研究員として霞ヶ浦等漁村の古文書整理を進める中で、古来日本での重要な職業である筈の漁業、林業、畜産業、養蚕業等に係る人々は士農工商のいずれの身分に属するのかと疑問を抱いていた。

② 奥能登・時国家の襖下張り文書等の古文書整理の中で、今まで豪農とイメージしてきた時国家は、実は、何隻かの大廻船（北前船）を保有し、廻船交易を営んでいた上、製塩や鉱山開発をも手掛ける多角的な大事業家であることを発見した。同時に、この時国家と取引もあった富裕な廻船商人が、職業的身分では、前田領における無石高民（＝水呑）と分類されていることも文書で確認した。水呑は全てが「貧しい農民」などではなく、その中には田畑を全くもつ必要のない極めて裕福な商人、職人、廻船人もいたことを発見した。

③ 愛媛県二神島での明治政府が作った壬申戸籍を調査、農地は極めて限られ殆どの島民は魚民であるにもかかわらず同島では全戸が戸籍上の職業は「農民」と記載されていた。山梨県での壬申戸籍の調査でも同様の事実を確認した。

④ 大学入試問題作成の過程で目にした関山直太郎の「近世日本の人口構成」から引用された秋田藩の身分別人口構成が農民七六・四％、武士九・八％、町人七・五％、神官・僧侶一・九％、雑四・二％、エタ・非人〇・二％というグラフを見て、ハッと気が付いた。この「農民」とは「百姓」を言いかえたのではないかと。

2．以上の調査とこれまでの研究成果を踏まえ、先生は次の通り、「百姓は農民を意味しない」と結論付けた。

① 律令制度を導入した時、天皇を除く一般人は人口の太宗を占めた班田農民も含め全て「百姓」と分類していた。当時は百姓とは諸々の生業を持った人を意味していた。

② 江戸時代の身分制度は、都市では「武士・町人・百姓」の三身分で、僧侶・神官・被差別民（エタ・非人）等はそれとは別身分だった。村では「武士・百姓」の二つの身分しかなかった。「士農工商」はイデオロギーであって、実態ではなかった。儒者が中国にならい説明し易いから使っていたフレーズに過ぎない。都市か村かの区分は人口とは関係なく城下町かどうかによっていた。城のない都市は全て村扱いだった。例えば、人口の多い輪島も村だった。そこには百姓しかいなかったとなっている。

③ 江戸時代、年貢台帳上、百姓は、土地を持ち石高に応じて米で年貢を物納する「本百姓」と、土地を持たず米以外の産品で物納する無石高の「水呑」とに分類されていた。土地を持たない商人、職人や船持ち等は「水呑」と分類された。このため、水呑が非常に多い村はたいてい都市であったとも言える。

④ 明治五年維新政府が初めて実施した「壬申戸籍」作成に当たっては、「百姓」はすべて「平民・農民」として身分・職業が記載された。この結果、壬申戸籍での日本の人口構成は、「農」七八％、「工」四％、「商」七％、「雑業」九％、「雇人」二％となった。

⑤ 維新政府は、この「工」四％という遅れた農業国家を短期間に列強に伍する工業大国に近代化させたという奇跡の成果を誇示できることとなる。極めて好都合なストーリーであり、何の疑いも差し挟むこともなかった。

⑥ これを多くの歴史学者も受け入れ、江戸時代の「身分制度は士農工商の四つ」「百姓は農民」「水呑は貧農」という国民的常識がいつの間にか定着してしまった。

この発見は衝撃的で、「百姓は農民」「日本は農業社会」「江戸時代の身分制度は士農工商」「水呑は貧農」という歴史上の「常識」だった既成概念を根底から覆すこととなる。何とインパクトのある見事な研究成果ではなかったか。

四、「貴種流離譚」の学者人生

先生の東京高校・東大文学部国史学科五年後輩で先生が最も心を許していた笠松宏至東大名誉教授は、網野先生の人生につき次のように語っている。

「銀行創業家二代目の末っ子で、大ブルジョワジーの出。小学校時代は高輪の洋風の豪邸から白金小学校迄毎日女中に送り迎えされた。今風にいうのなら「シロガネーゼ」か。父上の死後、旧民法に基づき、長男がほぼ全財産を相続。先生は小さな会社の株を少しもらっただけ。ブルジョワジーの出ながら落魄、すごい貧乏生活を送ることとなり、経済的にも学問的にもとても苦しい時期を経験した。しかし、最後はあらゆる面で輝かしい時代を迎えた。正に、『貴種流離譚』とも呼ばれる人生だった」と。

先生は実家のこと、親のこと、兄弟のことについては、自らは殆ど語らない。網野本等を読む中で断片的に知り得た情報を基に先生の学者人生を綴ってみたい。

（一）青少年時代（一九二八〜一九四七）

一九二九年父の新事業立ち上げのため、一家で東京高輪二本榎に転居。三四年白金尋常小入学。小学校時代は昆虫採集に熱中、一時昆虫学者を夢見る。四〇年東京高校尋常科に入学。同級生に黒田寛一（革マル派最高指導者）、佐竹昭広（京大名誉教授）、氏家齋一郎（日本放送）、城塚登（東大名誉教授）、増田義郎（東大教授）等がいた。軍国少年ではなかったが、軍艦の名前を覚えるのを好んだ。四四年高等科（文科）進学。進学に際し、理系（学徒出陣なし）か文系（学徒出陣有り）かで悩み氏家等友人と巣鴨の易者に相談に行ったとき易者から、「あなたは天才的なところがある。学者になるといい。だが、毀誉褒貶色々で評判は飛行機のように上がり下がりが激しい」と言われた由。

（二）大学生時代（一九四七〜五〇）

一九四七年東京大学文学部国史学科入学。石母田正に私淑し、中世史専攻。大秀才の誉が高かった。学校側の受けがいい模範的優等生ではなく、個性に富み、大量のエネルギーを勉強に注いで実力を貯える人。思ったことをズバッという。超絶の記憶力。高校で鍛えたドイツ語力は抜群で、成績優秀につき外国語二単位は免除。マルクスを原書で通読する。格の秀才。学部内集会で颯爽と弁じる長身低音美声の学生で、当時から誰もが認める若きスターで国史学界の将来を担う人材と嘱望される。

共産党に入党したのは一年生後半か二年生始め。学内の共産党仲間には、氏家齋一郎、渡辺恒雄（読売新聞。一年後輩の先生と氏家を共産党にオルグ）、堤清二（西武、氏家に誘われる）等がいた。氏家や渡辺等は高校時代に入党済みで、二人に比べれば遅い入党だった。氏家によれば、「当時の東大は『東京赤色大学』と呼ばれていた。僕も本当に社会主義革命が起こると信じ切っていた。僕は経済学部だったが、定員九〇〇人のところ二〇〇人位は共産党若しくは青共のメンバーだった。網野は文学部で活躍していた」と。一九四九年東大国史学科入学組一六人中九人が共産党に入党、東大新聞意識調査でも東大生の支持政党は共産党が第一位であった。先生は入党後民主主義学生同盟副委員長兼組織部長となるが、教条主義的な党の方針について行けず解任される。運動から完全に身を引くのは卒業後三年程経過した一九五三年前後。卒論は若狭太良荘の荘園史。卒業日前日渋沢敬三主宰の財団法人日本常民文化研究所月島分室に研究員として就職する。

（三）常民研・北園高校時代（一九五〇〜六七）

一九五〇年四月一日常民研出勤日初日「颯爽とオルガナイ

ザー（共産党細胞）といった風貌で」出勤する。所内は高々一〇名前後の自由な雰囲気の若者の組織、早速若手四名を党員にオルグする。仕事は渋沢敬三に重用され、水産庁の委託事業で近世日本の漁村・漁業・漁民に係る資料の整理や目録採りを担当、各地の自治体、旧家等を訪問する。先生は在学時より歴史学を一生の仕事とする決意を固め、学部卒業後も引き続き大学院に籍を置いていたが、授業料未納で入所時には除籍となっていた。入所後三年程はマルキシズムに心酔、共産党の若きリーダーとして教条主義的振る舞いで部下をオルグ、指導し、同時に石母田正に主導された国民的歴史学運動にも深く係わっていた。しかし、その後党内部の矛盾が噴出、観念的な極左化に絶望、唯物史観と決別。「愚かな」（自らそう表現）観念的な歴史論文を公表したことを強く恥じることとなる。この若き日の一時の行動を先生は終生深く反省、自らを「戦後の戦争犯罪人」と断罪、目立った行動は控えるようになる。先生は「マルクス主義支持者」から、マルクスを尊敬する「マルクス支持者」に転向するが、終生「マルキシスト」と自称し続けた。マルクスの偉いところは自説に固執しないことと語っている。

常民研の主力事業だった水産庁からの委託事業が政府予算削減のため漁業調査を中止せざるを得なくなったため、五四年、常民研を退職、東京高校と東大国史科の先輩永原慶二の紹介で都立北園高校の非常勤講師に転職した。

この直後常民研の同期生だった中沢真知子と結婚する。真知子は東京女子大卒。生物学者中沢毅一の長女。中沢新一は真知子の甥（兄の子）。真知子は先生とは常民研同期生。コーラス活動で一緒した。網野のバリトン・真知子のソプラノの実力は並々ならぬものだったと評判となる。高校非常勤講師の給料は常民研時代に比べ、三分の一程度に減少。新婚生活はさぞ厳しいものであったに違いない。エンゲイジリングも買えなかった。私が教壇上で見た先生の服装のみすぼらしさにも納得がいった次第。先生の貧乏振りは有名で、北園では「給与の前借り」の常習犯だったそうだ。因みに、北園の後名古屋大学に転職、着任早々、いつものように給与の前借りを申出、事務担当者をビックリさせ、「前例なし」と断られた由。北園教師時代ホームルームで全員が「私の一番の親友は誰か」を発表することとなったとき、先生は「妻が一番の友かな」と回答する。真知子は夫を終生支えた。後の古文書返却の旅には常に同道し、返却をスムースに進めさせた。

先生は、この沈潜反省期、一から歴史を勉強し直すため、暇さえあれば、東大史料編纂所に通い詰め、「東寺百合文書」等荘園関連一次資料の筆写・精読に埋没、中世史、特に荘園に関する沢山の一次資料を徹底的に読み込み勉強した。この猛勉での授業終了後さっと姿を消していた謎も解けた。北園の結果、古文書等史料の読解という日本史研究家必須の基礎能力を磨き上げる絶好の機会ともなった。その技術は学界でも稀有なレベルに達し、古文書読解の「達人」と称せられる。一九六六年その成果を「中世荘園の様相」として発表。この荘園研究が網野史学の出発点となる。

（四）名古屋大学・神奈川大学時代（一九六七〜九八）

一九六七年名古屋大学助教授就任。住居は庶民的な相生山団地アパート。名古屋時代、歴史ブームを牽引するいくつかの研究成果を発表する。また、神奈川大学への転職後も世間の称賛を浴びる献身的償い活動や革新的な教育コースの創設等もあり、先生は名声を一挙に高めることとなる。これまでの地道な研究活動が正に一気に開花する。

1．「無縁・公界・楽」の発表

七八年、先生五〇歳の時、『無縁・公界・楽』を刊行した。研究者としては遅咲きだったが、学術書としては異例のベストセラーとなり、世の中に中世史ブームを巻き起こした。大輪が花開いた。その印税収入は一軒家が買えるほどだった由。先生もやっと極貧と決別できたのかも知れない。

前出の笠松教授の名前は『無縁・公界・楽』の中にも登場するが、同書増補版の「解説」の中で、「進歩と成長を文明の同義語として盲目的に信じてきた社会と学界にその危うさを実感させた」と本書の意義を高く評価している。

先生はこの『無縁・公界・楽』の「まえがき」で北園での教師時代について言及している。

「中世では天皇制は衰微したのになぜ滅びなかったのか」「なぜ平安末・鎌倉という時代にのみすぐれた宗教家が輩出したのか」という北園高校生の二つの質問に先生は教壇上で絶句立ち往生し、まともな解答ができなかった。この質問は毎年繰り返され、ずっと脳裡に焼き付き、以降その解を探し求め続けた。『無縁・公界・楽』の著は「現在三五才くらいになっているであろう当時の生徒の質問に対する私の拙い解答である」と告白している。

先生はその解をいずれも日本の中世に存在した「無縁」に求めている。「天皇制」については、伝統・しきたり等を投げ捨て、漂泊人・悪党等「無縁」の人々の支援を得て、鎌倉・室町幕府という武家政権になりふり構わず立ち向かった異形の天皇後醍醐の奮闘により、南北には分裂してしまったが、天皇制は何とか崩壊だけは免れ、首の皮一枚で繋がった。以降天皇の力は著しく弱体化したが、いずれの武家政権も天皇制を崩壊させることはできなかったと。

また、「多くのすぐれた宗教家の輩出」については、原始的な「無縁」の原理は中世に於いて徐々に意識・自覚されたものとなり、様々な宗教として組織的な思想の形成に向かった。中世の日本では、この原理は仏陀の教えと捉えられ、天台・真言宗から鎌倉仏教に至る仏教思想による深化が見出されたからと論じている。

2．常民研「古文書返却」問題の解決

最初の就職先日本常民文化研究所は水産庁委託事業を進める過程で全国各地の地方自治体や旧家から漁業に係る膨大な史料を借り入れていた。五六年、ドッジラインによる政府予算打ち切りで委託事業は終了、常民研は瓦解した。所員は四散、先生も北園に去った。常民研が借用していた膨大な史料は、所蔵者からの度重なる返還督促にも拘らず、返還されないまま長い間放置されていた。この事後処理の不手際は関係者の間で常民研に対する強い不信を生んでいた。元常民研リーダーは「返還をよろしく」と先生宛遺言を残し逝ってしまった。八〇年、神奈川大学が常民研の移管を引き受けるのを機に、先生はかつて常民研の中では弱輩研究員に過ぎなかったが、「自分は常民研借用古文書の整理・返却の義務を負っており、生きているうちにそれだけはやらなくてはならないということを、決定的唯一の理由」に、名古屋大学を去り、神奈川大短期大学部に移籍、同時に常民研所員を兼務する。当時名大教授会で先生を教授に推薦する動きがあり、そうなれば常民研に戻れないと思った先生は友人の山口啓二東大教授を自分の代わりに名大教授に推薦している。先生はこの古文書返還問題も自らの犯したもう一つの戦争犯罪と認識していた。これでなぜ先生は教授昇進目前の国立名大から私立神奈川大短大に移籍したのかという予てよりの謎も解けた。

そして、罪の償いのための古文書返還の旅を始める。八二年から八年余りをかけ、対馬・霞ケ浦・二神島・奥能登・紀州・気仙沼・佐渡・若狭・備中真鍋島等全国各地の所蔵者一人一人を訪ねる。丁寧に陳謝する先生に対し、資料提供者は厳しく叱責すると思いきや、「網野さん、これは美挙です。快挙です。あなたが初めてです」と言って赦す。その上伝来の古文書を文化財・研究資料として安全な場所に確実に保存して欲しいと文書寄託・文書寄贈の申出に接する。文書返却の旅は文書寄託を受ける旅に変じていた。意外にも、奥能登・時国家での資料返却と依頼のあった別途の資料の整理・発掘には常民研の職員、神奈川大学の学生の他、夫人や子息（長男）も動員して誠意を尽くす。ここでの貴重な新史料の発見が後の「百姓」論発想に繋がる（『古文書返却の旅』、感動物語!!）。また、この文書返還の旅で訪れたいくつかの地方自治体からは、県史・市史等の編纂や数多くの講演の依頼に接する。先生はいずれも快諾されている。先生には贖罪の意識もあったのであろう。

3．「神奈川大学大学院歴史民俗資料学研究科」創設

古文書返還問題解決のため常民研の神奈川大学への誘致に努力し、これの実現後は、常民研を復活再建し、歴史学と民俗学という二つの学問分野に基礎を置いた新しい研究・教育を目指したユニークな大学院の創設に尽力した（九三年開設）。渋沢敬三の遺志を継承しつつ、従来の常民研活動を批判的に継承し神奈川大学の発展に貢献した。

（五）晩年（一九九八～二〇〇四）

一九九八年、神奈川大学を定年退職。組織を離れた自由人とし精力的な歴史研究を続ける。海外の日本史学界からも強い関心を示され、この時期、米国のシカゴ大・ミシガン大・カリフォルニア大バークレー校等に招聘され何回かの講演を行う。二〇〇〇年肺癌判明。その後も、「時間がない、時間がない」と未完の網野史観深化のため病身に鞭打ち壮絶な研究・著作の活動を続けた。やり残したと特に無念に思っていたのは、時代的には古代と近世（特に封建論）、地域的には本源的に無縁・無主の地である海の研究が手付かずだったということ。「あと一〇〇年が欲しい」とも口走っている。最晩年の新聞に載った写真や語り口には、「鬼気迫る」雰囲気が漂っていた。二〇〇四年二月逝去（享年七六歳）。エネルギーの全てを研究活動に注いだ人生だった。遺志により、葬儀・告別式はなく、遺体は献体された。訃報はル・モンド誌も大きく報道。後に、お墓は夫人により網野家累代の先祖が眠る故郷山梨の寺につくられた。二〇〇九年「網野善彦著作集」全一九巻が岩波書店より刊行された。

貴種の生まれではあったが、先生の学者人生は絨毯の上を歩くエリートコースではなかった。大学院での教官による個人指導も受けられず、留学の機会もなかった。七年制高校で鍛えた独語はマルクスを原書で読むほどの達人ではあったが、英語や仏語は喋れなかった。在野での学者人生となった。若かりし頃犯した戦争犯罪と資料未返却という二つの罪の故だったのであろうか。だが、先生はこの罪に真正面から向き合い、精一杯真摯に償いを果した。そして、「他人の研究への対抗意識でもなく、己の名誉のためでもなく、ただ資料の語るところから歴史の実相を明らかにし、できるだけ正確な歴史像を多くの人に提供しなければならない。それが歴史家の使命だ」という信念を貫き通した（白水智中央学院大学教授）。地道な研究への没頭と多くの同世代ライバル達との交流を通じた切磋琢磨とにより、歴史学界に革新的・独創的な史観を展開した。在野の人だからこそできた挑戦だったかも知れない。

先生は生来名声には関心がなく、打診もあったという文化勲章も含めた褒章を「人の仕事に差をつけるもの」とし一切辞退されていた由。私が教壇上で垣間見た若き日の先生の誠実さは終生変わらなかった。

さいごに

私には「網野史観の理解」という大きな宿題があった。本稿はこの宿題としての私のレポートである。

やっと辿り着いた網野史観の神髄とは、何と、六〇数年前北園の授業で教えられたことだった。「歴史とは民衆生活史である」ということ。私も授業のポイントだけは押さえていたのだとホッとした思いがしている。

（終）

（二〇一七年末月記）

・・・・・・・・・・・・・・・・・

（参考）網野先生余聞

1．網野先生の「生家」

：昨年夏、甲府での墓参の帰途、私は御坂町下井之上を訪ねた。律令時代に設置された甲斐国司の館「国衙」の跡地「御坂町国衙」の隣地に網野家があった。敷地は五〇〇坪位、表通りからは広大な母屋が見える。大きな構えの長屋門と、南面と西面には上面に瓦を頂いた延々と続く見事な白壁に囲まれ、北面は古いブロック塀と竹藪、東面は竹藪で、空き地は草ぼうぼうで外部からの出入りも可能で、人が住んでいる気配はない。南面にある大きな長屋門には「網野誠」の表札と「功労者の家」のレッテルが貼られていた。地名、広い敷地、大きい長屋門、延々と続く白壁、いずれも流石名家網野家を彷彿させるものだった。

2．実父「網野善右衛門」（一八九五～一九四四）

：日川中学、東京商大卒、酒造と銀行経営。一九二九年、叔父の若尾璋八（東京電灯社長）から支援要請があり、東京に転居。若尾財閥が破綻後、江戸川石油・東京パームチット商会経営。・長兄誠…昭和一六年東大法学部卒商工省入省、特許庁を最後に退官、弁理士（特許法律事務所開設）、北里大学教授。著作「商標」（昭和三九年、有斐閣）は古典的名著、弁理士試験受験者必読書。二〇一七年逝去。・次兄久治…東大法卒、弁護士。二人の姉…共に聖心女子学園卒。

3．妻の「実家」中沢家

：祖父中沢徳兵衛は生糸の生産・販売で成功した山梨県加納岩の豪商。父中沢毅一は、甲府中学・一高・東大卒、農商務省入省。水産資源の研究の権威、昭和天皇に進講。真知子は第4子長女。長兄道男は東大法卒ＮＨＫ理事。次男厚は市会議員、民俗学者、「つぶて」の研究者。中沢新一はその長男。三兄は護人（東大工学部卒）。厚と護人はともに共産党員。

4．「子供たち」（二男一女。いずれも学者）

：長男・徹哉（東大教授・ラテンアメリカ史）、長女・房子（専大教授・民俗学）、次男・暁（歴史学）。

5．「義理の甥・中沢新一」

：終生「新ちゃん・おいちゃん」と呼び合う仲。単なる親戚づきあいではなく、学問的に相互に影響し合う。原稿が書き上がると、真っ先に甥に見せ意見を聴取した由。中沢の「僕の叔父さん網野善彦」（集英社新書）には、二人の付き合いが克明に描かれている。結婚直後妻実家に挨拶に伺った時、中沢姉弟は先生を、「アミノ酸」とか「おしっこおじちゃん」（「よしひこおじちゃん」をもじって）と呼ぶ。

6．「大のお酒好き」

：無類のお酒好き、「呑兵衛だからアルコールは何でも」が口癖乍ら日本酒党。酒品レベルは最高級。実に美味しそうに飲む。枡酒五杯は平然、鯨海酔候の如し。べらぼうに強い。乱れた姿を見せたことはなく、談論風発、議論を楽しむ。シンポジュームや研究活動終了後は旅先の居酒屋に大勢で繰り出し、議論するのが大の楽しみだった。歌はお得意で、マダムキラーと言われる程魅力的な声の持主。クラシック音楽の知識は専門家はだし。

7. 「共産党活動」

①共産党員として何をしたか。党内で若手エリートとして優遇され、ビラ配り等は免除され、指導者として地方（山村工作隊）や海外（中国）への若手送り出しを担当。党No.2の伊藤律との連絡役も務めた由。徳田球一・伊藤の二人の首脳の海外逃亡後の党の極左化路線に落胆、決別、党活動を止めた。党の命令で中国への密航を命じられ、五年滞在後引き揚げ船で帰国、密出国で一時逮捕された部下に対し直接謝罪したが、部下は「気にする必要全くなし」と返答し、先生の戦後責任の感じ方・背負い方は余りに過剰であると語っている。

②党員時代の回想：旧友渡辺・氏家・堤の三人は「あれは成長のためのワン・ステップ」と割り切るが、先生は「恥ずかしい。自分は戦後の戦争犯罪人」と猛省し沈黙、沈潜。過剰反省との評も。

8. 「学問上で影響を受けた人」

：マルクス、石母田正（国民的歴史学運動に賛同、直ぐに離脱）、松本新八郎（東大国史科・共産党員時代の先輩。専大教授）、永原慶二（一橋大学名誉教授、東京高校・東大国史科5年の先輩）、川崎庸之（東大名誉教授、中沢真知子の恩師）、佐藤進一（東大教授。名古屋時代の上司、一緒に中世史研究会を立ち上げ）、笠松宏至（東京高校・東大国史科5年後輩、「無縁・公界・学」の「解説」執筆）、阿部謹也（一橋大学長、網野とは意気投合し家族ぐるみの付き合い）、石井進（東大名誉教授、東大国史学科二年後輩）、宮本常一（常民研先輩、「西は母系社会・東は父系社会」を教えられたと）、柳田国男。

①正統派マルクス主義者であった石母田・松本・永原の3先輩とは後に決別・対決し、克服の対象となる。

②先生の「無縁・公界・楽」概念の発想にヒントを与えた学者：・川崎庸之…古代公民が原始の氏族共同体以来の自由民の伝統に繋がる。・笠松宏至…有主よりも無主の世界を主軸にした方がはるかに中世をよく捉え得る。・佐藤進一…『公界』は一種の自治体そのものである」（「無縁・公界・楽」の「あとがき」より）。

9. 尊敬していた「渋沢敬三」

：渋沢栄一の孫。日銀総裁・大蔵大臣歴任。生来民俗学に関心あり。戦中私財で常民研を設立。宮本常一、江上波夫、中根チエ、今西錦司、梅棹忠夫、網野善彦等の海外研究活動を援助。漁業史の整理、民具学の確立の重要性を説く渋沢を先生は尊敬し、その遺志を引継。

10. 網野史観を特徴づけた「網野用語」

①新造語：山民、海民、漂泊民、芸能民、非農業民、ヤマト王権、荘園公領制。②再定義：百姓、水呑。③新概念：無縁、公界、楽。

11. 網野史観にヒントを与えた「逆さ日本地図」

：富山県作成の「環日本海諸国図」を愛用、講演時に常時持参。

12. 「『日本』とは何か」の書き出し

…人類が自らを滅ぼし得る現状を生み出した開発と発展主義を根底から問い直している。マルクスの共産党宣言にも匹敵する歴史的名文と評価する人もいる。

「人間社会の歴史を人間の一生にたとえてみるならば、いまや人類は間違いなく青年時代をこえ、壮年時代に入ったといわざるをえない。それは一九四五年八月六日、日本列島の広島に始まった。……人類がたとえ多少の犠牲を払っても、豊かさを求めてひたすら自然の開発を推し進め、前進することに何の疑いを持たなかった「青年時代」は、もはや完全に過去のものになった。広島・長崎への原爆投下によって、人類が初めて体験した核兵器による被害の恐るべき驚くべき実態を、さらにさらに広く世界の人々に訴え、人類が自らのうちに死の要因をはっきりと抱くようになった「壮年時代」にふさわしく、注意深い慎重な歩みを進め、死滅の危険の元凶の一つである核兵器の廃絶を実現するための条件を広くつくり出すことは、われわれに課せられた使命といわなくてはならない。……」。

13．「網野善彦の日本の歴史の時代区分」

…時代区分は二つの次元で考えるべきと。二つは必ずしも一致せず。

①社会構成史的次元（生産関係、法律的・政治的諸制度を根拠とする）　…　古代・中世・近世・近代。

②民族史的次元（自然と人間社会との係わりから見た時代区分）

…　南北朝期や高度経済成長期が境。

（注）先生の時代区分と同様室町期を歴史区分の分水嶺とする学者…①内藤湖南…応仁の乱を日本史の時代区分とし、我々は平安時代の子ではなく、室町時代の子であると主張。②西尾幹二…一万年の縄文・弥生の先史時代以降を、室町時代を境に古代と、近代に二分。

14．「異形の王権」

…先生は本書で後醍醐天皇の異形性を描く。天照大神の子孫で現人神である天皇がインド由来の密教の法服と法具とで幕府を調伏していること、それまでの慣例を無視したいかがわしい人物を登用（六波羅頭人の伊賀兼光、「邪教」立川流の中興の祖文観等）、彼等を介し悪党、職人や中世の身分制度から外れた非人、神人等を味方陣営に取り込んだ。これまで皇室が大事にしてきた伝統や秩序を打ち破り、非農業民や悪党と結託することによって武家政権に対抗した「異形」の天皇だった。「ヒットラーの如き」特異な性格の持主だったという。後醍醐天皇は精力絶倫で、二〇人の女性に四〇人の子供を設けた。（注）川村湊の天皇観…「後醍醐・明治・昭和」の三天皇は「3大異形天皇」だ。明治天皇は軍服を着た大元帥、神仏混淆の「国教」から新興宗教「国家神道」に乗り換え、教祖となり、欧州由来の絶対王政・立憲君主制を模倣したと。大元帥として戦争に敗れ「無条件降伏」をした昭和天皇は処刑も退位もなく、戦争責任を問われず、人間宣言で象徴天皇となりその天寿を全うした。こんな君主は世界の歴史上例がないと。

15．「日本人の主食の歴史」（小山修三・五島淑子）

①堅果類の時代→縄文時代、
②米の時代→弥生時代から一、二~三世紀、
③米・雑穀（麦、粟、蕎麦、豆等）の時代→一四~一五世紀、
④米・雑穀・サツマイモ等多様化の時代→一九世紀以降。
但し、「米の比重が多過ぎる」と先生等有力学者は批判。

16．「荘園からの年貢」

先生の著作「日本中世の百姓と職能民」掲載の中世荘園の年貢資料に基づいて計算すると、判明している全荘園六七六のうち、年貢を米で納めているところは三八％（二六〇）で、絹・綿・糸・布等の繊維製品で納めているところは約三〇％であると。

17．「日本の方言」

文書は古文書でも全国共通でどこへ行って読めるが、話し言葉は方言の違いで全く理解できないものが多い。金田一春彦は日本の方言の違いは、独語と伊語の違いより大きいと。

18．先生の「江戸時代評価」

これは先生にとってかなり荷の重い問題だった。当初は、江戸時代を「無縁・公界・楽」の中世的アジールを抑圧した抑圧的・専制的な暗黒時代と捉えていたが、江戸の庶民生活の実態を研究するにつれその裏の顔は意外と明るく自由で裁量の余地のあるものだったことを発見し、先生は評価を変えた。「江戸時代は暗黒の封建時代であった」としたい明治政府の考え方に引きずられてはならないというのが先生の主張となった。

19．「先生の受賞歴」

先生は一切の褒章は辞退されていたが、共著の場合のみは、例外的に、共著者を慮り、二回受賞を応諾している。①第四三回毎日出版文化賞「瓜と龍蛇　いまは昔　むかしは今」（福音館、共著者三名）、②第四六回毎日出版記念文化賞ビデオブック「大系日本歴史と芸能」全一四巻（平凡社＋ビクター、編集委員六名）。

20．「文化勲章受章の日本歴史学者」

中田薫（一九四六年、法制史）、津田左右吉（四九年、古代史）、辻善之助（五二年、仏教学）、坂本太郎（八二年、日本史学）、石井良助（九〇年、法制史）。

21．「地方史編纂」

：故郷の山梨の他、茨城・岐阜・福井の県史、伊東・小浜の市史の編纂に関わった。殆どが古文書返却の旅で、懇請を受け応諾した。先生の償いの一環であったかも知れない。

22．「山梨県への貢献」

：出身地山梨からは色々な依頼があったが、先生は可能な限り応じていた。主なものは以下の通り。
①山梨県史編纂（中世史部会長）…甲斐源氏につき、武田に加え逸見、小笠原、南部の四氏は、南北朝迄は追跡の要ありと提議。
②県立博物館基本構想検討委員会委員長…強い意欲と深い情熱を注ぎ網野カラーが滲み出た報告書作成。長を引受けた稀有な例。
③各種シンポジューム・講演会の開催と講演。

23．「アナール学派」

二〇世紀中頃仏を起点に新しい歴史学の大きな潮流アナール学

派が誕生。旧来の歴史学が戦争などの政治的事件を中心とする事件史やナポレオンのような高名な人物を軸とする大人物史だったことを批判、これまで見過ごされてきた民衆の生活分野や社会全体に目を向けるべきと訴え、歴史学は経済学・統計学・人類学・言語学等の知見を活用すべきと主張。マルクス主義的イデオロギーから脱出する歴史学であった。この学派の主張は網野史観の方向性と軌を同じくするが、先生の研究活動にアナール学派を意識した形跡はなく、その影響の痕跡も特に見られない。同じ方向性をもった歴史学が偶々相前後して日欧で誕生することとなったということか。因みに、仏の著名な学術誌「アナール」にかつての常民研同僚速水融（文化勲章受章者）と先生が二人で、数少ない日本人寄稿者となっている。先生は海に生きる日本人、速水は陸に住む農民を書いている。

・・・・・・・・・・・・・・・・・・・・・・・・

【参考文献】

「日本の歴史」（00 日本とは何か）網野善彦（講談社）
「米・百姓・天皇」（日本史の虚像のゆくえ）
網野善彦・石井進（大和書房）
「異形の王権」網野善彦（平凡社ライブラリー）
「無縁・公界・楽」（日本中世の自由と平和）網野善彦（同
「蒙古襲来」網野善彦（小学館文庫）
「日本の歴史をよみなおす」網野善彦（筑摩書房）
「続・日本の歴史をよみなおす」網野善彦（筑摩書房）
「歴史を考えるヒント」網野善彦（新潮選書）
「『日本』をめぐって」（網野善彦対談集）（講談社）
「日本論の視座」（列島の社会と国家）網野善彦（小学館）
「日本社会の歴史」（上・中・下）網野善彦（岩波書店）
「東と西の語る　日本の歴史」網野善彦（講談社）
「中世的世界とは何だろうか」網野善彦（朝日文庫）
「僕の叔父さん網野善彦」中沢新一（集英社）
「歴史としての天皇制」吉本隆明・網野善彦等（作品社）
「現代思想」2月臨時増刊号　2014年（青土社）
「網野善彦■対談集」（1　歴史観の転換）（岩波書店）
「網野善彦■対談集」（2　多様な日本列島社会）（岩波書店）
「網野善彦■対談集」（3　海と日本人）（岩波書店）
「網野善彦■対談集」（4　鎌倉・室町期の日本）（岩波書店）
「網野善彦■対談集」（5　文学・芸能の歴史）（岩波書店）
「回想の網野善彦」（友人知人総勢六一名の回想記）（岩波書店）
「網野善彦著作集」（第一五巻、第一八巻）（岩波書店）
「国民の文明史」中西輝政（PHP文庫）
「国民の歴史」西尾幹二（産経新聞社）
「日本の『宗教』はどこへいくのか」山折哲雄（角川書店）
「ウィキペディア」（Webフリー百科事典）
「日本歴史大辞典」一〜三巻（小学館

竹林の隠者「富士正晴」を訪ねて（後篇）

岩井希文

私が現在住んでいる、大阪府茨木市に縁のある人物として、宮内庁公認の御陵のある継体天皇、実在した人物ではないが茨木市のシンボルマークとなっている茨木童子、戦国期の茨木城主中川清秀、そして最後の茨木城主片桐且元を今までに描いた。今回はその晩年を、茨木市安威の竹林に閑居した、作家で画家であった富士正晴を訪ねている。

前編では、茨木市にある「富士正晴記念館」と、「生誕地の三好郡山城谷村（現三好市山城町）」を訪ねて記した。その続編である。

三、奈良の志賀直哉旧邸へ

一九三一（昭和六）年の富士一九歳の三高在学中に、自作の詩を携え、奈良の志賀直哉邸を訪れ、当時志賀に私淑していた京都の詩人、竹内勝太郎を紹介されたことは先述した。

富士が訪れた時、志賀は四八歳であった。志賀は生涯に、二三回の転居を行っているが、奈良は一九二五（大正一四）年から、一九三八（昭和一三）年まであしかけ一四年滞在した。

この当時の志賀は、代表作の長編、『暗夜行路』の連載を続けており、また短編『清兵衛と瓢箪』『小僧の神様』『雨蛙』を発表するなど、すでに高名な作家であった。奈良には志賀を慕う作家たちが集まり、一種のサロンを形成し、この頃無名でまだ若かった、小林秀雄や尾崎一雄も奈良に移り住んでいた。

富士が訪ねた同じ年に、小林多喜二が志賀邸を訪れ一泊している。多喜二が警察の拷問にあい、獄死したのはこの二年後で、志賀は多喜二の母親宛てに、丁重な悔みの手紙を書いている。志賀は作品にイデオロギーを持ちこむ、プロレタリア文学には賛同しなかったが、多喜二の作家としての力量は評価していた。

三高学生で、何の紹介文もなしに訪れた富士に会い、自分には詩は解らないからとして、当時志賀家に出入りしていた、詩人の竹内を紹介した。当時の志賀は、志のある若者には寛容で、小林秀雄、尾崎一雄、小林多喜二等に対する対応もそうであった。
　ところがこのような温和な一面に反して、実業家として成功し、小説家など男子一生の仕事とは考えない、父親との長い不和と葛藤は、後に和解するものの有名である。また妻や家族へもたびたび、理不尽な癇癪を起した。
　『不機嫌の時代』（山崎正和著）によれば、日本は明治維新以来、国の存亡をかけて西欧化に猛進した。日清と日露の戦争に、曲りなりにも勝利した後の、明治末の知識層たちは、その消化不良の後遺症のため、理解不能の不快の気分に陥った。それは志賀直哉だけでなく、夏目漱石、永井荷風、森鷗外等、症状はそれぞれ異なっても、時代共通の気分であったと説く。次は志賀直哉との面会の様子を、富士が記したものである。

　志賀直哉の立派な容貌と立派な体躯が会うなり小柄の私を圧倒した。彼は唇の両端から流れ出る涎を太い拇指と人差し指の背でぐいと押し上げるようにふきとって話をつづけた。わたしに話題らしいものが何もなくただ眼をぴたりと彼の眼に当ててかしこまっているばかりだから、彼の方が話題をつくりだすより仕方なかった。何かの病み上りらしく、無精髭も荒々しくつき出し、志賀直哉は年よりこの時一時老けていた筈である。

『竹林の隠者』（大川公一著）

「三高生富士正晴君をご紹介いたします。詩を見ていただきたく思います　竹内勝太郎様」。この志賀の名刺が富士の生涯を決定した。志賀は「あれに何があるかわからないが、何か確かにある」と竹内に伝えた。志賀は素晴らしい直観力を持っていた。師となった竹内への、後の富士の回想である。

けちくささや女々しさが全くない人だった。体の大きい人物であり、ペチャクチャしゃべらない、どっしりとした人物であった。彼の大きいガッチリした体や顔貌は、およそ詩人という概念とは遠く、センチメンタルな面影はゼロであり、大きい鼻の下にかたそうなひげがつき出し、大きな口がその下にあった。

　富士が竹内に会ったのは竹内が三七歳、富士とは一九歳違い、京都の生まれ、親が事業に失敗、両親の離婚、一家離散を経て、学歴は旧制中学中退である。新聞記者として職場を転々としながらも、結婚して家庭をもち、詩人としての創作活動を続けた。この師竹内は、一九三五（昭和一〇）年の四二歳の時に、黒部峡谷で遭難死する。それを受けて志賀直哉が遺した文書がある。

竹内勝太郎君

心から許し合う友達を持つ者は案外に少ない。その時時のいわゆる親友というものを持つ人は多いが、十年二十年渝（かわ）らず許しあう友達を持つということはそのことだけで、その人が稀なるよき性質を持っている人だということができるように思う。稀にそういう人でもよき友達に出会わず孤独でいる場合もあるかもしれないが、多くそういう人はよき友に出会っている。私は竹内君の交友関係を見、そういう人であることをよく知っていたから、このことだけでも竹内君が稀なる温かい、いい性質を持った人であったということを理解していた。（中略）竹内君の不慮の遭難に対しては後まで哀しい気持ちが残っている。

この志賀の竹内評は、作品より人間への評価が高い。瀬戸内寂聴の富士評にもあったとおり、富士は竹内よりその高踏な生き方を学んだ。富士を評して作品より、人間が傑作だというのは先に紹介したが、多分に師の影響を受けている。

一九三二（昭和七）年に富士を中心に、当時三高新入生だった野間宏（後に富士の妹と結婚）、桑原静雄（後に竹之内と改め筑摩書房社長）と三人が集まり、竹内の指導のもとに、ガリ版刷りの同人誌『三人』を発刊する。

富士は師である竹内の死にあたって、この同人誌『三人』の続刊と、無名の詩人であった竹内の遺稿の出版を、生涯の使命として自らに課す。同人誌『三人』は、一九四二（昭和一七）年に、第二八号でもって廃刊するまで継続した。戦時中の紙不足のため、同人誌などは強制的に併合させられ、それに反発して廃刊にした。

竹内の遺稿の出版は、昭和一六年に竹内勝太郎詩集『春の犠牲』（高村光太郎共編）、昭和四三年に竹内勝太郎全集三巻（野間宏、竹之内静雄共編）、昭和五二年に『竹内勝太郎の形成―手紙を読む―』等々を続けて刊行した。最初の詩集『春の犠牲』の発刊にあたっては、高村光太郎を訪ね、竹内の詩を見せ推薦文をもらう。その時高村も竹内の詩を高く評価し、共編者にもなってくれた。

私は平成から令和に、元号が変わる一〇連休の一日、奈良に残る志賀直哉旧邸を訪れた。私にとって奈良訪問は久しぶりである。近鉄奈良駅を降り登大路を東に歩き、興福寺の境内に入ると、北円堂が特別公開されている。

本尊の木造如来坐像、本尊を守る木心乾漆造（もくしんかんしつづくり）四天王立像（持国天、増長天、広目天、多聞天）、そして侍する木造無著（むじゃく）菩薩立像、世親（せしん）菩薩立像すべてが国宝である。巨匠運慶の晩年の名作として知られる。特に無著・世親菩薩像は、次のとおり紹介されている。

無著（むじゃく）と世親（せしん）は四～五世紀頃の北インドの兄弟僧侶。法相（ほうそう）教学の祖師として尊崇（そんすう）され、人種や時代を超えた理想的な仏教の求道者（ぐどうしゃ）の姿として運慶が追求・表現した。二対一組で対照的な表現を示しており、老年の無著は裂で包んだ箱を抱いて優しく人々を見守っている。一方、弟の世親は壮年で遠方を見つめる意思の強い姿で表される。共に体躯は量感に富んでおり玉眼（仏像の眼に水晶などを嵌め込む技法）による目の表情がいきいきとしている。運慶の代表作というだけでなく日本彫刻を代表する名宝の一つである。

隣にある南円堂は、西国三十三カ所の第9番札所になっているので、境内は参詣客が多く絶えない。この後春日大社に表敬参拝したが、ちょうどこの季節は、境内の藤がさかりに咲いていた。春日大社から南へ「ささやきのこみち」をくだると、今日の目的地である志賀直哉旧居がある。

　これは志賀直哉が自ら設計し、昵懇の宮大工に建てさせた、数寄屋造りの建物で、敷地面積一四三八㎡、延べ床面積四一七㎡の二階建てである。一番の特徴は広い食堂と、それに連なる庭に面したサンルームである。志賀が書斎にいる時でも、常時ここには千客万来で、食事しまた泊まっていた。小林秀雄などが常連なのである。志賀の二三回の転居も、客の多さから逃れたとも言われる。

　阿川弘之に『志賀直哉』（上・下巻）、一〇〇〇頁に近い大著がある。志賀直哉の多くいる弟子のうち、阿川自身その末弟と任じている。自分の支えは海軍の経験と、志賀直哉の訓えや交際から学んだ外に、何もないとも言っている。この弟子たちが皆ほめているのが、志賀の妻だった康子である。志賀の癇癪は一番多く妻に向かうのだが、平然と優しく耐えた。この康子は公家だった勘解由小路家出身で、武者小路実篤の従妹であった。志賀は一九七三（昭和四八）年、八八歳で死去したが、志賀と親しかった梅原龍三郎が語っている。

　志賀がいいのは康子さんがいいからだ。康子さんは尊敬すべき女性だな。あの奥さんがなかったら、志賀の今日は無かったかもしれない。他の人と結婚していたら、もっと荒れた人間になっていただろうと思う。

志賀直哉奈良旧邸

　私はこの後近くにある新薬師寺を訪ねた。このお寺は聖武天皇の病気平癒を祈願して、后の光明皇后が創建したもので、当時は東大寺に劣らない大伽藍であった。今は小さな本堂しか残らないが、中には本尊の薬師如来坐像、それを守護する十二神将立像が並び、すべて国宝で圧巻である。

　その後前々から一度訪ねたいと思っていた、世界遺産にも登録されている、春日山（三笠山）原始林の遊歩道を、三時間かけて歩き感動した。春日神社ができる以前の古代から、神の住まう神南備（かむなび）であったに違いなく、全山に鬱蒼と巨木が繁茂している。

四、晩年の住処、安威の里を訪ねて

茨木市の安威の地は、私の住む沢良宜西からは真北にあたり、旧亀岡街道に沿い歩いて二時間程である。安威はその昔、紺色の染料となる藍草（あいくさ）の栽培が盛んであったことからこの地名があると伝わる。そして今この安威の地には、追手門学院大学のキャンパスがある。

茨木市には三人の文学者の記念館があり、今私が記している富士正晴、茨木に育ち旧制茨木中学（現・府立茨木高校）を卒業した川端康成、川端康成原案とされる『葬式の名人』の映画が、茨木を舞台に撮影され今公開中である。もう一人がこの追手門学院大学の、第一期卒業生である宮本輝である。川端康成は稿を改めて取りあげる予定なので、ここでは追手門学院大学のキャンパス内にある、「宮本輝ミュージアム」を最初に訪ねたい。

追手門学院は一八八八（明治二一）年に、その名にあるとおり、大阪城の大手門の地に誕生した、西日本最古の私立小学校を創始とする。この茨木の地に大学が開学されたのは、一九六六（昭和四一）年で五〇年余の歴史をもつ。一九九六（平成六）年の春に、創立三〇周年を迎えた際の、宮本輝のお祝いの寄稿がある。

もう三十年もたってしまったという思いは、大学創立三十周年を迎えるにあたって、不思議な歓びと痛みとともに湧きあがってくる。この三十年で、どれだけの春秋に富む若者たちを世に送りだしたことであろう。

いずれにしても、大学自体も、巣立っていった者たちも誠に壮（さか）んな時期にある。そして壮んな時期にこそ、人間はふと青春を思い、青春の時代を生きたふるさとをなつかしみ、その舞台がいかに自由で闊達で慈愛に富んでいたかを思い知るものらしい。

青春というポケットのなかには、さまざまなガラクタが侵入してくる。ガラクタをかき集めるための時代といってもいい。しかし、そのガラクタは、やがて個々の精神のなかで独自の造形が為されて、人間への慈しみ、社会への慈しみとして体現化されるときを待っているのではあるまいか。「才」の時代はすでに行き詰まり、「徳」が求められる時代が到来した。

追手門学院大学の独自の校風が、さらに十年後、二十年後、三十年後に、慈愛の人材を輩出することを切望している。何事も、自らが大きく慈しむことによって、四方の重い扉もひらかれると私は信じられるようになった。

「あなたが春の風のようにほほえむならば、私は夏の雨となって訪れましょう」という中国の古い諺を引用して、お祝いの言葉とさせていただく。（諸処中略あり）

（『追手門学院大学三十年史』）


宮本輝の、よく知られた代表作と言えば、三〇歳のデビュー作『泥の河』であろう。無名の新人が突然現れ、いきなり太宰治賞を得た。そればかりでなく同じ年に出た、第二作『蛍川』が、芥川賞に輝きさらに世間を驚かせた。

『泥の河』の舞台は、まだ戦火の焼け跡の残る、一九五五（昭和三〇）年の大阪である。堂島川と土佐堀川がひとつになり、安治川と名を変え大阪湾に注ぐ。その川筋に架かる橋のたもとで営む、小さな「やなぎ食堂」には、八歳で小学二年の少年信雄とその両親が住む。お客はすぐ前を流れる水運の利用者たちである。

信雄はある時対岸の橋の下に、見慣れないみすぼらしい船が、係留しているのを見つける。その船には学校には行っていないが、信雄と同じ歳の少年喜一（きいち）の他、母と姉が住んでいて交友が始まる。姉も信雄の母の招きで訪れ、食堂の手伝いをするなど親しくなった。

船の中は真ん中を板で仕切られ、母と子供たちの部屋が分けられ、出入り口も別々になっていた。信雄は親から昼は良いが、夜は絶対に行ってはならないと、厳しく言われていた。しかし天神祭の夜、喜一に招かれて船を訪れ、喜一が川に浸した竹ぼうきに大切に飼う、カニを見せてもらい遊んでいた。

信雄は逃げたカニを追い、隣の母の部屋をのぞき見てしまい、男に抱かれた母の視線と、まともに交えることとなる。まもなくしてなんの知らせもなく、ポンポン船に引かれて、船が去って行くのを信雄は見つける。信雄は少年の名「きっちゃん、きっちゃん」と叫び、涙しながら船を追うが、船からは何の応答もなく去ってしまう。これがラストシーンである。

最初私はこの『泥の河』を映画で見た。このラストシーンでは、子供たちの将来を考えると、暗澹として胸がつぶれる思いであった。また後に毎日新聞主催の、月一度の「大阪街歩き」に、妻と一年間参加したことがある。この『泥の河』の舞台となった、安治川周辺を案内してもらい、食堂のあった場所、舟の係留されていた場所も訪れた。

幼年期の宮本輝はこの安治川周辺に住んでいて、ここは懐かしい故郷の地である。その後『蛍川』の舞台となる、富山市のいたち川周辺に移り、少年期を過ごす。『蛍川』は中学三年の少年が主人公である。立山を源流とするいたち川は、常願寺川に流れ富山湾に注ぐ。

今でも東南アジアには、多くの水上生活者が居るが、私が大阪に来た頃には、大阪にも水上生活者が居た。私が勤務していた山崎の工場敷地の中には、町道が通っていて神社の参道に通じ、そして天王山の麓にある福祉施設の水上隣保館にも通じていた。通学できない水上生活者の子弟を預かる施設で、毎日通学する子供たちに、「おはよう」と挨拶した記憶がある。

私がミュージアムを訪れた時には、企画展として『流転の海（完結記念）』展を行っていた。私は作品『流転の海』を読んでいないが、企画展には次のとおり紹介されている。

物語は敗戦後二年経った大阪に主人公が帰ってくるところから始まります。作者の父親をモデルとした主人公、松坂熊吾とその家族の波乱万丈の人生を描く大河小説。全九巻。三七年間書き続けられた「流転の海」シリーズが、二〇一八年に刊行された第9部『野の春』をもって遂に完結。此の大河小説の完成を祝し、作品の直筆原稿や登場人物紹介パネルなどを展示。

私が読んでいる『螢川』に描かれた父親像が、事実を反映しているならば、戦後父は事業を次々と立ちあげ大成功する。若い妾だった母に子供（筆者）が生まれ、それを契機にして、父は子供のない本妻と別れ、母と正式に結婚する。しかし時代が落ち着いてくると、積極策があだとなって零落してしまい、寂しく亡くなる。ここにあるとおり、波乱万丈の人生であった。

二〇一九（平成三一）年三月三〇日（土）の毎日新聞の記事によると、二〇一一年に『泥の河』の舞台となった地に、文学碑が立てられたことを知った。私はさっそく訪れることとしたが、新聞記事には次のとおりある。

庶民が支えた水都

大阪では、難波津と呼ばれた飛鳥時代以降、港が大陸や近隣諸国との交流拠点として栄えた。恵まれた水運環境のもと、信雄の家族のような庶民が経済を支えた。

近代は「水の都＝水都」と呼ばれたが、経済の進展とともに一時は水質が悪化。それが21世紀以降、官民が「水都大阪」の復活を掲げ、水辺の整備が進む。大阪随一の観光名所、道頓堀川を回るクルーズ船はインバウンド（訪日観光客）でにぎわっている。

そうした表の客とは別に水運をめぐる経済を支えたのは昔から、信雄一家のような庶民だ。大阪には無数の橋があり、大正区や港区などでは今も渡し舟が行き来する。川沿いを歩けば、遠ざかる「昭和」を感じさせる箇所がいくつもある。

大阪で初の主要20カ国・地域首脳会議（G20サミット）が開催されるため、厳戒態勢の続く六月末に、私はこの文学碑のある地を訪ねた。阪急梅田から御堂筋を南に、中之島からは西に、ある時は堂島川に沿って、ある時は土佐堀川に沿って二時間程歩き、二つの川が合流する安治川にたどり着いた。記事によると文学碑のある場所は、二つの川が合流する手前の、土佐堀川に架かる湊橋のたもとである。何か公園でもあるかと探したが何もなく、その文学碑は灌木に囲まれた、狭い所にポツンと立っていた。今の宮本輝は芥川賞の選考委員にもなっている、日本を代表する作家の一人である。

小説「泥の川」舞台の地

宮本輝『泥の河』文学碑

堂島川と土佐堀川がひとつになり、安治川と名を変え大阪湾の一角に注ぎこんでいく、その川と川がまじわるところに三つの橋が架かっていた。昭和橋、端建蔵橋、それに船津橋である。

「あそこや、あの橋の下の、……ほれあの船や」目を凝らすと、確かに湊橋の下に、一艘の船が繋がれている。だが信雄の目には、それは橋げたに絡みついた汚物のようにも映った。

「あの船や」「……ふうん、船に住んでんのん？」

「そや、もっと上におったんやけど、きのうあそこに引越してきたんや」

（宮本輝「泥の河」の一節より）

この追手門学院大学のキャンパスに接して、西隣の地に大織冠神社があり、藤原鎌足が祀られ、その古廟と地元では伝わる。藤原鎌足は藤原氏の祖で、六四五年に中大兄皇子（後の天智天皇）を助けて、当時国政を専横していた蘇我入鹿を討ち、後の大化改新に功のあった人物として知られる。その死に際して大織冠という最高の位階を、天智天皇より授けられこの神社名がある。

鎌足が茨木（三嶋の一部）とゆかりが深かったことは、正史である『日本書紀』に、皇極天皇三（六四四）年正月の条に、「中臣鎌子連を以て神祇伯に拝す。再三に固辞びて就らず。疾を称して退出て三嶋に居り」と記す。これは蘇我入鹿殺害の

伝・藤原鎌足古廟

前年である。この地に鎌足の別業（別荘）があった。
六六九（天智八）年に鎌足は没するが、現在の通説では鎌足は、奈良桜井にある多武峰・談山神社に葬られたとする。ただしこの地に残る伝えでは、ゆかりの深いこの安威の地に、当初は埋葬された。しかし鎌足の長子で僧の定慧が唐から帰朝した際に、父鎌足から夢告があったとして、この安威の地から談山神社に移葬されたとする。

なお定慧が鎌足の長子にもかかわらず、僧となって唐に渡ったのは、実は定慧は鎌足の実子ではなく、孝徳天皇の子とする。天皇が愛した后を寵臣の鎌足に下賜し、この時すでに懐妊していて定慧が生まれた。そのため鎌足の次子の不比等が継いだと伝わる。

またまた例の道草・脱線で、富士と鎌足となんの関係があるのだと叱られそうだが、それが実は関わりがある。富士は自分の先祖について次のように記している。

残る位牌や村の言い伝えによると、鎌倉時代の一二二一（承久三）年に、土御門上皇が土佐に流されるのに従って、京都から土佐まで来た藤原新兵衛貞正が、わが富士家の先祖らしい。二年後の一二二三（貞応二）年には、土佐から阿波に移された土御門上皇に従って阿波へ来、一二三二（寛喜三）年に土御門上皇が三七歳で崩じた翌年に、阿波の三好郡山城谷村に住みついた。

富士とは珍しい姓であるが、藤原氏の藤から来ており、藤原氏の血をひいていることになる富士正晴は、藤原新兵衛貞正から、第十九代か二十代の当主にあたる。そこで司馬遼太郎に言ってやった。

「そいでねえ俺の住んでるところがな、藤原鎌足がな出た、本貫ということになってんのや、そしたら俺はやな、藤原鎌足の末裔やからね、先祖のとこへ落ち着いたちゅうことになる。俺がおるこの安威のあたりが全部俺の領地ということになる。ほんまに困るわ。」

富士には酔ってだれかれとなく、深夜電話する癖があるが、その一つであろうか。また深夜の電話癖については後述したい。佐藤、伊藤、後藤、江藤、斎藤、加藤、進藤、遠藤等々、「藤」のつく苗字は多いが、これらはみな藤原氏の末裔と、読んだことがあるが本当であろうか。

承久の乱を起こしたのは、土御門上皇の父の後鳥羽上皇である。上皇は源平時代、時勢に応じて深慮悪謀を重ね、平清盛、木曽義仲、源頼朝、源義経等を、手玉にとってその威を維持した後白河法皇の孫で、その衣鉢を継いでいる。そして幼くして壇ノ浦に、入水して果てた安徳天皇の弟でもある。

歴代の天皇中でもたしかにきわだった個性のもちぬしであり、多能多芸、一種の百科全書的人間であった。和歌はみずから新古今時代をリードする代表的歌人であり、『新古今集』自体も実は上皇の自撰といったほうがよいくらいである。蹴鞠・管弦・囲碁・双六にもうちこみ、宮中の有職故実で通じないものとてはなかった。さらに武芸百般、ことに相撲・水泳・競馬・犬追物・流鏑馬・笠懸などをこのみ、京都の内外にしばしば狩猟をもよおしたりもした。

　刀剣にも関心がふかく、御所の内に刀鍛冶を召し、ときにはみずからこれを焼ききたえて、「御所焼の太刀」とよび、近臣や武士たちに与えた。上皇はとくに菊をこのみ、衣服・車・輿だけでなく、太刀をも菊の紋でかざったから、「菊作りの太刀」といわれた。いわゆる「菊花の御紋章」は、ここにあるといわれている。

『日本の歴史7（鎌倉幕府）』（石井進著）

　後鳥羽上皇は皇室の権威を過信し、北条義時追討の宣旨を下しさえすれば、東国の御家人・武士たちは、幕府打倒に蜂起すると信じていた。ところが意に反して、北条義時の子泰時が指揮する、関東勢の大軍が京に押し寄せ、戦いらしい戦闘もなく王朝側は瓦解した。一二二一（承久三）年の承久の乱である。

　富士の祖先が従ったとする土御門上皇は、この後鳥羽上皇の第一皇子である。土御門上皇はこの乱に積極的には関与しなかったが、止められなかった責任を感じて、自ら進んで配流となったと前著は記す。後鳥羽上皇は隠岐に流され、この地で生涯を終える。

　続いて本日の最大の目的地である、富士の旧居跡を訪ねた。安威二丁目の安威小学校の近くとあり、酒屋さんがあったので聞いてみた。富士さんは晩年、直接この店にウイスキーを買いに来て馴染みとのことで、主人自ら現地に案内してくれた。

富士旧居跡

　写真に見るとおり残るは竹藪のみで何もない。酒屋の主人の話である。最初に見えた時、スコッチはないかということだったが、昔の田舎の酒屋にそんなのあるわけがない。それ以降先生用に置くこととしたが、生前はそんなに偉い先生とは全く知らず、風変わりな酒のみのじいさんぐらいに思っていたそうである。

　ここ竹林に蟄居するようになったのは、やはり大きな挫折・失意が契機となっている。既述の記念館の『富士正晴文学アルバム』によると、戦争の傷跡、長年の友人だった伊藤静雄の死、野心的な試みだった『VIKING』の商業誌化の失敗、同人誌仲間たちの富士からの離反、阻止できなかっ

記念館に復元された書斎

た久坂葉子の自殺等が重なり、避難所として竹林が格好の場となった。

久坂葉子は、旧財閥系の名門の家庭の出で、二〇歳で芥川賞候補になり、ジャーナリズムの脚光を浴びるなど、早熟の文学少女だった。『ＶＩＫＩＮＧ』の同人となり、度々自殺未遂をおこすなど、同人仲間から孤立するが、富士はその才能を愛し擁護した。一九五二（昭和二七）年の大晦日に、阪急六甲駅で電車に飛び込み自殺した。後に富士は『偽・久坂葉子伝』を公刊するが、この久坂擁護が同人仲間の離反ともつながっている。

富士は、亡くなるまでの三五年近い歳月を、茨木市安威の竹藪に囲まれた、農家風の「ボロ家」で過ごし続けた。妻静栄との間に一男二女をもうけた富士は、ここから滅多に外出しなくなる。が、それは常に外の世界への目を失わない生活でもあった。中国文化大革命の新聞記事切り抜きを続け、ベトナム北爆に衝撃を受けるかたわら、魯迅を読むのである。

富士は書斎から、竹藪でのさまざまな草木や小動物たちを観察して休息を愉しんだ。冬眠中の縞蛇を天井で殺し、それを庭に放り出した朝鮮イタチのかしこさ。新しくこしらえた庭池の目高や鮒の生態。佐助蛙と命名した忍者めいた格好の蛙が、尻のほうから土蛙をのみこむ様子。日の当たらぬ場所でも花をつけるコスモスのいじらしさ。

たとえ「出不精」であっても自己の周辺がすでに豊饒な宇宙であると発見することで、富士はそこに存在する多くの生命力とのびやかに交感し、戯れることができたのだった。「坐っている」ことは、もはや沈黙や消極的な静止ではなく、諦念や「無感動」という衣をまとった富士正晴の魂の、贅沢すぎるほどの巧妙な解放だったといえるかもしれない。

「悟りなどを開こうと思って坐っているわけではない。あぐらであって座禅ではない」

「富士正晴文学アルバム」（富士正晴記念館）

最晩年には三人の子供たちも家を出て、妻も人工透析の必要のため入院し、一人住まいとなる。近くに住む次女が、時々様子を見に来る。誰も酒を止める人がいない。富士の酒は酔うためにに飲み、ウイスキーを好んで飲む。酔うと深夜だれかれとなく、電話することは先述したとおりである。司馬遼太郎の『街道をゆく』全四三巻は私の愛読書であるが、その第三巻にこんな記述がある。

帰宅した夜、作家の富士正晴氏から電話があった。富士氏は年中家居している。外出といえば年に一度ぐらい近所の酒屋へ酒を買いにゆくぐらいのもので、このため深夜、それもほとんど毎夜、友人知己に電話をかけるのが娯楽なのである。氏はいま東鑑（あずま）と西行（さいぎょう）に熱中していて、この暑いさかりに西行の数多い歌を一首々々たんねんに読んでいるらしく、自然話題がそのことになった。

「西行は、どこに墓があるのやろ」と、いきなり正気めかしい話題が出るのは、夜中酔って電話をかけた照れかくしかもしれない。しかしいかに大酔していても電話をかけるときの呂れつはたしかで、つい当方もまじめに応答せざるをえない。ところが相手は一夜あけるとすっかり忘れてしまっていて、翌夜、「おい、西行はどこに墓があるのやろ」とかかってくるのである。

普通だと深夜の電話には腹を立てて切るところだが、一人さびしく酒を飲んでいて、電話してきているとわかるので、司馬さんはやさしく応対する。ただ電話には司馬さんでなくても、奥さんでもお手伝いさんでもよく、みな酔っぱらった富士への応対に、手馴れていたそうである。

富士の深夜電話についてもう一例紹介すると、富士が先ほど亡くなった田辺聖子を書いた、『可愛いカモカ奥さん』のエッセーがある。「カモカのオッチャン」は、田辺聖子が愛するご主人の別称である。田辺聖子のことで、一〇枚書いてくれと編集者に頼まれ、読売テレビの「お笑い大賞」の審査員で、一緒していたので気軽に引き受けた。

田辺聖子は酒を飲むのが大好きで、当時読売テレビの11PM製作の酒豪番付では、東の横綱戸川昌子に対して、西の張出横綱の座を占めていた。かれこれ思い出して五枚程は仕上げたのだが、そこから先原稿が進まない。

酔っぱらったわたしは遂に、田辺聖子の評判を田辺聖子に聞こうという妙な気を起こした。年末、大忙しであろうお聖さんをつかまえて延々、三、四十分、田辺聖子なる人物の評判を取材したような感じがする。感じがすると、まことに頼りないことをいうのは、メモがゼロで、つまり聞いたことを何も書きとっていなかったからだ。

何も書きとっていないということは、酔っぱらったわたしの場合、何も聞きとらなかったのと同じで、四十分を悩ませたことが無意味になりお聖さんには無駄骨折らせたこととなる。しかし、勇を鼓して、次の夜、又かけた。

「昨夜、ぼく何をきいて、あんたどない言うてくれたんや」

「又、忘れましたの。もう知らん」

　叱られて電話を切られてしまった。


しかしこれが原稿のネタになる。子供たちが心配してこのまま放置できないとして、本人が酔っているところを、長男が車に乗せて、東京の長女のところへ連れて行き、富士は禁酒の監禁生活を強いられた。京都での個展開催を理由に戻るまで、東京での暮らしは半年ほど続いた。


　深酒のんで、飯は余りくわず、栄養失調の危険地帯にはまりこんでいて、一人住まいなど危くてさせておけないというあたりからの東京への弾ね出しというのが東京蟄居の大理由らしいことにされてしまった（茨木に番人をつけるようになったら帰宅してもよいが、それまでの家の手入れのすむまでは蟄居していろいうのが、一族どもの大義名分にされているみたいで）ケーキなど持って来たり、送ってくれたりする人はあるが、酒となるとそれは駄目だぞと睨みがかかっている。こんな蟄居、うれしかろう又、楽しかろう訳はないだろう。天大いに晴れて、面白くもない。

　何とか早く竹藪の中に帰れて、しめっぽい竹藪の底で、何も求めず、天に向かって腹くつろげてねていたいという気がしてならない。来年の元旦を、私は東京で迎えるのか、茨木で迎えるのか、それさえ年末の今、はっきりしないのだ。暗い流行歌みたいである。竹藪の中でなら、少し明るい歌ぐらいやれるかも知れんが。全くあほらしい。

　一九八六（昭和六一）年一二月二九日京都新聞、最後の公表された文章と思われる（中略あり）

　一九八七（昭和六二）年に、富士は関西大賞大詩仙賞を受賞、その直後の七月一五日午前七時、急性心不全のため自宅で死去した。七五歳であった。父親と一緒に昼食をとろうと訪れた近所に住む次女が発見した。昨日までは何も変わりはなかった。

　私の本棚に西田書店が発行している『本の立ち話』（小沢信男著）がある。このなかに「ＶＩＫＩＮＧクラブの師弟」の一章があり、『富士さんとわたし―手紙を読む』（山田稔著）が紹介されている。『富士さんとわたし』の二人の著者は、既述した富士正晴記念館が毎年主催している講演会に、講師として招かれ私はどちらの講演も聞いている。

　『富士さんと私―手紙を読む』は、山田から富士への手紙一九四通、それへの返信として富士から山田への一六九通、期間でいえば一九五四（昭和二九）年、山田が二二歳で富士と出会った時から、一九八七（昭和六二）年に富士が七五歳で没するまで、三三年間の往復書簡である。これが『ＶＩＫＩＮＧ』に連載され、五三〇頁の大冊となって公刊された。

戦後は処士横議の時代で、つまり訪問と手紙の時代でした。電話がろくにないからね。その気風は昭和三十年代まではつづき、その後も惰性でだいぶつづいた。激論ないしムダ話のはてに泊まり込むのも再々で、なにやら濃密な気配なのに、ハガキや手紙は素面で書くから淡々としている。この間合いが、味わいですなぁ。当事者なのに観察者風だ。

大阪府茨木市の富士正晴記念館には、正晴あての膨大な来信類が分類整頓されている。山田家にある正晴書簡百六十九通は殆ど返信だから、前段の往診が記念館にあるはずで、組みあわせれば往復書簡が復元できる。わけだけれども、思うだにたじろぎそう。あれこれの未熟醜態に再会の羽目になろうから。

著者はどうやら、たじろぎよりも好奇心が勝った。おのれの体裁などより富士正晴の生態こそが大切だろう。竹林の隠者的定評の人がいかに活き活きとチャーミングであったことか。いかに無類の先達であったか。往復書簡は折々の現在なのだから、三十三年間のタイムトンネルをくぐり直したらどうなるか。その探険行は、二〇〇五年より「VIKING」誌に連載して、丸三年におよんだ。

『本の立ち話』(小沢信男著)

私は最後に安威の産土神(うぶすなかみ)である安威神社に、表敬参拝して帰路についた。この神社の参道には大念寺があるが、この寺も藤原鎌足の長男の定慧の開基とする。

五、正晴・静栄の墓のある宝積寺へ

まだ暑い日の続く八月の終わりに、京都府の大山崎町にある宝積寺(ほうしゃくじ)(俗称宝寺(たからでら))を訪ねた。『富士正晴文学アルバム』によると、ここに富士正晴夫妻の墓があり、写真が掲載されている。阪急京都線の大山崎駅に下車し、JR東海道線の踏み切りを渡り、天王山の登山口から急坂を登ると、宝積寺の山門に出る。

山崎は西国街道に面した、古くから歴史ある地なので、名所旧跡が多く残る。ここ宝積寺も、聖武天皇の勅願によって、行基が開基した真言宗の寺と伝わり、由緒ある遺物が多く残る。山門の両側に立つ金剛力士仁王像は、鎌倉時代の作で重

富士正晴の墓
(大山崎町・宝積寺)

文指定、境内にある朱色の三重塔は、山崎合戦の勝利の後に、豊臣秀吉が建立しこれも重文指定、本堂に安置されている本尊は十一面観音菩薩、聖武天皇が行基とともに彫刻したと伝わる。

本堂に並んで小さいが、どっしりとした小槌の宮というお堂がある。七二三（養老七）年に、文武天皇の第一皇子の夢に龍神が現れ、小槌を出して「万宝第一の宝物」と言って、皇子に献じて天に昇って行った。皇子が目を覚ますと枕もとに小槌があり、皇子はまもなく即位して聖武天皇となった。天皇は、ここに伽藍を建立し小槌を納め、宝積寺または宝寺と称した。この打ち出の小槌で、男は左手、女は右手を打つと、福徳を授かるという。

帰路西国街道を歩いて高槻まで、できれば私の住む茨木まで、歩こうと思っていたのだが、あまりに熱くひと駅歩いただけで、阪急水無瀬駅から帰宅した。この短い道程にも西国街道に沿って、JR山崎駅、そのすぐ前に妙喜庵（みょうきあん）があり、ここに千利休が造った国宝の茶室「待庵」がある。

続いて山城・摂津の国境だった関戸大明神がある。菅原道真もここで都を眺めて涙し、都落ちする平家一族は安徳天皇の神輿（みこし）をすえて、再び都に帰ることを祈願して涙したと伝わる。「従是東山城国（これよりひがしやましろのくに）」と刻んだ石碑が立つ。

そのすぐ先に離宮八幡宮がある。ご神体は平安の都を守るため、宇佐八幡宮から招請し、また中世には油の神様として、油座を組織し市場を独占した。境内には「本邦製油発祥地」という石碑が立ち、今も製油関係者の信仰を集めている。続いてすぐに連歌の始祖と言われる、宗鑑が住んだと伝わる屋敷跡がある。

さらにその先には、私が二〇代・三〇代・四〇代に、それぞれ三年計九年勤めた、懐かしいウィスキー蒸留所がある。

さらに歩くと水無瀬神宮がある。この辺りの広大な地域に、先述した後鳥羽上皇の、お気に入りの水無瀬離宮があった。御幸の折は、鳥羽の離宮から船で淀川を下り、そのまま水無瀬離宮の釣殿に、船を着けることができた。またこの離宮の地には背後に山があり、狩猟地としても知られていた。

これも先述したように、後鳥羽上皇は承久の乱に敗れ、隠岐島に流され、一九年間の配所生活の後この地で崩御した。

水無瀬山わがふる里は荒れぬらん
籬（まがき）は野らと人もかよはで

上皇の水無瀬離宮への想いは強く、上皇はこの水瀬神宮に祀られている。阪急水無瀬駅から帰宅した。（了）

会津の人 松江豊寿

――板東俘虜収容所［一九一七―一九二〇］

松田祥吾

一、青島(チンタオ)攻略

大正三年（一九一四年）六月、第一次世界大戦が始まり、同年八月、日本は同盟国イギリスの要請に応じ、ウィルヘルム二世治下のドイツ帝国に対して宣戦を布告した。

日本はマーシャル諸島、カロリン諸島、マリアナ諸島などドイツ領南洋群島の占領を急ぐ一方、青島の攻略を目指した。

青島は中国山東省の膠州湾東南端にある港湾都市で当時はドイツの租借地であった。ドイツ人によって美しい新市街が建設されておりドイツ東洋艦隊の根拠地でもあった。約三万人の日本軍はイギリス軍一千と合流し、五千足らずのドイツ軍が立てこもる青島要塞を激しく攻撃した。ドイツ軍は善戦したがタンネルベルヒの再現はならず十一月七日白旗が掲げられ降伏した。生き残ったドイツ兵のうち、傷病兵、衛生兵、軍医はイギリスが担当し、残る四千六百余名は四隻の輸送船に分乗させられて十一月中旬、門司、広島、神戸の各港へ向かった。そこからは鉄道または船によって全国各地の俘虜収容所へ護送された。行き先は、東京（浅草本願寺）、静岡、名古屋、大阪、姫路、松山、丸亀、徳島、大分、久留米、福岡、熊本の十二カ所であった。

俘虜の取り扱いに関する明治三十二年（一八九九年）のハーグ宣言には「……元来俘虜将卒は祖国のため戦闘に従いついに俘虜となりたる者にて、その境遇諒察すべきものあり……」とあって列強諸国はその精神を守っていたし、新興国として一等国の仲間入りを目指していた当時の日本もその趣旨を守るべきものとしていた。唯、軍隊内部には「戦いには命をかけるべきで、俘虜は死ぬのが怖くて命乞いしてきた者」として軽蔑する風潮が根強く残っていた。しかしドイツ軍の降伏は恥ずべきことではなかった。六倍以上の日英連合軍に包囲されて二カ月以上も頑強に抵抗し、自軍よりも遥かに大きな損害を敵に与え文字どおり刀折れ矢尽きての降伏であったからである。

約一年後、福岡俘虜収容所で脱走事件が起きた。この事件後、再発防止のため所長は規則を強化して些細な違反にたいしても手紙の発受や散歩、所外への遠足などを制限し、日常の諸検査も徹底したので所内には不満が鬱積していった。久留米俘虜収容所でも問題が起こった。大正四年十一月、大正天皇のご即位を祝って俘虜全員にビール一本とリンゴ二個を配布した所、二人の将校が「日独両国はまだ交戦中だから」とこれを辞退した。所長は逆上してこの二人を殴り倒したのである。へまをやった新兵を古参兵あたりが殴ることはあるかも知れないが、将校が将校を殴ったのであるから騒ぎが大きくなった。

　この所長、真崎甚三郎中佐は陸大十九期（明治四十年）優等卒業生で、のち陸軍大将、教育総監となるが、かの二・二六事件の陰の首謀者と見られる人物であり、梅檀は双葉より芳し、の対極と言うべきか。この収容所ではもともと所員が俘虜を殴ることを公認しており、この事件を機に各種の規制が一段と強化され不満が高じていく。後にドイツ兵たちはこの収容所を「日本のＫＺ（Konzentrationslager　強制収容所）」と呼ぶようになった。

収容所全景　建物写真（鳴門市ドイツ館所蔵）

　福岡、久留米のほか大阪、松山の所長も高圧的で俘虜を抑圧と侮蔑の対象とみなし、囚人のように扱うのが当然と思っていたから、所員もその気持ちに同化され俘虜の苦しみは増大した。俘虜たちは潤い少なく束縛のみ多い所内生活に耐えかね、折々に慰問や援助に訪れるキリスト教団体などにその苦痛を訴え、やがてドイツ本国にもそのことが伝えられた。

　これを重視したドイツ外務省は中立国アメリカに実情視察を要請し、ワシントンからの指示を受けた駐日アメリカ大使はその調査を書記官サムナー・ウエルズに命じた。ウエルズはハーバード大学卒の有能な書記官でドイツ語に堪能であった。彼は全国十二カ所の収容所のすべてを精力的に視察し、面接をおこない調査結果をまとめた。彼は

・多くの収容所が過密状態であること。
・施設の多くは寺や古い建物でありこれらはヨーロッパ人の居住に不適当であること。
・営倉が小さすぎ天井も低くて真っ直ぐ立つことが出来ずヨーロッパ人の体格に到底合わないこと。

その他いくつかの問題を指摘してこれを批判した。

しかし一方では

・日本政府は状況を改善しようとしていること。
・場所は不足しているが俘虜たちと当局の間には協調の気風のある収容所もあり、不満としては食事の単調さだけである。その例は徳島である。

といった事実を報告することも忘れなかった。ウエルズは久

留米と徳島では状況が全く逆だと感じた。

二、徳島俘虜収容所

徳島県は四国の東部にあって県の北部には吉野川が東西に流れ、徳島市はその南岸、川口近く紀淡海峡に面する人口七万（当時）の小都市である。吉野川の支流がいくつか街を流れている。

徳島俘虜収容所は徳島市富田浦にある県会議事堂とその横に併設された九十平方メートルのバラックを居住区として約二百人の俘虜が住み、息苦しいほどの狭さであった。

その横に県庁があり、また県立旧制徳島中学校（現城南高校）とその寄宿舎が隣接していた。街の中心部からは多少離れており、富田川が流れ間近に眉山（ビザン）と城山も見え悪い環境ではないがともかくも狭かった。所長は陸軍中佐・松江豊寿。それまでは徳島歩兵第六十二聯隊附、経理委員首座の役にあったが徳島俘虜収容所が開設されて所長に任命された。松江は常々「彼らも祖国のために戦ったのだから」と所員や警備の兵士たちに言って俘虜たちを人道的に扱うよう強く求めた。これは久留米の真崎や松山、大阪の所長が俘虜を侮蔑と抑圧の対象と見なし囚人扱いしていたのとは正反対であった。松江の考えは武士道に発するものであり、それはハーグ宣言の精神に十分に合致するものであった。俘虜には決して乱暴をしないようにと指導し部下も良くその指導に従った。

ドイツは当時、科学も工業も世界の先端にあった。松江はドイツ人俘虜の中には技術者や学者が少なからずいることを知っていたのでその知識や技術を活用すべきと考え、陸軍省俘虜情報局とも相談の上、技術者を求めている市内の木工所に六名の俘虜を派遣した。故障の頻発していた蒸気エンジンが彼等の手で修理されて快調に運転を始めると、木工所は殊の外満足してこの六人を雇用することにした。

徳島県は木材県であり京阪神の需要を控え家具の製造が盛んである。噂はすぐ広まって同業各社も技術者が欲しいと松江に申し入れたので、さらに十四名の俘虜が就職することになった。合計二十名が所外へ出勤して自分たちの技能を発揮する場を与えられ定収入を得て、かつ雇用側も満足した。

青島のドイツ兵の多くは義勇兵で本来は何らかの職についていた者だったので、松江は彼等が身につけていた専門技能を発揮するよう求め、その結果、家具の修理をする元大工や肉屋、パン屋、印刷屋などを始める者が現れ所内には少しずつ活気が蘇ってきた。

ハーグ宣言は捕虜たちに自国の軍隊の基準どおり生活を保障するように求めており、日本政府は忠実にそれを守ったので、俘虜たちは階級による格差はあるものの毎月何がしかの現金を支給されていた。俘虜たちは週一回、この金をポケットに警備の兵士のつきそいはあるものの街へ出て、ささやかなショッピングと散歩を楽しむことができた。恐らく収容所のある富田浦から新町や通り町、駅前あたりを歩いたのであろうか、解放感にあふれた数時間であったに違いない。久留米、松山などでは罰則としてしばしば外出が禁止されていたことを思うと大へんな違いである。

俘虜たちはじっとしていなかった。俘虜生活は軍隊生活の一つの形態であると彼らは割り切っており、帰国の日に備えて体力維持に励んだ。敷地内をきびきびした歩調で歩きつづけ、あるいはスポーツを楽しんだ。

松江は彼等が殊の外スポーツ好きであることを見てとると、隣接する旧制徳島中学校のグランドや城山の西麓にある西ノ丸の原っぱを借りてそこで集団スポーツをすることを許可した。徳島の人々がサッカーやシュラークバル（ドイツ式の野球）などの競技を見たのはおそらくこれが初めてであったろう。見物の中学生や子供たちに気軽に声をかけてサッカーのボールの蹴り方を教えたり、ヘディングをやって見せて驚かせたりした。言葉はわからなくても手ぶり身振りで用は足りる。お互いに楽しんでその間つきそいの警備の日本兵たちはうしろを向いて立っている。スポーツのあとの爽やかさは格別であった。

さらに特筆すべきは松江が俘虜たちの音楽活動を許可したことである。青島のドイツ軍には軍楽隊があった。青島からの移送の際に所持品は制限しなかったので軍楽隊の隊員は自分たちの楽器をもって来ていた。隊長はハンゼン、ＭＡＫ楽団、別名、徳島オーケストラは久しぶりに練習を再開して所内にはさまざまな楽器の音が入り乱れ、彼等は生気を取りもどした。徳島オーケストラは収容所内で演奏会を開き松江は市民たちの入場を許可した。演奏者は発表の機会を与えられ、殊の外、音楽好きのドイツ人聴衆に満足を与えただけでなく、一般市民も音楽を楽しんだ。大正初期の四国の田舎町ではおよそこのようなオーケストラの演奏など縁がなかったからである。

久留米や松山の収容所とは対極にある徳島俘虜収容所は駐日アメリカ大使館の書記官、サムナー・ウエルズが評価したように、俘虜たちと当局の間に協調の気風さえ存在する。「彼らも祖国のために戦ったのだから」と部下の兵士たちに指導しつづけた松江の信念は「敵を敬へ」との武士道の教えによるものであった。

三、板東俘虜収容所の開設

世界大戦は漸く長期化の様相を呈し、各収容所共通の問題点であった狭さをともかくも解消しなければならなかった。その一環として、松山、丸亀、徳島の三つの俘虜収容所を一カ所に統合して新たに「板東俘虜収容所」が開設されることになった。所長は松江であった。

板東は徳島県板野郡の東部の地名で現在の鳴門市の西のあたりである。徳島市からは吉野川をはさんで北北西、直線距離にしておよそ十一キロ、人口約五千七百の農村であった。四国八十八カ所の霊場の一番札所、霊山寺と大麻比古神社があるので多少は名が知られている。大麻比古神社の南およそ一キロのあたりに善通寺第十一師団の広大な演習場があり、その一万二千坪を鉄条網でかこって板東俘虜収容所が開設された。施設としては兵舎八棟千二百坪、将校室二棟百九十坪、炊事場二棟二百坪、医務室一棟九十二坪、衛兵所一棟四十八坪および倉庫、小使室、酒保、事務室、洋式便所その他合計二十五棟、約二千二百坪の建物が新築され付帯設備が整備された。ここにドイツ兵俘虜約千名が収容され、松江所長以下の所員と警備兵、巡査ら百余名が勤務し警備にあたることになる。

大正六年（一九一七年）四月七日、徳島俘虜収容所の二百余名のドイツ兵は二年四カ月余を過ごした富田浦をあとにして徒歩で板東へ移動した。折から眉山の桜は満開で街並みを外れると吉野川の流れは洋々として川岸には蘆原が生い茂り、よしきりが鳴き交わしている。眺めはのどかで、警備の兵士たちがついてはいるものの遠足気分であった。正面には大麻山（五三八メートル）が特徴ある姿を見せ、讃岐山脈が東西方向にゆるやかに走って見渡すかぎり緑の農地が広がっていた。板東は大麻山の南斜面の裾野にある。新しい収容所の所長は松江であったので彼らに不安はなかった。

収容所の正門に掲げられた大看板「板東俘虜収容所」は松江所長自身の揮毫であり墨痕鮮やかであった。門柱と門柱の間に葡萄づるのような鉄のアーチが飾られ中央に大きい電灯が吊り下げられている。次の日には丸亀から三百数十名、その翌日には松山から四百余名の俘虜たちが到着した。到着のたびに徳島オーケストラが正門近くに並んでハンゼンの指揮によりドイツの愛国歌「プロイセン行進曲」を力強く演奏して歓迎した。これは松江の意向によるものである。

松山から俘虜たちが到着したときに事件が起こった。正門近くにいた先着組は近づいてきた隊列の中に戦友の姿を見つけると歓喜して思わず駆けよったので松山の俘虜たちの隊列がくずれた。これを見てあわてた松山の指揮官はいきなりサーベルを抜刀して「俘虜を整列させい！」と大声で命じた。警備の兵士たちは突進して俘虜たちを銃の台尻で叩きのめしはじめた。これを見た先着組は彼等を助けようとして駆けより乱闘寸前の状態となった。そのとき松江所長が自ら割って入り「やめい！」と一喝し、松山の指揮官を叱咤してサーベルを納刀させ騒ぎを静めた。

元来、抜刀して命令を下すのは突撃か、分列行進か、余程特別の行動を命ずる場合に限られる。そのように命令された兵士はそれ相応の激しい行動をしなければならないから銃の台尻でドイツ兵をうちのめすという手荒なことを始めたのである。隊列を多少乱したくらいでこのように過剰の対応をさせたのは指揮官の不手際であり、松江が他隊の士官を敢えて皆の面前で叱責したのには正当な理由があった。松江は松山からきた四百余名の俘虜に対し通訳を介して挨拶した。

「本官はこの板東俘虜収容所の所長、松江中佐である。先程の衛兵たちの不礼については衷心から陳謝し、更めて諸君に歓迎の言葉を申し上げる」

これを聞いた彼等は半信半疑であった。松山では規制一辺倒であり些細なことでも過大な懲罰が加えられて、所内にはいつも冷たい緊張が張りつめていた。彼らは二年数カ月の松山での体験から、松江が当然更なる抑圧と追徴の言葉を発することと予想していたので、この挨拶は彼等の思考の範囲を越えるものであった。しかし松江のこの簡潔な言葉には彼の深い思いがこめられており、それが真実であることが次第に明らかになっていく。

このあと「本日に限り消灯時間を十二時とする」との通達があった。久しぶりの再会だ、諸君、大いに旧交を温めたまえ、というはからいである。平常は午後十時の就寝時刻をその日は二時間も特別延長してもらって、数年ぶりの再会を喜ぶ歓談と笑声がにぎやかだった。消灯時間の特別延長はこのほか、クリスマス、ドイツ皇帝誕生日その他の記念日にも許されて彼等の気持ちをやわらげた。久留米から数十名の俘虜たちが新たに到着した夜も同様であり、各兵舎間の往来も許可して彼らを喜ばせた。松江は新入りの俘虜たちの部屋割りについても配慮し、親戚、縁故者、旧友同志をできるだけ同じ兵舎の近い部屋に入れて互いに行き来しやすくした。これは予想以上に彼らを喜ばせ、別の収容所から来た者との融和が促進されて全体の雰囲気改善に役立った。久留米では将校と下士官・兵士の交流は禁止されていたし、松山では殊のほか規制がきびしかったからこれらの収容所から板東へ移送された俘虜たちにとって、松江は仏さまのような存在であったろう。

板東俘虜収容所には通訳が三名いたほか、松江所長も多少ドイツ語をしゃべることができた。副官の高木繁大尉は俘虜たちに一目おかれるくらいドイツ語に堪能であったばかりでなく、英語、フランス語、ロシア語にも通じていた。さらに俘虜たちの中には日本語のできる人がいた。

クルト・マイスナーはギムナジウム（大学と小学校を結ぶ八～九年制の学校）卒業後、横浜で九年の勤務経験があり、ロベルト・ウエルナは山口県でドイツ語の教師をしていた。ハンス・グロスマンは神戸で貿易商社々員として十年暮らし標準語のほか関西弁も自由にあやつった。

この三人のドイツ人は日本語に通じていただけでなく、日本人の考え方や習俗にも理解が深かったので、両者の間に「協調の気風」を育てるのに大いに役立ったし、彼らもそのつもりで努力を惜しまなかったのである。従ってこの収容所では言葉が通じないために起こった不都合は全くといっていいくらい無かった。逆にドイツ兵士同士のいさかいが起こると松江は「おい、高木何とかしろ。」とひとこと言うだけで高木大尉がうまくことをおさめた。

徳島の人々は俘虜たちにむしろ好意的であった。昔から四国八十八カ所の霊場をめぐる遍路を「おへんろさん」と呼びその人々に宿を提供する「遍路宿」と書いた小さい看板を下げた民家が街道に沿って散在している。霊場にやすらぎを求めて他国からやってくる失意の人々をやさしく受け入れる風習がこの土地に根づいていた。その八十八カ所の一番札所、霊山寺がこの板東にあることは先にふれたとおりである。異国の兵士たちを見る好奇の目にはやさしい光もやどっている。

人々は親愛の思いをこめて彼らを「ドイツさん」と呼んだ。自分たちの村に「ドイツさん」が千人もいて大きい建物や施設があることが自慢でもあった。

松江は俘虜たちが持っている専門技能の活用を考える一方、村民と融和をはかりたいと思った。板東は農村であったからそれは農業技術の交流という形で始められた。当時はまだ珍しかった西洋野菜のトマト、ビート、オランダ三葉、馬鈴薯、さやえんどうなどの栽培方法について講習会が開かれ、トマト・ケチャップや、ピクルスの作り方も教えた。農学士のシュミットを始め、ゲーベル、エックハルトらのドイツ人が先生で、生徒は地元農家の人々、教室は板西農産学校である。

さらに牧畜飼育やドイツ式牧舎の経営、バター・チーズの製造、ハム・ベーコンの作り方や皮革加工法なども教授された。その片鱗は今も残っている船本牧舎に偲ぶことができる。

噂を聞いて県立農学校から出張講習の依頼があったり、徳島県農業試験場の専門家が板東までわざわざ見学に来ることもあり、素朴なこの農村は思いもかけぬドイツ文化の恩恵に浴して先生と生徒のほほえましい関係が生れた。

牧畜技術を伝授する一方、俘虜たちは所内での牛、豚、鶏などの飼育に熱心で、鶏は二千羽、豚は三十頭、牛も数頭いたというから壮観であった。これは予算を節約し食糧自給と栄養補給を目ざしたものであり、残飯の有効利用にもなって一挙両得、俘虜たちは積極的にこれに協力して解体担当、ソーセージ工場、搾乳場まで設置されることになった。

さらに記憶されるべきはドイツ菓子やドイツパンの製造法はこの俘虜たちによって日本に知られるようになったという事実である。収容所の酒保にある菓子といえばそれまでは日本のお菓子であるから、せんべい、おかき、金平糖、炒り豆（大豆、そらまめ）くらいのもので到底彼らの口に合うものではない。何とか味覚的にもカロリー的にももっと良いものが欲しい、との要望が根強くあってそれにこたえてホーフマイヤ、ハインリッヒ・ガベル、オイゲンバウムの三人が中心となり八人の専門職人と共に始めたのが製菓所「ゲーバ」であった。あの深みのある、かつ、デリケートな味のドイツ菓子は高品質のバター、チーズ、はちみつ、卵などをふんだんに使い各種香料の使い分けと配合や焼き方の秘伝など独特の製造ノウハウを積み重ねた高度の技術の集積であった。この技術はユーハイムや独逸軒、さらにはデリカテッセンに今も生きており、令和の現在でも百年前に板東でつたえられたドイツ食文化の恩恵に与かることができる、なお独逸軒は今は鳴門市にあるが、太平洋戦争の末期に空襲で焼失するまでは徳島市冨田橋北詰にあって本格的食パンを扱う市内で唯一の店であった。

板東俘虜収容所のドイツ兵は約千名、徳島俘虜収容所の五倍もの人数でともかく大所帯であった。松江は彼らがこの限られた空間で少しでも快適に暮らすにはどうしたらよいか心を砕いた。その結果出来たのが大鮑島である。かって青島にあった繁華街の名称であり、「タパトー」と発音する。約四十軒の専門店からなるいわばショッピング・センターでありコッホが村長をつとめた。家具、仕立、靴、楽器、鍛冶、金属加工、写真、散髪、ピクルス、ボンボン、清涼飲料、アイスクリーム、ゲーバーのケーキとクッキーなどなど、商品はすべてプロの職人が作ったものであった。ビールと煙草は各兵舎で販売されており、それ以外の大ていのものはここにあった。温水浴場、図書館、印刷所もあった。プロの職人が入念に作った商品の品質レベルは高く、買い手はそれによって多少とも生活の快適性を向上させ、あるいは口腹の欲を満たした。ささやかなショッピングは俘虜たちの気分転換にも役立った。売り手は専門技能を役立たせる場を与えられ、かつ、何がしかの収入を得て職業意識を満足させた。

　印刷所の活動は活発であった。所内新聞「ディ・バラッケ」「トクシマ・アンツァイガー」「俘虜故国住所録」「故国カレンダー」などを発刊し、自著の発刊も少なくなかった。たとえばE・ベール「三つの童話」、パウエル・ケニヒ「板東俘虜収容所漫筆」、H・テイッテル「相撲図説」、マイスナー「日本語

Beilage 4.

4.

Geschäfts Eröffnung

所内新聞「トクシマ・アンツァイガー」
（鳴門市ドイツ館所蔵）

日常教科書」、H・テイッテル、H・グロスマン共著「尋常小学校読本（ドイツ語訳）」などなどである。印刷技術はもともとドイツが発祥の地であるが制約の多い収容所でこれ程まで印刷をした努力に驚くと共に、出版のもとである著作に励んだ彼らの意欲と知的活動力には感嘆させられる。

知的活動として特筆すべきものに講演会がある。「中国の夕べ」（シリーズ）、「ドイツの歴史と芸術」（シリーズ）、「郷土研究」（シリーズ）、「ベルギーについて」、「東ヨーロッパの歴史」、「ドイツ近代史」（シリーズ）、「土地改革」、「株式会社における金融方法」など多方面にわたる演題でそれぞれの専門家がさまざまな知識を披露した。板東俘虜収容所の図書館には救援委員会から寄贈された蔵書が六千冊もあったと言われるから、参考文献には一応不自由はなかったかも知れないが彼らの意欲と努力は並々ならぬものがあった。演題は上記のような文化教養的内容のほか、「Uボート戦とその効果」、「旅順港と青島」、「日本側の見解による青島戦」など軍事的な話題もあり、さらに「東部戦線における緒戦の殲滅戦」はタンネルベルヒにおける劣勢のドイツ軍のロシア軍に対する大勝利を扱ったものであろう。ヨーロッパから遠くへだたった東洋の俘虜収容所でその戦闘詳報をどうやって入手したのであろうか。俘虜たちがもっとも知りたいのは直近の戦況と祖国ドイツの現状であり、それはとりもなおさず自分たちの運命に直結するので、このような題目の講演には多くのドイツ兵が集まって真剣に耳を傾けたことであろう。出版にせよ、講演会にせよ、もし日本人が同じような状態におかれたとしてもこのような知的活動をすることができるであろうか。

スポーツは相変わらずと言うよりもますます盛んであった。テニス、ホッケー、フットボール、陸上競技、体操、レスリングその他、種目ごとのクラブや協会が所内に八団体もできてスポーツ委員会がこれらをまとめ、トレンデルブルグ中尉が委員長をつとめた。それらのクラブや協会に籍をおく俘虜たちの人数は合計四百七十名に達し、その外に水泳グループもあったと言うから凡そ二人に一人は何らかのスポーツをやっていた勘定になる、存分に体を動かして体力を鍛え協調性を養う。スポーツのいちばん良い点は競技に没入してすべてを忘れ無心になることであった。俘虜たちがおこなうスポーツはその頃の日本では珍しいものが多く、近くの県立・旧制撫養（ムヤ）中学校から全校生徒が見学に来ることもあった。俘虜たちは特に水泳や水浴が好きなので夏には近くを流れる乙瀬川で水浴をさせることにした。さらに多少遠いが山を越えて櫛木海岸まで終日遠足させ海水浴を許可した。このことが陸軍省俘虜情報局に聞こえ、逃亡の怖れありとして叱責されたとき、松江は「あれは炎天下の遠足なので海岸で足を洗わせていたらつい泳いでしまっただけであります」と弁明した。

後日、この弁明は俘虜たちの耳に入り、彼らは終日遠足の日になると「さあ、水泳パンツを持って足を洗いに行こう」と冗談を言い合った。やがて水泳大会も行なわれ、浜辺には夕パトーから出張した屋台が並んでソーセージやクッキーを販売し、近在の主婦たちは料理方法を知りたくてドイツ兵からフライパン料理を教わったりして、この海岸は地元民と俘虜たちの交流の場にもなった。この間、警備の兵士たちは手持ち無沙汰にポツンと立っているだけであった。

日本の夏は暑い。あのじめじめとした梅雨の一カ月に続く酷暑の二カ月はおよそ快適とは程遠い。徳島では夏の夕方の無風の数時間は陸軟風が海軟風と入れ替わるのに必要な宿命的な時間であり、人々は「阿波の夕凪ぎ」と称してひたすら我慢するだけである。ヨーロッパの冷涼な気候に慣れた俘虜たちにはさぞ耐え難かったことであろう。乙瀬川の水浴びや櫛木海岸の水泳は彼等に暑さを忘れさせ、かつ、日夜襲来する蚊の大群から解放されるひとときでもあった。

板東俘虜収容所では俘虜たちはあらゆる分野で活発に活動することを許された。それが所長・松江豊寿の方針であった。「彼等も祖国のために戦ったのだから」つねづね松江はそう言って彼等を人道的に扱うように、特に彼らの誇りを傷つけることがないようにと部下を指導し、部下もよくその指導に従った。それは上層部の反感を買ったがときにはその反対を押し切ってでも彼は自分の信念を貫いた。松江は何故、そのようにしたのであろうか。

四、会津の人　松江豊寿

松江豊寿の父、久平は会津藩松平家に仕えていた。どのような身分であったかは詳らかでないが、はっきりしているのは慶応四年春に始まった戊辰戦争に参加したことである。戊辰戦争は明治維新に伴う内戦であり、新政府である朝廷方の西軍と旧勢力である徳川幕府方の東軍との武力衝突であった。

西軍は薩摩・長州藩を主力とし、東軍は会津藩を中心とする奥州・越後諸藩連合のいわゆる奥羽越列藩同盟である。西軍は会津を遠巻きにするように攻勢をかけ、東軍は会津藩主、松平容保を総帥として善戦したが西軍が優勢であった。西軍は数が多く、多方面から同時攻勢に出て銃・砲の近代装備も十分であった。東軍には結束の乱れもあり、西軍は八月二十三日、会津藩の本拠地、若松に殺到して城下は大混乱となった。この非常のときに会津の白虎隊、朱雀隊、青龍隊および玄武隊など年齢別に編成された諸隊が目ざましい健闘ぶりを示した。久平はこのとき二十五歳で朱雀隊の一員として越後口で善戦した。東軍は若松に籠城すること一カ月、死傷者おびただしく力尽きて遂に西軍の軍門に降った。時に九月二十二日、世は慶応から明治に改元されていた。

降伏した会津藩の一万七千余の人々は斗南へ移ることになった。本州の最北端、下北半島である。賊徒、朝敵と罵声を浴びながら長いつらい旅路の果てにたどりついた斗南は土地はやせ稲は育たず不毛寒冷の地であった。両手に持てるものしか持ってこれなかった会津の人々の暮らしは悲惨であった。季節は初冬に入っており割り当てられた家屋はあばら家で畳がないのでわらをおいてその上に筵をしいた。障子はあるが紙が無いので米俵をのばして吊るし、寒風の吹く室内に僅かに松根をともして灯とした。暖を取るすべはない。馬の飼料の豆に雑穀をまぜ野草、山菜、海岸で拾った海草を入れておかゆにしてすすった。皆餓えた。近在の犬が死ぬと死骸をもらいうけその肉を口に押し込んだ。それは最高の栄養源であった。地元民は会津の侍は何でも食うと蔑み嘲笑し、飢えと寒さで病死者が続出、困窮の余りの争いがおこり盗みをはたらく者も出た。藩の首脳部は余りの惨状に新政府に実情を訴えて救援米と救援金の下賜を懇請した。命がけの陳情である。これに対して何がしかの給付があり救貧・授産の道も多少は講じられたが十分ではなく、斗南の会津の人々の惨状は目をおおうばかりであった。

明治四年七月、廃藩置県の改革が実施された。旧藩主との主従関係がうすれた旧藩士たちは斗南に住みつづける必要もなくなって各地へ離散して行った。一部の人々はなつかしい会津若松へ帰り、久平もその一人であった。久平の兄、芦名随学は城下の高厳寺の住職であった。この寺は由緒のある名刹で多少は田畑も所有していた。久平はこの寺の檀家総代となった。彼は世話好きで上品な雰囲気があり美男子であって檀家の間で甚だ受けが良かった。やがて生活も多少は安定したので会津の女性、本郷ノブと結婚して生まれたのが豊寿、春次、ヨシの二男一女であった。旧藩士の中で久平は恵まれていた方である。彼らの大半は生計が立たず、国元を離れて職を求めても会津出身と言うだけで朝敵、賊軍と蔑まれた。

明治七年、たまたま東京警視庁が発足して巡査大募集があり、無為徒食の旧会津藩士の三百人の奉職が実現した。しかし会津出身者が一部署に一人だけでそれを官軍出身者が半ば監督しながら勤務するという分割監視策がとられた。会津出身者のうちに鬱積する新政府への積年の恨みが噴出するのを警戒したからである。明治十年、西南戦争が起こって警視局が警視隊を出動させるため隊員を募集したとき、旧会津藩士は薩軍討伐のため戊辰の汚名を晴らすべく勇躍して応募した。

松江久平もその一人であり松江家には「おじいさんはこの戦争に出て褒美を頂いたので少し豊かになった」という言い伝えがあるので久平は軍功を立て、多少、鬱憤を晴らしたのであろう。

久平は息子の豊寿に幼少の頃から戊辰戦争のことを幾度話して聞かせたことであろう。戦いに敗れ、賊徒、朝敵とののしられるいわれなき侮蔑がいかに耐え難かったか、斗南へ流浪した亡国の民がいかに悲惨であったか、久平が親しく体験したその惨状は幼い豊寿の脳裏に強く刻み込まれ、其の後も長く消えることがなかったにちがいない。なればこそ豊寿は青島で降伏したドイツ兵に対して武士の情けを示したのではなかろうか。武士の情けとは苦しんでいる人、落胆している人のことを心に留める思いやりである。

豊寿は明治二十二年、十六歳のとき陸軍幼年学校に入学し、三年後、陸軍士官学校へ進んで軍人としての道を歩み始めた。明治時代は社会のあらゆる面で相変わらず会津差別がつづき、武勇の伝統をもつ会津出身者の職としては軍人か巡査しかなかった。その軍人も巡査も会津出身の人は昇進がおそく、良い役職につけず、知っているべき情報がつたえられないなどの歴然たる差別があった。陸軍では会津の人は少将以上に昇進させないという不文律があったとも言われていた。

明治二十七年九月、豊寿は二十一歳のとき陸軍歩兵少尉に任官した。明治三十七年九月には大尉に昇進し、韓国駐在軍司令官・長谷川好道陸軍大将の副官に任ぜられて三年余、京城に駐在した。韓国併合の前後である。この時期、豊寿は統監・伊藤博文とも近い位置にあり、かつ、伊藤にはかなり気に入られていたらしい。豊寿は長谷川の有能なる副官として行動し、韓国皇帝・高宗から勲章を三度も授与され報奨金も下賜されている。この頃、高宗はオランダ・ハーグの世界国際平和会議に密使を派遣して日本の韓国併合を列強に訴えようとして拒絶され、そのことが明るみに出た事件があった。いわゆるハーグ密使事件である。伊藤統監はこれを契機に高宗に退位を迫り、長谷川司令官もこれに呼応して駐在軍の軍事力を背景に韓国軍の解体を図るなど併合へ向けて各方面からの圧力を一段と強めていった。豊寿は長谷川の副官としてその舞台裏をつぶさに見聞きするだけでなく、自分自身もそれらの工作の一半を推進しなければならない立場にあった。それは韓国の人々の誇りと伝統を踏みにじるものであり、会津の人である松江は亡国の民の屈辱と苦衷を身をもって知るが故に彼らの悔しさと悲哀が我がことのように感じられ同情を禁じえなかったのではなかろうか。

韓国から内地へ転勤してからの松江は聯隊付、つまり無役の窓際族が多い。軍司令官の副官を勤めればあとは昇進コースにのるのが普通である。韓国在勤中の松江には長谷川に対する批判的な言動があり、上官からにらまれる存在であったかも知れないと推定するのはこのような背景からである。

会津出身者であったから選んだ軍人の人生ではあったが、自分たちがかつて体験したのと同じ屈辱を韓国の人々に与える役割を果たさなければならない自分の立場に暗然としたことであろう。陸軍は長州閥であり会津出身の松江は少数派であった。伊藤博文統監や長谷川好道司令官の韓国に対する苛酷な仕打ちを見るにつけ、松江は長谷川との間の溝が広がっていくのをどうしようもない気持ちで感じていたのではなかろうか。それはまた、松江と陸軍の溝でもあった。

韓国で駐在した三年余り松江の任務は、心ならずも父・久平が味わったのと同じあの敗北の屈辱と深刻な苦しみを隣国の人々に強要することであった。そうであったからこそ二度とそのような苦渋を人に与えてはならないと思ったのではなかろうか。

五、地元の人たちとの交流

俘虜たちの音楽活動はますます盛んであった。所内にはハンゼンの指揮する徳島オーケストラ（四十五名）と沿岸砲兵吹奏楽団（二十二名）のほか、パウル・エンゲルの指揮するエンゲル・オーケストラ（四十五名）とシュルツが指揮するシュルツ・オーケストラなどの楽団があった。さらにモルトレヒト合唱団（六十名）およびヤンセンの指揮による収容所合唱団（六十名）があり、四つの楽団と二つの合唱団の団員を合計すると二百数十名に達する。練習は収容所外に建てられた音楽練習用の小屋でおこなわれた。霊山寺の石造りの回廊は奥行きが深く丁度ステージ代わりになって便利なので、ここもよく利用された。地元の音楽好きの人々がその度に集まって西洋音楽の美しい音色や旋律に聞き入った。

エンゲルはベートーベンにかけてはドイツで五本の指に入ると尊敬されていた。エンゲル・オーケストラは板東収容所内で演奏会を二十二回も開催し、そのほかに村民のための演奏会も開いた。開催にはもちろん所長の許可が必要であるが、松江は「日本人好みの六段、さくら、カチューシャの唄なども入れること」以外は注文をつけなかった。地元や徳島市内の愛好家達は次第に聴くだけでは満足しなくなり、自分たちも演奏を習いたいと思うようになった。松江に申し入れたところ彼はこれを応諾し「エンゲル音楽教室」が誕生する。徳島市内の公会堂「適水閣」を教室に週二回である。あの時代に徳島市のその教室へ板東から片道おそらく二時間はかかったであろう。週二回もよくぞ通ってくれたものである。素朴な生徒たちと精魂こめて教える先生のドイツ兵の熱気あふれる練習風景が見えるようである。

俘虜たちの楽団がベートーベンの交響曲第九番を演奏したことは良く知られているとおりで、ハンゼン指揮の徳島オーケストラが大正七年（一九一八年）六月一日に演奏したのが本邦初演である。次でエンゲルの指揮するエンゲル・オーケストラが大正八年（一九一九年）十月、徳島市の新富座で演奏した。三日間とも満員札止めの盛況で日本人およびドイツ兵聴衆に深い感動を与えた。このことに関連して朝日歌壇（朝日新聞二〇一六年一月一八日）にも次の一首が掲載されている。

板東の俘虜収容所発祥の〝第九〟
日本の師走に根付く
（川越市）橋本　峯

また、旧制徳島中学校・城南高校の同窓会誌（徳中・城南・百年史一八三頁）にも「大正八年十月十二日新富座における独乙俘虜の演劇を随意観覧せしむ」の記載がある。

収容所にはときどき各地の教会から牧師が訪れて日曜日の礼拝をおこない、その都度、多くの俘虜たちがあらたまった服装で参列した。一同が席に着くと静かな前奏が奏でられる。恭しく聖書が朗読され伴奏に合わせて賛美歌をうたう。

咳ひとつ聞こえない静寂のうちに祈りが捧げられ、オーケストラは厳かな調べを奏でる。説教があり、聖餐がおこなわれ、祝祷があって荘重な後奏と共に式は終わりに近づく。教会音楽は礼拝をより厳粛にして参会者の気持ちをひとつにし、心を神に近づけるのに重要な役割を果たしている。収容所の礼拝のあとある宣教師は「自分が執りおこなったミサでこんなにも良い音楽が献げられたのはこの六年間でこれが始めてである。収容所でこのような感動を与えられたことに驚いている」と率直に述べられた。そして「この演奏を奉仕された方々にどうかよろしくお礼をつたえてほしい」とわざわざ感謝の言葉を託された。また別の牧師は来訪に先立って「次回、貴所におけるミサには音楽を付帯させたい」との希望をつたえ、その日は希望どおり美しく、かつ厳粛な音楽が奏でられて参会者一同が心静まるひとときを持つことができた。徳島カトリック教会の献堂式のとき、教会から収容所に演奏を要請したことがあった。当日はオーケストラと合唱団がその希望にこたえ、終始心をこめた演奏を献げ、特に式の終わりの「自然に現れた神の栄光（Die Ehre des Gottes aus der Natur）」の演奏は荘厳で会衆一同は敬虔な気持ちに満たされた。翌日、地元の新聞は「数多くの日本人会衆に大きな感動を引き起こした」と異例の扱いでこのことを報じた。

ドイツ人は音楽好きだと言われるし確かに俘虜たちは音楽が好きであった。そもそも良い音楽は人種や国籍を超えて人々の心に響くのである。そして彼らの場合、ふつうに音楽好きという以上に心の内面の深みにあって真なるものを求める姿勢が彼等を音楽に向かわせているのではなかろうか。その音楽を演奏しそれを聞く場を俘虜たちに与えたのは松江の方針であった。

俘虜作品展示会が大正七年（一九一八年）三月八日から十二日間にわたって開催された。場所は板東俘虜収容所に近い霊山寺とその門前の板野郡公会堂である。数カ月前から徳島市内の各所、駅や港にもポスターが貼り出されて人々の関心をかき立てた。俘虜たちはこの展示会をお祭り騒ぎで終らせないように、意義と目的を明確にした上で慎重に構想を練り計画を立てた。高越山（コウツサン）やその周辺の山々の頂きが雪で白くなる頃から準備や出展物の制作には一段と熱が加わり、吉野川両岸の平野を吹きおろす西北の寒風もものかは消灯時間を二時間延長してもらって彼らは作業に没頭した。ドイツ文化の優秀性を示す絶好の機会だとばかりの意気込みである。

開会の当日、早春の気配が感じられる池ノ谷駅から収容所までの道は人々の列が引きも切らず、板東は時ならぬ賑わいを見せた。行事や出展は多岐広範にわたっている。『学術部門』では化学・物理学・植物学・気象学・鳥類学の講演があった。通訳つきで各種の標本が準備されている。『絵画部門』では油絵・水彩画・クレヨン画その他十二グループの二百二十点が展示され、人物画・肖像画・故国の風景や家などのほか「大麻神社の並木道」「バンドーの山々」「徳島の寺の門」など地元の風物も描かれていた。『手工芸部門』には各種モデル・楽器・玩具・金属加工・日用品・木工品・編織物など二百四十七点もの作品が出展された。『お楽しみ公園』には来会者を喜ばせそうな趣向が凝らされ、『寸劇』や『曲芸』などの出しものもあり、楽団は楽しげなメロディーや勇壮な行進曲を絶え間なく演奏して展示会の雰囲気を盛り立てるのに一生懸命であった。

来会者は東京からはるばる来徳されたシュレーダー神父、徳島在住のドイツ婦人や神戸から来たドイツ人たち、徳島管区司令官・山口少将と徳島歩兵第六十二聯隊の高級将校多数、さらに農林省代表、徳島県知事、県会議長・徳島市役所など官庁の高官、官吏・市会議員のほか学校生徒・児童や工場主、商店主を始めほとんどあらゆる階層の人々である。期間中、いちばん少ない日で一日千百三十人、最も多い日は九千三百七十八人、合計五万九十六名もの来会者があった。因みに当時、この板東の僻村の人口は約五百であった。

特筆すべきは東久邇宮殿下のご来臨であり「ドイツ皇帝肖像画」および「ヒンデンブルグ元帥肖像画」（ミューラー少尉画）の二点を御買い上げになったことである。軍・官の要路の人々のみならず皇族のご来臨があったということは「俘虜作品展示会」が、公けに認められた、特に皇室にも認められたことを意味し異例のことと言ってよい。松江は感慨にひたったことであろう。

会場には連日、数知れない人々が押し寄せ俘虜の作品に見とれた。あらゆる階層の老若男女が我れ勝ちに走りこんで驚きの声をあげた。輝く日の光の下では俘虜の水兵や海兵隊員たちが『お楽しみ公園』の中を嬉しそうに歩き回り、ゲーバのお菓子やコーヒーを楽しみ楽団は賑やかに陽気なメロディーを奏でた。この光景を見たとき「大成功！　大成功！」と言う以外に判定のしようがない～と所内新聞「ディ・バラッケ」は報じている。俘虜たちは精魂込めて作品を作り出展するだけでなくこの催しを楽しむことも忘れなかった。子供のように入賞を競い合い、ソーセージやクッキーを食べ、日本人の来会者と無邪気に談笑した。この展示会の中でもっとも所在ない気持ちを味わうことを余儀なくされたのは警備の兵士であったかも知れない。

数百点に及ぶ展示品には彼らの着眼点、独創性、製作技術や美的感覚のレベルの高さが示されていたが、展示会の開催と運用面において発揮された俘虜たちの組織能力にも瞠目すべきものがあった。従来の所内のスポーツや音楽など多くても数十人程度のグループ活動と違って、今回は全所を挙げて、かつ、多数の日本人来場者を迎えての大行事であった。しかも会場は所外で会期は十二日間にも及んでいる。全体の進行、変化への対応、言葉（通訳）の問題など運営責任者の気苦労は大へんなものであったろう。この場合も彼らの精確性と徹底性と誠実さと強靭性が発揮されて運営の円滑化に寄与したに違いない。母体が軍隊と言う統制を前提とした組織であったことを考慮に入れても、制約の多い収容所でこれ程の大規模な行事をよくやりとげたものである。

四国の片田舎、板東で開催されたドイツ兵俘虜の作品展示会は終了した。

三年数カ月の俘虜生活を経た後でさえもドイツ兵たちは精神的新鮮さと創造の能力を持ちつづけていることを立証した。

展示品を見て、本当にドイツ的なものに感嘆した人々が口づてに、或いは新聞でそのことをつたえ、開戦以来拡がっていた「ドイツは野蛮」という虚報を打ち破ったのは特に喜ばしいことである。かくて我々はささやかながら祖国に奉仕することができた。

これが彼らの感想であり結論であった。俘虜たちは誇らしい気持ちで展示会の目的が達成されたことを確認できたのである。彼らは又、日本の収容所当局がこの展示会を盛り立ててくれたことに感謝を忘れなかった。

俘虜たちは板東にいた二年数カ月の間に六つの木橋と五つの石橋を建設した。橋は地元住民の交通の便を図るためにかけられたもので、村民は期待をもってドイツ兵たちの仕事を見守りその完成を心待ちにした。それらの橋の中で現在残っているのはドイツ橋とめがね橋の二つの石橋である。大麻比

ドイツ橋（上）とめがね橋
（鳴門市ドイツ館所蔵）

古神社の森の小川にかかるこの石橋は日本ではあまり見かけない構造であり、余計に関心をそそった。ドイツ陸軍築城少尉ドイッチェマンが設計し和泉砂岩の切り石を、工兵を中心とした俘虜たちが根気よく築き上げたものである。この無償の橋作りは彼らに心身の健康と創造の喜びと労働への意欲を与えてくれた。それはまた、地元民とのものづくりの喜びを共有しながら完成した貴重な財産でもあった。ドイツ兵たちが築き上げたこの石橋は昭和二十一年（一九四六年）十二月二十一日の南海大地震と平成七年（一九九五年）一月十七日の阪神淡路大震災のあのひどい揺れに対してもよく耐えて、完成後百余年を経た今も見事な姿を保ち構築技術の優秀性を示している。

欧州の戦乱はドイツの敗北が決定的となり大正七年（一九一八年）十一月十一日、コンビエーニュの森で休戦条約が調印された。翌年六月二十八日にはベルサイユ宮殿で講和条約が締結され、開戦後満五年にして世界は漸く平和をとりもどした。俘虜たちの待ち望んでいた帰国の日が近づいて来る。この五年の間に板東俘虜収容所関係では徳島・松山・丸亀を含めて病気と事故により十一名の死没者があった。祖国の山河を見ることなく異国のこの地で命を終えなければならなかった彼らの無念は察するに余りある。板東を去るに当たってその十一名のドイツ兵のために慰霊碑を建立したいとハンス・コッホが願い出た。ヨーロッパ人は亡くなった場所にお墓を作って弔うのが普通である。松江はその慣習の相違や彼らの気持ちをよく理解し、徳島管区司令官に事情を説明して了解を得、これを許可した。この記念の石碑はミューラーが設計して大正八年（一九一九年）二月に起工し半年後に完成した。八月三十一日、除幕式が行われ俘虜全員と松江所長以下幹部所員が列席した。夏は終わりに近く木立ちではつくつくぼうし蝉がないている。式は予定どおり進行しコッホは挨拶の中で松江の支援に対して深甚なる謝意を表した。次いでハンゼンに代わってウエルナーの指揮する徳島オーケストラがローエングリンを演奏し荘重な鎮魂の合唱が板東の静かな山里に流れた。

帰国する俘虜たちは順次板東の地を離れた。敗戦国ドイツは長年の戦乱で荒廃し巨額の賠償金の支払いで呻吟しているが、解放されて祖国へ帰れるということは何ものにも勝る喜びであった。所長の松江と俘虜たちの別れの場面を中村彰彦著、『二つの山河』（文春文庫七〇～七一ページ）から以下に引用する。

松江が、青島ないし日本への定住を望むクルト・マイスナー以下九十二名に別れを告げたのは大正九年（一九二〇年）一月十七日午前十時のこと、そのことばは次のようなものであった。

「諸君、解放おめでとう。この日を諸君は長い間、一日千秋の思いで待っていたのである。諸君の喜びを思い、私もうれしい。

諸君の中には戦前から東洋に在住していた人々が多いが、中でも日本居住の経験者は言語にも通じ、日本の風習も知悉しておったため、われわれと一般俘虜との間のかけ橋となってもらえて、われわれはどれくらい利便を得たかしれない。改めて、お礼を申し述べる。

お別れに当たり、諸君の健康とご多幸を祈り、長年ご苦労でしたと申し上げ、私の如き者の命令指示をよく今日まで厳守されたことに感謝する」

対して、俘虜を代表してマイスナーが答辞を述べた。

「いよいよ、お別れの日がまいりました。かつてマツエ所長どのは、有縁無縁の話をされました。私たちは、あなたという人と有縁の間柄になったことを衷心から感謝しております。

あなたがこれまでに示された私たちに対する寛容と、博愛と、仁慈の精神を私たちは決して忘れないでしょうし、将来、なんらかの形において、私たちよりさらに不幸な人々へあなたの精神をそそごうとするでしょう。

アレ・メンシェン・ジント・ブリューダー、四海みな兄弟なりという言葉を、わたしたちはあなたを思い出すとき、心に反復するでありましょう。

最後に所長殿はじめ皆々様に心より有難うございましたと申し上げ、末長いご健康を祈ります。さよなら！」

松江の挨拶が簡潔、かつ、淡々としているのに対して、マイスナーの答辞は松江への敬慕と感謝の気持ちがくり返し述べられてむしろ感傷的ですらある。どちらも心がこもって爽やかであり、送別の情景を眼前に見るようである。この「模範収容所」が存在したのは徳島と板東を通算して五年二カ月余であった。

大正九年（一九二〇年）二月、板東俘虜収容所が閉鎖され松江は徳島歩兵第六十二聯隊に帰任した。同年四月、島根県浜田の第二十一聯隊の聯隊長に任ぜられ、大正十一年（一九二二年）二月、陸軍少将に昇進すると同時に待命となり同年五月、予備役に編入された。

その頃、彼の故郷である会津若松市の市長が高齢のため辞任し、市議会は後任として松江に白羽の矢を立て大正十一年（一九二二年）十二月、彼は若松市長に就任した。四十九歳であった。

市長就任後、松江は若松市の懸案であった上水道施設計画の推進に力をそそいだ。猪苗代湖を水源とし地形上、瀧澤の軍用地に浄水場を設けざるをえない。市が軍の土地を買収するとはその発想自体がそもそも不届き千万と思われていた時代であり、それは殆ど不可能と予想されていたが、松江は陸軍と交渉を重ねて遂に成功しこの上水道を実現させた。

さらに白虎隊墓域の整備拡張にも取り組んだ。白虎隊十九士の墓碑を飯盛山の山かげの狭い場所から鶴ヶ城の見える南側の広い所に移し広場と参道を併設しよう、との計画である。

工事はすべて人力であり多くの人数が必要であった。松江は消防団、青年団、婦人会、小学校、中学校、在郷軍人会を歴訪して協力を懇請し、さらに若松聯隊にも退役少将の肩書きで労力奉仕を要請し予定どおり完工せしめた。この工事は会津の人々の気持ちにこたえるものであった。松江は故郷・会津のために力を尽くしその実行力は市民に好評であったが、一方では陰湿な上げ足とりの策動が絶えず、それに嫌気がさしたのか大正十四年（一九二五年）十一月、在任三年で市長の職を辞した。それ以後は公務を離れ東京狛江の屋敷に住んで悠々自適の老後を送った。晩年、松江は

「板東は私にとって最もなつかしい土地である。あそこで私は自分の理想を追うことが出来た。ドイツ人だけでなく、私にとっても板東は第二の故郷である」

と何度も板東時代を回想したという。

昭和三十一年（一九五六年）五月二十一日、松江は八十二歳の生涯を静かに終え今は故郷の会津若松市の高厳寺墓地に眠っている。

六、心のともしび

板東俘虜収容所はもともと軍用地の一部を転用したものであったから閉鎖された後も陸軍の演習場として使用されていた。徳島市の渭北や田宮等ではその演習場のある大麻山の方向からしばしば銃声が聞こえてきた。断続的にバン、バンというのは三八式歩兵銃、バリバリバリの連続音は軽機関銃、ドドドド～と腹に響く連続音は重機関銃の発射音であった。

満州事変、支那事変、太平洋戦争と戦争の拡大につれてこの四国の片田舎でも戦時色が濃くなり冬の風物詩であった撫養のワンワン凧が人手不足、物不足のため姿を消したのは昭和十四年（一九三九年）前後であったろうか。ワンワン凧の代わりに飛行機がしきりに飛ぶようになったのは板東の東、約九キロの板野郡松茂村に海軍航空隊が出来たからであった。

現在の徳島空港であり当時は松茂の航空隊と言っていた。機体をオレンジ色に塗った小型練習機は赤トンボの愛称がついていた。日曜日の街にはそれまで見なれた陸軍の兵隊のほかに海軍の下士官や士官の姿を多く見かけるようになった。

やがて内地も戦場となり連日連夜のアメリカ空軍の無差別爆撃によって全国六十六の都市は廃墟となった。徳島市も焼野原となって戦争は終わり、国中が荒廃して国民は困窮した。

それまで日本が占領していた南方の島々や中国大陸から多くの人々が内地へ続々と引き揚げてきた。

板東俘虜収容所の跡地は荒れ果てていたがドイツ兵たちが住んでいた建物は残されており、「新生寮」と名付けられて中国大陸からの引き揚げ者用住宅として使用されることになった。ここへ入居した高橋という夫婦があった。朝鮮からの引揚者で夫は敏治、妻は春枝、妻が一足早く帰国し、夫はシベリア抑留生活を経て幸いにも生還し新生寮にたどりついた。

昭和二十三年のある日、春枝は裏山へ薪を集めに行きいつもより奥深く入った。体一つ踏み入れるのがやっとの藪の中にふと古い石碑が立っているのを発見した。碑文は異国の文字で春枝には読めなかったが多分、人名であろうと想像した。不思議に思いつつ帰って夫に話したところ「ドイツさんのお墓とちゃうかな」とのこと。敏治はこの近在の出身者なので大正の頃にドイツ兵の俘虜がいたことは知っていた。敏治は板東のドイツ兵と自分のほんの数年前の体験とを重ね合わせた。厳寒のシベリアで過酷な強制労働の果てに命を落とした戦友たちのことである。春枝は長年住み慣れた朝鮮の梁山に先祖の墓を放置したまま帰国しなければならなかったことを今も諦め切れないでいる。故国の山河を見ることなくこの地で命を終えたドイツ兵の無念さを思うと自分のことのように胸が痛んだ。いたたまれなくなった春枝はドイツ兵の墓の周りの潅木や草を刈り、墓石を洗い清め、折々には線香と野の花を供えた。人知れず供養を続けて十数年、いつしか村人の話題となり昭和三十五年（一九六〇年）十月、徳島新聞がこのことを報じた。

ドイツ兵の慰霊碑（鳴門市ドイツ館所蔵）

反応は早かった。翌十一月の末、駐日・西ドイツ大使ウイルヘルム・ハース夫妻と神戸総領事ベーグナー夫妻がこのドイツ兵の墓に参拝するため板東を訪れたのである。故国ドイツの人がこの墓にお参りするのは俘虜たちがこの地を去ってから初めてのことであった。四十年もの歳月が流れている。ハースは敬虔な面持ちで花を供えしばらく墓前に佇んだあと、人々のうしろに慎ましく控えている春枝の方へ歩みよった。感謝に満ちたまなざしでかがみこむようにしてその小ぶりの手を握った。無言であった。十三年に及ぶ春枝の無償の行為に感動してハースは言葉が出なかったのである。彼はまた、西ドイツの大使を初めて迎えた村人たちの歓迎ぶりの中にある素朴な善意とぬくもりを敏感に感じとっていた。それはかつて戦いに敗れ捕らわれたドイツ兵に対して村人が示したものであった。ハースは翌年本国に帰任し、ドイツ兵の墓と板東のことをマスコミに何度も説明した。

一方、元俘虜たちは帰国後も板東での生活を懐かしんでフランクフルト・バンドー会とハンブルグ・バンドー会を結成し定期的に集会を開いていた。日本流で言えば戦友会のような親睦団体であろうか。あのとき以来第二次世界大戦をはさんで世の変転は激しかったが彼らの結束は固かった。元俘虜たちはハースの談話を聞き伝えて懐旧の想いを募らせ、板東の古老たちとの交流を始めたのである。鳴門市はこのような事情を背景にして昭和四十七年（一九七二年）、ドイツ館を建設し地元に残された俘虜たちの作品やゆかりの品などを蒐集展示した。昭和四十九年（一九七四年）には鳴門市は俘虜の出身者が特に多かったリューネブルグ市と姉妹都市盟約を締結して、相互訪問や親善交流を重ねた。その一環としてリューネブルグの中心街で阿波おどりを披露したり、先方からはオーケストラが鳴門市を訪問したりしてかつての望郷のシンフォニーであるベートーベンの交響曲第九番の演奏会が開催されたこともあった。さらに、昭和五十一年（一九七六年）十一月十四日にはドイツ兵の墓と並んで『ドイツ兵士合同慰霊碑』が建立されて除幕式がおこなわれた。この碑には日本各地の俘虜収容所で死去したドイツ兵八十五名全員の姓名が刻まれている。

元捕虜の中にはドイツからはるばる日本へ来て板東を訪ね、村人と旧交をあたため、かつての収容所の跡へ来てその建物を手でなでて涙を流した人もいた。元俘虜たちはこもごも語っている。

・松江はどうして居るか。彼はギリギリのところまで我々に自由を与えてくれた。
・松江は我々板東にいた者にとっては忘れられない名前である。一見いかめしいがその内にある優しさと温かさは彼に直接触れた人でなければ分かるまい。
・板東は私の大学でした。私は今、松江が好きだった菊を育てています。いつか彼の墓にこの花を供えたいのです。
・松江こそ武士というにふさわしい日本人です。
・板東には国境を越えた友愛の灯がともっていた。世界のどこに松江のようなラーゲル・コマンダーがいたでしょうか。

彼らは数十年を経てなお板東を懐かしみ、松江に感謝し彼を敬慕しているのであった。かつてエンゲル教室が発足したとき「こういう時代にこうしたことが出来るのは、誠に稀有のことであり感謝しなければならない」と感激して語ったエンゲルのあのときの気持ちと同じ気持ちを、多くの元俘虜たちが今も持ち続けていた。

仁慈と寛容を説き敵を敬う武士道と、誠実・信義を尊び規律を重んずる聡明なゲルマン民族の伝統的気風が融合し、民族の違いを超えて信頼を醸成した。四国の一隅でドイツ兵俘虜が過ごした数年間は遥か以前のことになってしまったが、その中心にあって今も暖かな光を放っているのは松江の存在である。

（追記）

第一次世界大戦のとき青島攻防戦に敗れて日本軍の俘虜となったドイツ兵は各地の俘虜収容所に分散収容され、講和条約が締結されて解放されるまで五年余を過ごした。徳島・板東俘虜収容所の所長・松江豊寿陸軍中佐はドイツ兵を人道的に扱い、ギリギリ以上に自由を与えて彼等から敬慕され信頼された。その心の結びつきは半世紀を経てゆかりの地、鳴門市に日独親善と交流の拠点であるドイツ館が建設されるきっかけにもなっている。この小文は松江のことを多少とも紹介できればと思って記したものである。

起草にあたっては別項に記載した文書を参考にしたが、殊に中村彰彦氏の「二つの山河」に依存するところが多いことを明記し謝意を表したい。

更に全般にわたって懇篤なご指導を頂いた七十年来の畏友・斉藤宏兄にも心からの御礼を申し上げます。

（令和二年四月八日　記）

参考文献

「ディ・バラッケ」第一巻（鳴門市ドイツ館資料研究会訳）
「トクシマ・アンツァイガー」（徳島俘虜収容所新聞）
「トクシマ・アンツァイガー」（徳島新報）紹介、（徳島新報）翻訳、刊行会、二〇〇六年三月
「板東俘虜収容所跡」（調査報告書、二〇一二年）
「青島戦ドイツ兵俘虜収容所研究」第九号（二〇一一年十二月、青島戦ドイツ兵俘虜収容所研究、刊行会）
「教会だより」（日本聖公会徳島インマヌエル教会、第三一九号、一九九七年十一月）

続「わが徴用」記

エリート将校、遊廓、過激派、市電の車掌

熊谷文雄

添田孜さんの「昭和の子だよ」は、「あとらす」第8号から五回連載され、それから十五年後に、「あとらす」第37号から森美樹さんの「少年挽歌」が四回連載された。

お二人とも東京出身の神戸在住で、「昭和の子だよ」「少年挽歌」に描かれた昭和十年代の東京の小、中学校などの光景は、全国に共通するもので、同年代の多くの方から「同じだ、思い出した、なつかしい」といった共感が寄せられた。

お二人の交流はなく、森さんがそれを望んでおられたが、残念ながら昨年十一月に森さんは他界された。

お二人と同年代の私は「あとらす」前号に、昭和十年代、戦時中の「徴用＝勤労動員」について書いた。

今号もその続編について記憶をたどるが、八十年近い前のことで、私の記憶に欠落が多く、中学で同クラスの吉田恭信さん（京都府長岡京市在住）の正確な記録と記憶に助けを借りることができた。

「徴用」とは「国家権力により国民を強制的に動員し、一定の業務に従事させること」と辞書にある。

戦争の激化で多くの男子が戦地に赴き、軍需工場などでの労働力不足を補うために、学生、学徒が徴用された。

全国各地の中学（旧制）以上の在学者は、授業を放棄して「勤労報国隊」の腕章を腕に巻き、農作業の手伝いから飛行場や防空壕作りの作業をし、軍需工場などで働いた。

これらは徴用とは言わず、「学徒勤労動員」と言われ、地方の中学生は都会の工場で働くために親元を離れた。

勉学の放棄は残念であるが、国家存亡の危機であり、個人と国は一体という愛国教育が徹底し、国ために身を投げ出して働くということに疑いはなかった。

前号では、英軍捕虜、台湾人技術者、朝鮮の少年を取り上げたが、今回は日本人である。

エリート将校 対 農家出身兵

私の名古屋の中学では、軍需工場での長期動員の前に、短期動員が何回かあり、たとえば飛行場や防空壕の建設作業、農作業の手伝いなどである。

農作業の手伝いとは、一般農家へ出向いての作業だが、陸軍直営の農場での作業もあった。陸軍直営とは食糧の自給自

足のために陸軍自らが保持していた野菜畠である。

その陸軍直営の農場では、若い将校が隊長で、その下に県内の農家出身の四十歳前後の上等兵の兵士がいて、その指導の下に、われわれ中学生五十人が広い野菜畠の農作業に携わった。

隊長の若い陸軍少尉は、陸軍士官学校を優秀な成績で卒業したばかりのエリート（当時にはなかった外国語だが）だという噂だった。

若い彼は色白で小太り、細い目にメガネをかけ、微笑を浮かべて自信満々、現在でもよくあるエリートのタイプで、彼は軍刀を杖のよう立て、激励の挨拶の後にこう言った。

「能率についての最近の研究によると、五十分働いて十分休む、これがだらだらと働くより能率が上がるという研究が発表された。この時間割で今日は働いてください」

普通、野外でのこういった作業の場合、休憩は午前一回、昼食、午後一回が普通であるから、休憩が増えることは、働く中学生にとっては異存があろうはずはなく、さすがエリート、普通の人とは言うことが違うと感心した。

ところが実際に、畠の草取り、うね直しなどの軽い農作業は、防空壕掘りなどのツルハシとスコップで土を掘り起こして運ぶ重労働とは違い、五十分くらい働いても、それほど身体は疲れていないが、「休憩」の号令がかかり、われわれは腰を下ろして休む。

一方、われわれを直接指導する農家出身の兵士は将校の「休憩」の命令を無視し、畑の間にしゃがみこんで働き続けている。「休憩ばかりして、仕事にならん」と言わんばかりで、将校をこわい顔でにらみ、黙々と働いている。

われわれは将校と兵士の間にはさまって迷うが、将校の方がエライので将校に従う。

「休憩」の命令に従わない兵士、それは命令違反であるが、仕事をさぼっているわけではないので、将校は兵士の行動を無視している。

二人の上司の考え方の食い違い、こういうことはその後社会に出てからもよくあった。そんな時、エリート少尉と農家出身兵士との反目の光景を思い出す。

遊郭を通って防空壕掘り

昭和二十年、敗戦の年、米軍の空襲で軍需工場が破壊され、都市は焼け野原となり、われわれが働いていた化学工場では空襲被害は少なかったが、他の軍需工場がやられて連鎖的に工場の稼働は下がり、勤労動員の中学生は不要となったのだろう。工場を離れて「特建隊」として名古屋駅前の防空壕掘り作業に派遣されることになった。

名古屋駅の西部、中村区にある中村小学校の教室に寝泊まりして、２キロ離れた名古屋駅東側の正面玄関に近い防空壕の現場に毎日歩いて通う。

ある時、休憩でわれわれが駅前で休んでいる時に、品の良いモンペ姿の四、五人の婦人連がやってきて、われわれにおにぎりを差し出した。われわれは驚いて断った。

その婦人たちはきれいな東京弁の人たちで、われわれ、みすぼらしい姿の少年を見て、浮浪者の群れと思ったらしい。その当時、グラマン戦闘機の地上攻撃で列車がしばしば名古屋駅に待避し、乗客たちは駅構内に避難していた。


宿舎の中村小学校には、教室の床に、ザコ寝の粗末な布団があり、夏だから寒くはないが、ノミ、シラミに悩まされた。朝起きるとシャツを脱いでノミ、シラミを摑まえてつぶすのが日課になった。

中村小学校から名古屋駅までの間に遊郭街があり、有名な中村遊郭である。その遊郭街は戦災をまぬがれ、そのまま残っていて、われわれは、その遊郭街の道を通り抜ける。

道路の両側に立派な作りの二階建て日本家屋が連なり、独特の雰囲気であり、二階の手すりに、着物姿の女性が何人かもたれて、中学生の行進を珍しそうに見下ろしている。

中学生にとっては「遊郭」についての知識は漠然としたものでしかないが、毎日、米軍の空襲にさらされて皆が逃げ回っているのに、「遊郭」が存在し、女性がのんびりと坐っている。何故だろう。世の中は不思議だと思った。

過激派　穏健派

ある日、宿舎の中村小学校で朝食に食パンが出たが、酸っぱい匂いがする。夏のことでパンが腐りかけている。しかし、食べられないこともないのでパンをかじっていると、たまたま、われわれの宿泊世話人が近くを通った。

「こんな腐ったパンが食えるか」

と怒ってパンを世話人に投げつける生徒が現れた。日頃は大人しい中学生である。

すると何人かの生徒も同調してパンを投げつけ始めた。世話人は逃げ、それを追っかけてパンを投げる者もいる。

この事件で私は考えた。食べ物の恨みは怖いというが、この同級生たちの行動にはいろいろ考えさせられた。

人間のタイプ、それは二つあるのではないか。

それは過激派と穏健派、前者は、パンを投げつけて「こんなものが食えるか！」とわめき、憤懣やることなく、怒り心頭に発する者であり、後者は、このパンは少し臭い匂いがするが、まだ食べられる、と食べ始める者である。

過激派と穏健派、世の中にはこの二つに分けられるのではないかと考えた。

その後の人生で、学生運動、労使紛争、政治対決などいろいろな社会事件、現象に遭遇するが、その際に過激派、穏健派の二つが見え隠れする。

過激派、良く言えば、自己主張を持ち、それを通す人。悪く言えば、頑固で怒りっぽく、融通が利かない。

穏健派、良く言えば、考えが柔軟で転換が早い人。悪く言えば、常識的で、信念に乏しい傾向がある。

世の中は過激派、穏健派の増減のバランスで動いているのではないか……

総力戦

名古屋駅前の防空壕掘りは何故か未完成のままで、また化学工場に引き揚げてきた。

しかし、化学工場での仕事はますます少なくなり、遊んでいることが多い。このままでよいのか、という不満と疑問がただよい、工場の一室で「決起大会」がわれわれ中学生だけで自発的に開かれた。級長のH君が議長である。

米軍が本土に上陸するかもしれないという時に、ぶらぶら遊んでいてよいのか、ほかの工場に移って働くことを学校に申し出よう、といった提案である。愛国心に燃える中学生としては切実な気持ちだった。

その時に、I君が発言した。彼は転校生ということもあって、皆に変わり者扱いをされていることが多かった。

「誰もが飛行機をつくる仕事で働くことはできない。飛行機以外の仕事がなくては、飛行機はできない。〈総力戦〉と言うが、どんなつまらない仕事でも、それは戦争遂行に必要だ。いろんな仕事、そのすべてが国家に必要で、そのことで国家が存続する。国家とはそういうものだ」

I君の熱弁に全員は黙り、ほかの工場で働きたい、などと言う者はいなくなった。

H君、I君は、その後共に東大の哲学科に進んだ。

埼玉大学や東京女子大の教授をつとめたI君の著書「愛の思想史」（講談社　学術文庫）はロングセラーになった。

戦後が終り名古屋市電の車掌

戦争遂行に工場も大事だが、交通も劣らずに大事である。軍需工場など職場へ通勤するための交通機関は当時の名古屋市では圧倒的に市電で、まだ地下鉄はなかった。

軍隊に応召されて市電の運転手、車掌が不足し、ここでも学徒が動員された。

県立M中学校ほかの生徒が運転手に、市立N女学校の生徒が車掌に動員された。いずれも新制で言えば中学三年、高校一年の男女生徒で、電車を運転し、車掌をする。

安全第一の名古屋市交通局は当然ながら、運転手や車掌には、人物を選び、充分な講習や訓練が施される。

それから考えると、十三歳から十五歳の男女生徒が、電車を運転したり、車掌をすることは今では考えられないが、当時の市電は車体が小さく、スピードが遅いし、自動車などの交通量が少ないので、運転そのものは今と違って容易だったとは思う。

昭和二十年八月十五日、敗戦、軍需工場などで働いていた学徒などはすぐ学校に戻ったが、市電の運転手と車掌の動員は十月まで続いた。というのは、戦地から軍人が復員したりして、正規の運転手や車掌が揃うのに時間がかかり、敗戦後も約二カ月、市電への学徒の動員が続いた。

しかし、米兵が進駐して来ると、女学生の車掌は危険であるという理由で、代わりに私の中学が女学生の役だった車掌を引き受けることになった。八月十五日の敗戦後一週間もたたないうちに、そういう決定があった。

「戦争はもう終わったのに、弱腰の校長が承諾した…」

とわれわれは不満であり、当時は中学校、女学校は五年から四年に短縮されていて、半年後に卒業、上級学校への試験も待っている。

戦争が終わり、どこの学校も授業が始まっているのに、私の中学が市電の車掌に徴用されることは、学力の低下は必至である。これは、私の中学のライバル校である県立のA中学が県庁の役人と組んだ「陰謀」だという噂も流れた。

余談になるが、その後の新制移管、学校合併でも、私の中学は不利な扱いを受け、多くの学校と合併して、伝統のある私の中学が消えてしまい、校内に古墳があって、東海一と言われた広い敷地も寸断されてしまった。この事態になったのは、その「陰謀」がその後も続いたためであり、これは今でも話題になる。

とにかく、戦争が終わったのに、私の中学はまた徴用されて名古屋市電の車掌をやることになった

しかし、市電の車掌というのは、やってみると、今までの工場勤務とは違い、変化があって面白い仕事である。

敗戦後すぐの時期であり、いろんな乗客が乗り込んできてそれは敗戦国、日本の縮図だった。

当時の名古屋市電の車掌の仕事は、乗客の降車時の切符の回収、停留所のアナウンス、運転手への出発ＯＫの合図、折り返し点でのトロリー・ポールを１８０度方向回転して付け替えることなどであった。

市電の切符は車内では販売しなくて停留所付近の売店などで売るが、電車に乗り込んできて切符がなく、お金を出す客がいるから面倒だ。戦地から日本に引き揚げてきた軍服姿の復員軍人は、大きな袋を抱えて電車に乗り込み、一円札を出して「切符」と言い、切符は外で売っています、と答えると、「おつりは要らん」と一円札を投げてくる。

当時電車賃は一回十銭だったと思う。一ヶ月の定期券が、二円五十銭だった。

停留所のアナウンス、マイクはなく、

「次は○○でございます。降りる方はご用意願います」と叫ぶのだが、間違えることがあって乗客が笑い気付く。

女学校のある停留所では、たくさんの女学生が乗って来て、この車掌は新米だわ、といった顔をしてこちらを見る。恥ずかしいが、女学生が乗って来ないと、今日は女学校は休みなのか、と拍子抜けし、がっかりである。

名古屋市電の従業員証を出せば、他の市電や私鉄はタダで乗れたが、国鉄も名鉄もタダだった、と言う人もいた。

私はM君と名鉄に乗って伊勢神宮へ行った。


運転手であるM中学のA君と車掌の私とは、しばしば一緒の組み合わせになるが、彼と私の中学とはいわばライバル同士であり、二人の会話はなかった。

彼にしても、前の車掌は女学生で楽しかったのに、今度はやぼったい男子中学生が車掌なので面白くなかっただろう。運転手と車掌との連絡、打ち合わせなどはなく、それでよく電車の運行ができたものだと思う。

名古屋市電のある運転系統の終点に「上飯田（かみいいだ）」という停留所があり、百メートルほど離れて名鉄電車の終点の同名の小さな駅「上飯田」がある。今で言えば、ターミナルであるが、当時は原っぱのような荒地をはさんで小さな両駅が対峙しているだけの殺風景な場所である。

A君の運転する市電が終点の上飯田に到着、車掌の私がトロリー・ポールを180度ぐるりと回し、折り返し運転の出発を待った。

その時、名鉄電車が「上飯田駅」に到着し、客がぞろぞろと降りて来て、市電に乗り換えるべくこちらに向かう。

市電がすぐに発車するようであれば、客は走らなければならないが、A君は運転席から降りて電車の外に立っている。それなら発車まで時間があると思い、客はゆっくり歩いて市電に向かう。一台乗りそこなうと次まで長かった。

突然、A君は電車の運転席に駆け上がり、電車を発車させた。わずかな乗客を乗せて動き出した電車を見て、客はあわてた。「おーい、待ってくれ」と走ってくるが、電車には追いつけない。客は文字通り地団太を踏んでいて、「おい、こら、ばかやろう」とこぶしを上げる者もいる。

日頃は不愛想なA君だが、笑みがこぼれて、嬉しそうに私を振り返り、私もうなずいた。車掌の私にしても、電車は満員より空いているのに越したことはない。

何のおとがめもなく、今では考えられないことである。

蛇苺

松原和音

部屋の机の上。朝置いたカップが、そのままになっている。取っ手をつかむ。冷たい。なんでこんなものを放置したのだろう。階段を降り、流しで洗う。水切りに伏せる。その次の瞬間から、何もするべきことがないのではないかと思う。

だったら、テレビでも観ていればいいじゃないの。だれかの言葉が浮かぶ。

そうだ、テレビ。リモコンのスイッチを押す。人がひな壇に並んでいる。笑っている。砂あらしを見ていたほうが、まだよかった。

テレビの電源を消す。たしか、課題があるはずだ。翻訳は、時間がかかる。提出日が迫っている。一行も終えていない。プリントを開く気もしない。

外気と体温が同じになるような。空白とも呼べないような。つまり、意味がないといわれる無言の時間を、私は引き延ばそうとしている。今日は木曜日で、平日で、昼間は家の前の人通りが少ない。

私には、家が二軒ある。一軒めは、生まれた家。二軒めは、自分で選んだ家。古びることがない、いつも新築のような家。

駅のホームで、私は人々を見ている。ベビーカーをのぞきこむ主婦。制服を着た高校生。どこかの学生が、単位が足りないと嘆いている。パーカーにプリントされた蛍光グリーンの文字が、視線を跳ね返す。下を向く。人の流れが、私を車内に閉じ込める。イヤホンから漏れる音楽。会話。そういうものを、ただ聞いている。心の中で、相槌を打つ。窓の外の景色がスライドする。看板ばっかり。布団が干されたマンションのベランダ。オフィスと、風俗店が入っているビル。私の目の前で、すべてが流れていく。

目白。高田馬場。新大久保。新宿。押し出される。人の頭がぎっしり。進むのも遅い。ここから七分ほど歩くと、目的地。ラッシュに重なると、倍はかかる。二階建て。レンガ風の外壁の、ベランダ付きの家。

朝、九時。家の前と玄関を掃く。箒がしなる音。ちりとりには、細かな砂しか入らない。それでも、意味があるのだと自分に言い聞かせる。続いて、階段に水を撒き、デッキブラシで足跡を除去する。地が湿って、グレーがかる。落ちている葉っぱを熊手で集めて、ビニール袋に入れる。寒くなってきた。室内に入ろう。

靴箱から、スリッパを取り出す。

一階には和室と、洋風のリビング。キッチン、浴場がある。リビングとキッチンは隔てられていない。アイランドキッチン。料理をしながら、家族と会話ができる設計になっている。大型テレビと、五人掛けのソファー。和室と洋室は、ガラス製の引き戸で仕切られている。開けるときに、ガラスが振動してじゃかじゃかいう。

二階には、小さな客間がある。その奥に、ベッドルーム。バーカウンター。壁面は白で統一されていて、整然としている。ビルトイン式で、細かなものを壁の後ろの棚に収納できるのだ。お手洗いは、両方の階にある。

お風呂の前の床はメラミン素材。高級感がないのが残念だけれども、管理がしやすい。

マホガニーの食卓には、愛着を持っている。四角くて、紅褐色。角は丸い。ワックスを塗ると、表面の艶がよみがえる。吹き抜けと、雪見窓。床は、モップをかけるだけでかなり清潔になる。

事務室の暖房をつけて、コーヒーメーカーのスイッチをいれる。アルミ製の事務机には、いつもケイティーがいる。海外から来た、毛糸製の小箒。赤い帽子とエプロン。紫のスカートを履いて、緑のネックレスをしている。ネックレスは、ビーズでできている。自分で作った。ケイティーは着飾るのが好きなのだ。今度、ブレスレットをあげようと思う。

椅子に座っていると、外が見える。木が生えていない、隣の家の庭。室内がほんのり暖かくなってきた。手をこすり合わせる。もうコーヒーが沸いた頃だろうか。立ち上がる。布がこすれる音。自分だけしかいない空間。規則的な足音が聞こえる。ドアが開く。瀬尾さんだ。

「おはよう。寒いね。風が吹くから仕方ないけど、葉っぱが落ちてたよ」

「すみません」

「運もあるね。そういうことにしておこう。この図面、夕方までに打っておいて」

紙を一枚差し出された。

「わかりました」

書類を眺めている。

「展長、今月も契約多いな」

大変そうなので、コーヒーをカップに注いであげる。

「ありがと。このまえ、変な客が来たんだよ」

「どんな？」

「いや。全部の部屋の壁を取り払ってくれって」

「体育館じゃないですか」

「逆に不便だって説明したんだけど。もう、どこまでが自分の仕事かわからないよ。あっ。そうだ。あとさ。俺のシャツのボタン、付けといてよ。二枚しか持ってないから」

「はあ」

「もうこんな時間か。会議行って、そのまま営業に出ます。あとはよろしく」

「行ってらっしゃい」

「お、行ってくるわ」


平日は、ほとんど人が来ない。週に三日、私はここでアルバイトしている。あとはたまに子守もある。時給千円。掃除、見学者の案内と図面の入力。定時は六時まで。

再び外に出て、葉っぱを回収する。

知新ハイムとハートフルホームのアドバイザーが、立ち話をしている。ゴム製の突っかけサンダルにポーチ。

「おはようございます」

自分から挨拶する。そうしないと、無視されてしまう可能性があると、先輩が言っていた。連絡事項が回ってこないと、なにかと困る。

「おはよう。今日は午後から雨になるらしいから、お客さん減りそうね。私たちは楽だけど」

「台風が接近してるらしいですよ」

天気予報で、アナウンスしていた。

「あら、本当？　今聞いたんだけどね。トミタホームに新しい人が入るらしいのよ」

「え？　三谷さん、退職されるんですか？」

「そうなのよ。明日、挨拶に来るって」憂鬱そうだ。

「どんな人なんですかね」

私は、無難な会話というものが得意ではない。居心地悪く感じてしまうのだ。大人の義務というかんじがするから。

「そろそろ、折衝の準備しないと」

内心、ほっとした。

「ではまた」

「またね」

再び屋内へ。階段に綿埃が散っている。ワイパーをかけ、事務室に戻る。

パソコンのマウスを動かす。画面が明るくなった。図面の作成は、専用ソフトで行う。手書きのものを、入力するだけ。地味な作業だけれども、一軒の家が建つまでに様々な工夫が凝らしてあることがわかる。シロアリを防ぐ防蟻処理とか。お客さんの注文に合わせて、家具のアイコンを付け加えたり、壁の色を変更することもできる。完成したら、印刷してクーピーで色を付ける。紙の上では、駐車場には車があり、庭には木々が植わっている。紙の上では、境界線の曖昧な円として表示されるだけ。緑色で塗り、灰色の影を付ける。この方法は、倉本さんに教えてもらった。車体の部分は、マーカーを使う。色は、赤が人気らしい。初めてこの図を見るときは、だれでも必ず喜んでくれる。鳥と同じ視点だから、鳥瞰図というらしい。

電話が鳴る。反射的に、受話器を上げる。


「おはようさん」展長だ。

「おはようございます」

「五時から田村さんが来るから」

「はい」

「トミタホームに新しい子が入るんだって？　いじめちゃだめだよ」

「まさか」

「ということで、子守おねがいね」

通話が終わった音。自分用にコーヒーをいれる。お菓子も確保する。言われたことしかしない。


五時十分。田村さん夫妻が現れた。

「すみません。遅れて」

「こんにちは。どうぞ、お上がりください。瑛くん、元気かな？」


和室に案内する。折衝の場所は毎回、変えている。お茶を出して、瑛くんをあずかる。七か月。私は、赤ちゃんが苦手。というよりも、子供を取り巻く周囲の態度が嫌なのかもしれない。子供というものは不思議で、いびつな家族関係を規格通りに見せてしまう。有無を言わせない、違和感を吸い取ってしまう能力がある。本人に罪はないのだ。

角のスペースで、アニメを観る。子供向け番組では、同じ言葉が繰り返されることが多い。

らんらんらん。らんらんらん。ばったばったばったのうたがきこえるよー。ぎーごーぎーごー。ぱたぱたさんもいているよ。

意味不明。正直、気に障る。

膝に瑛くんを乗せていると、温もりが伝わってくる。サイズもちょうどよくて、抱えると安心感がある。腕の中でじたばたするときは、少し歩いてみる。そうすると、機嫌がなおる。


さっきから、ずっと目が合っている。子供の頃から性格には個別差があるようで、一人ひとり全然違う。瑛くんは、人見知りしないしとてもおとなしい。三歳以上になると、後ろから蹴ってくる子もいる。走りまわるから、けがをさせないだけではらはらする。子供と一緒にいるときは、時間が止まっているようだ。ぬるま湯の中にいるような感覚。

「すみません、こんなに長い時間、見ていただいて」

田村さんの奥さんが様子を見にきた。いつも謝っている印象がある。

「瑛くん。ママが来たよ」

「いい子にしてた？」

長い髪をボブにしたせいか、前よりもずいぶん落ちついたように見える。コーラルピンクのマニキュアに、黒のカーディガン。ミニの花柄ワンピースを着ている。

「ベビースイミングはじめたの。スポーティーな子にしたいと思って」

「運動、お好きなんですか?」

「私? 学生のときはバレーボールしてたの」

質問の対象が自分に向けられていることに、戸惑っているようだ。私よりも、喋り慣れている雰囲気。アパレル系の店員さんみたい。

「トスだけは上手なんですよ」

「手が離れたら復帰したいけど、なかなかね。あと一時間は続きそうだけど、預けたままでいいですか?」

「大丈夫です」

「これ、よかったら食べてください」

紙袋を持っている。

「すみません。お気遣いをいただいて」

会釈をしながら、遠ざかっていく。田村さんの奥さんは、派手でひっそりしている。


日曜日。来場者が多い週末は、早朝全員で掃除をする。六人がかりで、一時間かける。

今週は窓ガラスの担当。手をかけなくても美しいというイメージを作るために、生活感をできる限りなくさなくてはならない。

「なにしてるんだよ。しっかりしろ。馬鹿野郎」

苛立った声。下の階からだ。階段を降りる。キッチンの床に、水たまりができていた。新人の男子が、頭を下げている。バケツを倒したらしい。

「反省してるのか? あと十五分で客が来るんだよ。ずっとそんな姿勢なら、辞めろ」

峰岸さんは、ひたすら怒っている。雑巾を取りにいかないと。事務所に引き返して、一階へ急ぐ。とりあえず、床を拭く。

「お前の仕事だろうが。自覚しろ。自覚。頭が付いてるのか? 余計な手間をかけさせるな。俺はもう、知らないぞ」

心ここにあらず、な佇まいが気にいらないのだろうか。もはや、八つ当たりにしか見えない。

「さっき、展長から電話があったから。かけなおして。あとは、竹内にやらせる」

「あっ。じゃあ、お願いします」

二階に上がり、電話の受話器を上げる。短縮ダイアルでつながる。

「新宿展示場の野島です。本庄展長、いらっしゃいますか?」

「少々お待ちください」

葉子ちゃんだ。

「代わりました。本庄です。今日は沙耶ちゃんに提案があってね」

下の名前で呼ばないでほしい。

「はい」

「新しいコミュニケーションツールとして、ブログを開設してほしいんだよ。家を購入するにあたっては、主婦の意見が大きいからね。女性が食いつきそうなトピックを盛り込んでね。新生活、いいな。家、欲しいなって思わせる」

新しくはない。むしろ古い。

「はい」

「他社の子には秘密にしてよ」

「わかりました」

「ちょっと書いてみてよ。差し支えない範囲で、プロフィール載せてさ。展示場に住んでるって設定でいいよ。とりあえず、出勤日だけね。葉子ちゃんと相談してさ。毎月発行してる『アドバイザー新聞』？　あんなの、ポストに入ってたって読む人いないよ。沙耶ちゃんからはじめていいよ」

「ありがとうございます」

「デジカメとケーブル、黒い棚に入ってるから」

そんなことで、効果が見込めるのだろうか。高い買い物なのに。


タイトル：はじめまして。

アドバイザーのNです。今日から、ブログをはじめました。よろしくお願いします。

ケイティーの画像をアップする。初日はこのくらいにしておこう。


火曜日。パソコンを起動する。葉子ちゃんが、ブログを更新している。

花壇にチューリップの球根を植えたらしい。

枠のデザインも変えられている。蔦の間を、花でつないだようなライン。前回の記事に、コメントが付いていた。チェックしている人がいること自体、意外だった。

えいくんママ。田村さんだろうか。知らない人からも反応がある。主婦の人だった。ケイティーの作り方を教えてほしいらしい。本体は自作していない。販売元の住所を返信する。

毎日、なにも起こらない。だから、とくに話題もない。下から見た吹き抜けと、ソファーに座っている竹内君の後ろ姿を載せる。「見学のみのご来展もお待ちしております。」お茶を飲みにいらしてください。送信。

「田中さんに会った？」

葉子ちゃんは、内緒話するみたいにしゃべる。

「トミタホームの人？　まだこっちには来てないけど」

私まで、小声になる。

「制服にピンクのリボン付けてた。つけまつげだった」

「本当?」

大げさにリアクションしてみる。

「最近、クララと連絡とってる?」

クララというのは辞めた先輩のこと。倉本という苗字。瀬尾さんと不倫していたのが、展長にバレたらしい。

この環境では仕方がない。ただなんとなく、人の夫だということを忘れてしまったのだと思う。

「なんとなくそのままになっちゃった」

ワルだけど、悪い人ではなかった。運転が上手で、よく家の近くまで送ってもらった。引き継ぎの期間だけしか接触しなかったけど。要点から説明してくれて、すごくわかりやすかった。

「遊びにくればいいのにね」

葉子ちゃんは、ぽつりと言う。

倉本さんは最終日、自分のスリッパをゴミ箱に捨てていった。ほっそりした後ろ姿。一度振り返って、「お世話になりました」と言った。外は雨だった。傘をさすと身体の半分が隠れて見えなくなった。

「瀬尾さん、たまに放心状態なんですよ」

「三年も一緒にいたんだもんね」

葉子ちゃんは、くすくす笑う。彼女はいつも、襟元にオレンジのリボンを結んでいる。私は、ブルー。支給されるのは三色で、あとはピンクがある。倉本さんの色。

閉展時間は、六時半。私が最後に出て、鍵を閉める。電気を消すのも、私の役目。お風呂は、お湯も水も出ない。けど、ベッドがあるから寝ることはできる。葉子ちゃんが、終電を逃したときに泊まったらしい。近くに銭湯がある。冷暖房も使い放題だし、案外快適だと。展示場の中心には、警備員が二十四時間待機している。セキュリティーは万全。十二月には、白いスプレーでガラスに柄を付ける。トナカイとか、サンタさんとか。転写用の素材が、倉庫内にしまってある。

「建材の良し悪しが判断できるようになるまでは、経験が必要なのよ」と、葉子ちゃんが言っていた。私も、一週間の半分をここで過ごしている。そのうち、家に帰るときのほうが緊張するようになる。


水曜日。新しい人が挨拶に来た。隣にだれかが引っ越してきたみたい。もともと、展示場はスタッフが少ない。

「田中美咲と申します。トミタホームのアドバイザーとして、お世話になります。よろしくお願いします」

クリアーで、ソフトな声。気弱そうに微笑んでいる。指摘されたのか、リボンはグリーンになっていた。

「野島です。私もわからないことだらけですが、お力になれることでしたらいつでもおっしゃってください」

「ありがとうございます。失礼いたします」

り落ちる。

田中さんは、お辞儀をした。セミロング。手首に、時計が滑
「ノベルティーグッズ、注文してくれた?」

展長は、一日に何度も電話してくる。

「当日の朝、届きます」

「土曜日がフェアだからね。営業には、会議のときに伝えたんだけど。今回はすごいんだよ。無料のカフェブースが設置されるわけ。しかも、我がフランスメゾンの一番近くに。ケーキなんかさ、あれだよあれ。有名店のやつだよ。展示場スタッフには、希望した数だけ配ってくれるから。「室内でもお召し上がりいただけますよ」って言って、お客様をうまく誘導してね。詳細をメールで送ったから、確認しといて。ブログでも、しつこく宣伝するようにしてよ」

「わかりました」

「あとね。重要なこと、言い忘れてた。契約してくれそうなお客さんがいたら、営業にサイン出してね。目を合わせて、軽く手を上げるだけでいいから。あと、アンケートには必ず協力してもらって」

電話が切れた後、メールボックスを確認する。フェアの告知チラシのスキャンが添付されていた。画面上では見づらいので、印刷ボタンを押す。プリンターは頭上にある。印刷後の紙が目の前に落ちてくるのがつらい。おもてにし、眺める。


催し物の一覧が記載されている。住宅ローンの相談ブース。これは、恒例になっている。ローン会社の人の担当で、返済計画を提示してくれるらしい。仮面ライダーショー。カフェスペース。手作りインテリア教室。ペット広場。なぜかドイツ料理が食べられるコーナーまである。

「戻りました」

峰岸さんは、声が大きい。

「あ、お疲れさまです」

「ほんとに疲れた。紅茶くれない?」

立ち上がり、紅茶を淹れる。カップは倉本さんのだけど、いつのまにか共有になっている。

「どうぞ」

「ありがとう。机の上の紙、フェアの詳細?」

「そうなんですよ」

「仮面ライダーショー?「本人が登場します」って。意味あるのかよ? 着ぐるみ着てたらわかんないじゃん」

「握手会のときだけ現れるんだと思う」

「この凌駕とかいう奴、本当に主人公なの? 竹内のほうがまだ見やすくない? 知新ハイムの前って、いつもイマイチなイベントやってるよな」

「ドイツ料理は、どう思います?」

「発想はいいんだけどさ。昼間からビール出すって、問題あるよね。あと、民族衣装のコスプレした人が運んでくるって

いうのがさ。ちょっと非常識かな、って。まあ、ハートフルホームには合ってるのかもしれないけど。ゴミの出し方とか、ありえないじゃん」

「いつも、シール貼って置いてかれてますよ」

「あー。むかむかしてきた。なんであんな会社が、シェアナンバーワンなんだろう。エコを売りにするなら、分別くらいしろよな。まったく」

他社の悪口を言い合う。

「いまは、知新に抜かれてますよ」

「知新のあのキャラクター、ありえないよな？　箱の頭がパカってなって、ハーイ！っていうやつ。ＣＭ観る度、怖くなるよ。シュールすぎるだろ。ところで、メッセージカードの準備はできてる？」

「できてます」

「完璧だな」

そう言いながら、峰岸さんはネクタイを締め直した。


土曜日。朝十時。全員で、家の前に並ぶ。お客さんがあちこちのブースに集まっている。

「いらっしゃいませ」

同じタイミングで、頭を下げる。

「案外、ショーの人気が高いな。竹内、もっと笑えよ。奥さんに声かけてこい。積極的にな」峰岸さんが、背中を押す。

「一緒に行ってくださいよ」

竹内君の、気弱な表情。

「甘えるな。瀬尾さんを見習えよ。俺は、別のところで声掛けする。葉子ちゃんと沙耶ちゃんは、風船配って」

風船は円形で、サザエさんの絵が付いている。裏には社名がプリントしてある。

「後輩のくせに、仕切っちゃって」葉子ちゃんが、呆れたような声を出す。

子どもとママが寄ってきた。

「ねえねが風船持ってるよ。くださいって、お願いしてごらん」

「ください」私のほうを向いている。

「いい子だね。どっちの色が好き？」

声がワントーン高くなる。自分で聞いても不自然で、すこしはずかしい。

「こっち」イエローを指差す。

「レモンの色。はい、どうぞ。お母様も。お菓子をご用意しておりますので、気軽に中をご覧になってくださいね」

笑顔を作る。優しいふりをしていたら、本当に性格が良くなればいいのに。

「パパを呼んでこようか」

ママのほうが、手を振る。トレーナーとコットンパンツを着た男性が、駆け寄ってきた。

性的なかんじ。

葉子ちゃんは、笑うと八重歯が見える。ふっくらしてて、母
「ナイス！　その調子。やっぱり、女の子は違うねえ。バンバン売っていこう！」

声をかけられて、やっと展長の存在に気付いた。赤いネクタイをしている。

「沙耶ちゃーん！」

知新ハイムのアドバイザーに呼ばれている。ベテランらしい落ち着いた物腰。ゆるい巻き髪が、風に揺れる。

「はい」

「ケーキ、そっちは確保してる？」

「あ。もしかしたら足りないかもです」

「トレーに並べといたから。冷蔵庫に入れておくといいわよ」

チョコレート。チーズ。イチゴショート。モンブラン。ミルフィーユ。ほぼ全種類が、均等に乗せられている。

「ありがとうございます」

「フォークも足りてる？」

「大丈夫です。すみません」

「どういたしまして。そっちも、いい調子じゃない！」

「知新さんには、負けますよ」

「じゃあ、がんばって乗り切ろう！」

「お父様も、どうぞこちらへ」

「はい」

走っていく。運動神経がよさそう。私は葉子ちゃんにケーキを手渡して、戻ってきた。

「あ？　あれは、竹内か？」

竹内君が、奥さん数人を連れてきた。目が泳いでいる。

「はあ。ここです」

声が弱々しい。相変わらず、腰が引けている。

「ここです。じゃないだろう。案内しろ、案内」

展長が檄を飛ばす。ゆるゆると、扉へと向かう集団。入れ替わりに、先ほどの親子が出てきた。

「ミニバラまでいただいてしまって、いいんですか？」

上機嫌だ。パンフレットを持っている。

「また、遊びにいらしてください」

「本当に来ちゃうわよ？　でも、こんなに大きい家、なかなか建ててもらえないわね」

「嫁には、頭が上がらないんだよ」横にいる男性の、苦笑い。

「いつでもお待ちしておりますので」

メッセージカードを渡す。ブログのURLが記入してある。

三人で歩く姿を見送る。風が強くなってきた。

「ごめんね。寒いでしょ？」葉子ちゃんが、ベランダから叫ぶ。

「大丈夫です」

「無理しないでね」

ふと、移動したいと感じた。

「ちょっと、風船配ってきます」

地味ながら、攻めに出る。子どもが目に入るたびに、風船を渡していく。近くからビールの香りがした。ドイツビール無料の看板が立っている。中をのぞいてみると、お客さんがくつろいでいた。ほどよく焼かれたパン。木製のお皿。リュートの生演奏。

瀬尾さんが、民族衣装を着たウエイトレスと話し込んでいる。

「サボらないでくださいよ」一応、言っておく。

「ただの異文化交流だよ」

「どう見ても、日本人じゃないですか」

「まあね」

まったく。一周して、再び所定の位置に立つ。

「どうだった?」と、展長。

「けっこう、盛り上がってました。けど、他社にもあまり人は入ってないです。知新ハイムの次くらいだと思います」

「よし! 悪くないね。ところで瀬尾は、どこにいる?」

「ドイツビールのところにいます」

「チラシ、配ってるのかね?」

「だと思います」

「あやしいねえ。ちょっと、呼んできてくれないかな?」

「はい」

ノコノコ歩く。まだ話している。

「瀬尾さん。展長が呼んでます」

「え? やべえ」

焦っている。しばらくして、瀬尾さんが走ってきた。気合いの入った髪型が、シュークリームに似ている。

「沙耶ちゃん。中に入ってていいよ。終わるまで、こいつを立たせておくから」

含み笑いをする展長。

玄関を上がると、見学者が見えた。一階だけでも、五組はいる。ひたすら説明をする峰岸さん。伏し目がちな、竹内君。一人の女性が、ソファーに寝転がっている。

「寝たら、帰れなくなりますよ」移動して、声をかける。

「横になってると、ここから吹き抜けが見えるのよ。アイスミルクティーくれない?」

「はい」

二階に上がる。事務所の冷蔵庫からアイスミルクティーを出し、グラスに注ぐ。ケーキがまだ残っている。お皿に乗せ、トレーにセットする。ゆっくりと、階段を降りる。

「お待たせしました」

トレーを机に置くと、女性は機敏に起き上がった。ケーキを食べながら、パンフレットを開いている。生成りっぽい色の服。

「オーガニックコスメの会社、経営してるのよ。名刺、あげる」

「あ。ありがとうございます」

「さっき、若い男の子に案内してもらったんだけど。目も合わせてくれなくて」

「竹内ですか？　引き気味の性格なんですよ。普段からあんまり笑わないです」

「あら、本当？　もう一度、洗面所を見せてもらっても、いいかしら？」

「どうぞ」

後ろから、ついていく。

「これがいいのよ。これ。ホーローね。温かみがあるわ。照明は、スクエア型じゃ嫌なのよ。小さいシャンデリアがいいの。蛇口の部分は、ガラスにしたいわ。あと、ドアノブは陶器じゃないとダメ。触ったときに、ひやっとするのは不快でしょ？　どこまで指定できるのかしら？」

「蛇口のハンドルとドアノブ以外は、こちらでご用意ができます」

「上の階にも行っていい？」

「是非、ご覧になってください」

軽やかに階段を登る足音。峰岸さんに、合図をする。即座に気が付いた。軽くハイタッチをして、交代する。来場者に、アンケートの記入を促す。時計を見る。あと、十五分でフェアが終わる。子どもが一人で入ってきた。靴を履いている。

「待って」

トミタホームの田中さんだ。駆けずりまわる男の子を、必死で追いかけている。男の子は、キッチンにいる竹内君に抱きついた。

「抱きつかれてる」竹内君は、ぽつりと言った。

「すみませんすみません。突然、全力疾走しちゃって。なにが起こったのか、わからなくて。ごめんなさい。ママが待ってるから、帰ろう」

田中さんは、泣きそうになっている。

「やだよ！」地団駄を踏む、男の子。

「トミタホームまで、行ってきます」

竹内君が、無表情で男の子を抱き上げた。

「すみませんすみません」

三人で出て行く。若い夫婦みたい。

「私と沙耶ちゃんは、先に事務所で休んでて、って」

葉子ちゃんが、踊り場から顔を出す。

「いま、行きます」

アンケートを回収する。今日は、何回階段を往復しているだろうか。事務所の椅子に腰かけたら、ほっとした。

「ケーキ、沙耶ちゃんのぶんも取っておいたよ。どれ食べる？」

「わー。どうしよう。葉子ちゃんは、もう選んだ？」

「マロングラッセ。でも、沙耶ちゃんが欲しいなら、ゆずるよ」

「私はチョコレートにする」

二人ぶんのコーヒーを用意する。営業マンが、続々と入室してきた。

「あれ？　竹内君は？」葉子ちゃんの質問。

「真ん中の部屋の窓辺に立ってる」

瀬尾さんが、髪をいじりながら言う。癖なのだ。

「ああ、いつものあれね」

真ん中の部屋からは、知新ハイムが見える。ベテランアドバイザーが働いている姿も、眺めることができる。

「よりによって、ヅマヒトだよ？　しかも、竹内よりも一回り上。価値観が合わないだろ。なに考えてるんだ？　あいつ」峰岸さんは、手の平を上に向けている。

「たぶん、相手も気づいてますよ。嫌いではないと思う」と、私。

「いいじゃん。夫にバレなきゃ」

葉子ちゃんは、ケーキをつつきながらコメントする。瀬尾さんは立場上、黙ったまま。

「家を建ててから、口説くべき」展長が、勢いよくドアを開ける。

「無理言わないでくださいよ」思わず、反論する瀬尾さん。

「よく、頑張ってくれたね。営業も、アドバイザーも早上がりしていいよ。お疲れさまでした。ミニバラ、余ったから。だれか持ち帰って」

「お疲れさまです」

「お疲れっす」

「お先に失礼します」

「では、また明日」

あっさり解散する。竹内君は、いつのまにか姿を消していた。


月曜日。アンケートの集計以外、ほとんどすることがない。バーカウンターのスツールに腰掛けて、参考書をめくる。お客さんは、ここに案内するとなかなか離れない。「こんなもん、必要ないよ」とかこぼしながら。けれどもゆっくりカウンターをなでる。勉強が好きなわけではないけれど、語学は日々の進歩がわかりやすい。自己満足だけど。前に進んでいるという実感が欲しいのだ。ここからだと、電話の呼び出し音にもすぐに気づくことができる。

幼い頃、親にねだってプラスチック製の家を買ってもらった。本来は、リカちゃん人形の家だった。リカちゃんには、興味がなかった。むしろ邪魔だった。私が住むのだから。小さくても、そこには細かな仕切りがあった。住みやすそうな間取りが用意されていた。特に気に入っていたのは、玄関だった。フューシャピンクのタイルが敷き詰められている。私は持ち物にこの色を取り入れるのが好きだ。やめることができない。一番面積が大きいものは、バッグだった。革にペンキを塗ったように、均一に発色するピンクが、可憐に思えたのだ。フラミンゴみたい。先着順で、ハート型の携帯ストラップが付いていた。発売したらすぐに買いに行った。父はしかめ面をした。「その色は品がない」そうだ。私は例の、下品なバッグに授業道具を入れて通学した。ただ、嬉しかった。

ガスコンロ使用禁止。お手洗いはトミタホーム横のものを使うこと。事務所内の壁に、張り紙がしてある。ポストに郵便物が入る音がした。木がざわめいている。新聞を取るために外に出たら、隙間の地面に蛇苺が生えていた。

文庫を読む⑨　辰巳浜子『料理歳時記』

斉田睦子

古書店の店頭の棚（いわゆるゾッキ本と言われる棚です）のなかで、背が肌色にちかい中公文庫はおおよそ「外れ」がなく、選書の一つの目安としています。文藝ものや歴史ものが中心の中で、この『料理歳時記』（昭和五十一年刊）が居心地わるそうには挟まっていました。著者の辰巳さんは明治三十七年の東京生まれだそうです。略歴には戦後まもなく料理の指導をはじめ、ＮＨＫ「今日の料理」のレギュラーだったとありますが、それ以外に著者については存じません。

四季ごとの魚や野菜を愛しんで紹介し、その調理について懇切にしかも簡便に述べる文章が素晴らしく、私はたちまちこの本に魅了されました。夏編の「鯵」は次のように紹介します。

「新緑の頃から夏の終りまで、飽かずに食べつづけられるのが鯵でしょう。白身でもなし、赤身でもなし、中加減のものと申したらよいでしょうか。万人向きのする魚で、刺身、酢のもの、焼き魚、揚げもの、南蛮漬けなどなんにしてもよい魚といえます。……くさやのむしり身、枝豆の塩茹で、露をふくんだ紫紺色の茄子と胡瓜の糠味噌漬……すだれ越しのすず風が通る茶の間での夕食に、家族の者が集まる時こそ、夏の暑さを感謝して、働き甲斐を感じ合うひと時と申すのではないでしょうか？」

約四十五年前にはこのような描写が成り立っていたのだなぁ、と感慨を深くし、失われた時代を確認する本でもありました。

首都の月

タカ子

木（こ）の芽（め）吹く愛余りたる昼下り

音も灯も消し春月に向きあひぬ

歩くなら女優のやうに桜散る

茎立（くくたち）やせんなきことは口にせず

春深む浮きさうな身を湯に沈め

黒潮に溺れる突堤夏近し

病得てバラの香りを遠くする

来し方やこんなところに雨蛙

梅雨の雲水平線を舐めつくす

朝焼けは悼みごころに似たる哉

我思ふゆえに我あり柿の花

糶(せ)り穴子噛みつきあひて買われたり

海月(くらげ)てふ優雅単純イノセント

肘つきて机冷たし銀木犀

送り火に烏丸通りは縦一本

ひぐらしや使ふあてなき旅鞄

積み上げて月見団子の四角錐

立待月息するならばつつましく

秋寂ぶやコンクリートの箱に住み

風邪ごもり呪ひのごとくピアフ聴く

愛憎の語尾高々と冬の鵙(もず)

一宿の玻瑠くもらせて波の花

丸の内仲通りなる落ち葉道

初恋のことにも触れて聖なる夜

陰暦のけふは三日か首都の月

セピアの写真

水谷　昌子

青空へアケボノスギはさみどりの円錐形を描きはじめたり

紅嫩葉（べにわかば）陽に照りはえし要黐（かなめもち）くれない褪せて春遠ざかる

着信音とぎれて静かな花曇りコロナウイルス増殖つづく

スペイン風邪の父寝台にこちら見る百年まえのセピアの写真

感染者２３８０万死者は３９万人わずか５６００万日本の国難

吹きすさぶスペイン風邪より同盟国勝利に人心移ろいゆきしと

患者拒否　マスクの値上がり　休校とたかだか百年変わらぬ不条理

「慰問袋よ」手紙と里芋手作りジャム　アタシも送った兵隊さんへ

「ご支援を感謝」コロナで気をつかう娘にメールを　少し戯(おど)けて

しゃきしゃきと旬の水菜の酢味噌あえ暫しコロナを遠く追いやる

強風に挑むがごとき鴨の群れ急降下　交差くり返しつつ

逝く春の夕べの池面にひしめきて何をか計る鴨の集団

飛び発たんその時はいつ渦をまき泳ぐ鴨たち熱き息吐く

水鳥もボートも消えて人かげを消して見えざるコロナ殖えゆく

北目ざし発つ日こくこく迫れるを知るや水鳥鎮まりがたし

遺伝子が北へ北へと駆りたてる鴨のいのちの輝きてあれ

池に沿う柳の枝の水に揺れ　木ならば千年生きてもみたし

屋形船池に舫えど共に見し一期一会のきみはいまさず

絵はがきの雪だるまの赤ちゃん大粒の涙こんこん　まり子さん逝く
（宮城まり子さんを悼んで）

流離・教皇ミサ

船本　マチ

ふるさとの炬燵に嫂と見詰めたる令和発表の日の記憶に残らん

父母と、祖父母の遺影外されて薄暗し寒しふるさとの家

花暖簾　奥の箪笥にあるはずと嫂の見に行くふるさとの家

村を去る花嫁に子供らがする通せんぼ　古国能登の風習を言う

我が顔がもう見え難しと言う嫂が握り呉しおにぎり、パリパリの海苔

山の池を尋め来て登り行く道の荒れ凄まじき　石跨ぎゆく

土砂流れ石浮き出たる山道を登り行きつつ込み上ぐるこの流離感

郭公の啼きたる村に育ちたる我が日々杳し記憶だになく

新しく建て替えられし句碑の辺にすみれ花咲く春陽を浴びて

折口信夫句碑

岡野弘彦の魂鎮めの碑があたらしき　父子の墓に登る入り口

＊

左眼より涙一筋流れ出ず教皇入場を立ちて迎える

一塁側の七列目なる良き席を貰いても小さし　遠し祭壇

オペラグラス覗けば幼子を抱きたるマリア像たつ　祭壇の前

アリーナーを二分する赤き絨毯を途切れぬ白い祭服の列　日本大司教団

白塗りの台車に手を振る教皇に五万人総立ちす歓声上げて

原爆の投下地点に跪き発信せり　核を保有することも許されぬと

新時代の荘厳ミサの息吹あり人気歌手の、またハングルの聖歌混じれり

小さき人に手を差し伸べる大切を説きて教皇は日本を去りぬ

ポインセチアの赤衰えずＣＯＶＩＤ　19に家籠もる日を

信者なき復活祭のミサ　関口のライヴ画面に心鎮める

漱石のことばづかい字づかいの一端に触れて

秋間　実

一

今から七〇年以上も前の中学生時代（一九四〇−四五年）に、漱石の作品をいくつか読みました。書名・題名（「……」と表記します）を挙げれば、「吾輩は猫である」や「坊っちゃん」や「三四郎」や「草枕」や「虞美人草」や「こころ」など、おもしろがって読んだものや楽しく読んだものやわけがわからないままに神妙にがんばって読み通したものや少年なりに感動し深い感銘を受けたものなど、さまざまですが、主人公の評価をめぐって級友と論争したことがある「野分」も忘れられません。「それから」や「彼岸過迄」や「道草」や「行人」や「明暗」などにまでは、目が届きませんでした。

さて、そのころ、〈これは漱石独特のことばづかいにちがいない〉と受けとめていたものが、二つあります。

一つは、登場人物がいつも「ありがとう」（「有難う」）という三字（「草枕」、日本ブッククラブ版『全集』第一巻、251ページ、参照）と言うばかりで、「ありがとうございます」（ないし「ありがとうございました」（傍点、秋間）とはけっして言わない、ということでした。

ところが、このほど、あれこれ読みなおしたり新しく読みはじめたりする過程で、これが積年の誤った思い込みであったことが、一挙に判明したのです。なんと、むかし感動して読んだ「野分」のなかに（『全集』第十五巻、189ページに）、「ありがとうございました」という言いまわしが出てきているではありませんか！　中学生のときには読み落としていたんですね。このぶんでは、ほかでも見つかるかもしれません。とにかく、この件にはこれでかたがつきました。

もう一つは、「吾輩は猫である」の終わりに近い箇所ではじめて目にした「…がものはない」（傍点、秋間）という老生にとってはまことに異様な——言いまわしです。『全集』第四巻、308ページにこうあります、——「だから、どんな娘を持っても、心配するがものはないんだよ。……ちゃんとこんなりっぱな紳士のお婿さんができたじゃないか。……」。たとえば、また、「道草」（『全集』第十二巻、179ページ）には、こうあります、「金を出して頼むがものはない。損だ」。

むかし、衝撃が大きかっただけに、なん回もお目にかかったような気がしていましたが、そうでもなかったようで、さしあたり、こうした箇所を引くしかありません。

それはそれとして、この言いまわしは、「……には及ばない」、「……する必要がない」、「……しないほうがよい」、といった意味で口にされる〈江戸っ子ことば〉（漱石生前の東京辯）の一種なのでしょうか？　東京で生まれ育った老生が承知していて当然の言いまわしなのでしょうか？　読者諸兄姉のご判断・ご教示を頂戴できればありがたい、と存じます。

二

漱石の作品を現在あれこれ読み返している段階で脳裡に浮かんできている思念のなかには、つぎのようなものもあります。順不同のまま書きつらねてみましょう——

1、まず、小説のなかで男の主人公が自分の父・母・おじ・おばなど上長の者（とりわけ、父）にたいして使っていることばづかいが、不自然にていねいすぎませんか？

2、登場人物のやりとりのなかで、つぎの諸例に示されるように、適齢の女性が一人の人間ではなしに一個の物品や商品のように取り扱われていることを、そしてまた女性自体がそうした言いかたをして怪しまないことを、漱石は、作者としてどう受けとめていたのでしょうか？

「もらう」の例——

「なぜヤソ学校の卆業生かなんかをおもらいにならなかったんです」（「猫」、『全集』第三巻、105ページ）、「あんなものの娘を、だれがもらうものか。寒月君、もらっちゃいかんよ」（「猫」、『全集』第三巻、178ページ）、「水島さんはもらいたがっている」（「猫」、『全集』第三巻、192ページ）、「なぜ（わたしを）おもらいになったのです」、（「猫」、『全集』第三巻、199ページ）、「あなた、どうしてそのお縫さんて人をおもらいにならなかったの」（「道草」、『全集』第十二巻、87ページ）、など。

「かたづける」の例——

「実は、ほうぼうから、くれくれと申し込みはございますが、こちらの身分もあるものでございますから、めったのところへはかたづけられませんので……」（「猫」、『全集』第四巻、147ページ）。——右の「くれ」も、「もらう」と一対(つい)になって、女性の人格の否定・物体化を言いあらわしています。

漱石は、知識人としてこういう言いかたに反対であり女性にそのようなもの言いはしないように望んでいたでしょうか？　一方、父親としては、ゆくゆくは、娘たちをだれかに「もらって」ほしい、世間なみに「かたづけ」たい、と望んでいたのでしょうか？　知りたいところです。

3、作品のなかで妻を指し示すことばとしては、「細君」が圧倒的に優勢であるように見受けられます。「妻君」という例はあるのでしょうか？　「妻(さい)」はあります。たとえば、「猫」、『全集』第三巻、172・185・259ページ、などに、また、「永日小品」「どろぼう」『全集』第十六巻、171ページに。「妻君」はどうでしょうか？　他方、「妻(つま)」は、たとえば、「道草」『全集』第十二巻、35ページにあります。

あとは、別の機会に譲ります。

日本政治における鉄の三角関係の変化
鄭子眞『重返榮耀―解構21世紀日本政治的新進化』に対する書評

高橋孝治

日本の政治はどのように理論的分析ができるのであろうか。残念ながら、これまでの日本政治の研究の多くは、政策研究や政治交渉を淡々と辿る研究が多勢を占めていたように思える。これに対して日本の政治システムを特定の時代ごとに区切り、理論化しようと試みているのが鄭子眞『重返榮耀――解構21世紀日本政治的新進化』（台湾・五南図書出版、2018年2月発売。題の和訳は「栄華へ返る――21世紀日本政治の新進化を解析する」。以下「本書」という）である。

本書は、台湾で出版され繁体中国語（台湾式中国語）で書かれた日本政治の研究書である。本書で触れられている個々の内容に着目すれば、本書が初めて言及している内容が多勢を占めているというわけではない。例えば、本書では行政指導による支配について言及しているが、これまで政治学の分野では行政指導は、「法的根拠を拡大解釈して業界や企業、団体など特定の対象の行動を操作しようとする官僚の行動である」と定義づけられていた（註1）。しかし、行政指導は本来は本書23頁が述べるように、国家と企業の間の利益衝突に落としどころをつけるために強制力を持たずに出される規範である。このように、本書は正確な定義を抑えながら日本政治の実態に迫ろうとしている。本書の構成は以下の通りである（それぞれカッコ内は中国語原文）。

第一章　はじめに（緒論）
第二章　戦後日本政治の発展と政官関係（戰後日本政治發展和政官關係）
第三章　21世紀以降の日本政治の新進化と政商関係（21世紀起日本政治的新進化和政商關係）
第四章　栄華へ返る：安倍晋三政権の実と虚（重返榮耀：安倍晉三政權的實與虛）
第五章　大国権力の賭け：安倍政権の地球儀外交（大國權力的博奕：安倍政權的地球儀外交）
第六章　日本政治の新進化後の諸相の解析（解構日本政治新進化後的諸相）
第七章　結論（結論）

本書Ⅲ頁によれば、本書は鉄の三角関係理論に主軸を置きながら21世紀の新しい動向を検討するものとされている。鉄の三角関係については、日本でも以下のような解説がある。

政治―官僚―経済界（政官財）は三角同盟を形成しており、その一体性を重視する「鉄の三角形」説や相対的に自立しつつ相互協力しているとみる「三頭制」説、互いに強みと弱みを抱えているとみる「三すくみ」説などがある（註2）。本書はこの政官財の三角関係が変化しているということを述べているのである。以下、本書の内容を簡単に見る。

第一章では、本書の目的や構成が述べられている。戦後日本政治の最大の特徴は自民党の長期政権および派閥政治であるとし、政官財の鉄の三角関係から日本政治特有のモデルを検討し、その変化を明らかにすることを目的とするとしている。具体的な鉄の三角関係の変化とは、戦後から1970年代までは官僚―経済界の関係が強く、さらに「政治」は官僚主導であり、1980年代から1990年代までは政治―官僚関係が強く、「政治」は政党主導であり、21世紀は政治―経済界関係が強く、「政治」は官邸主導であるとする（本書16頁）。

第二章では、日本の官僚制度について検討している。本書では1893年の「文官任用令」から1940年代の大政翼賛会、GHQの公職追放令など日本の官僚制度を通史的に解説している。そして、官僚が政治に影響を及ぼしてきた方法として、行政指導および審議会について言及する。確かに行政指導は、行政による任意的意見であり、拘束力を持たないはずであるが、日本の政治に大きな影響を与えてきた。例えば、1963年（昭和38年）にも都営地下鉄6号線（三田線）の建設の際、東武鉄道と東京急行鉄道との相互直通運転のために、6号線を東武鉄道や東京急行鉄道と軌間の規格を合わせるよう運輸省から行政指導がでている（註3）。東京都交通局としては、都営地下鉄浅草線と6号線で車両の共有を行うために、浅草線とは規格の異なる東武鉄道などとの規格統一はしたくなかったにもかかわらず、結局この行政指導を受けて規格変更を行うことになる（註4）。このように行政指導が事実上強い拘束力を持っていることを本書24頁は述べている。そして、このような行政指導の下、護送船団方式が形成されたとする（本書24頁）。さらに「政治」側は、一党優位性、派閥政治、族議員などによって執政党は官僚と一体となり、政治―官僚の結合が起きているとする（本書44頁）。

第三章では、日本の経済界と政治の関係について検討している。その中では日本は1990年代より新自由主義改革の準備期に入り（本書56頁）、民主党政権終了後の安倍晋三政権になって新自由主義化が加速して多くの社会問題を引き起こしているとする（本書58頁）。また、同時に官邸主導の政治が加速したともする（本書60頁）。そして、橋本龍太郎政権の六大改革、小泉純一郎政権の構造改革、安倍晋三政権のアベノミクスといった改革に触れ、安倍晋三政権は新自由主義のみではなく、修正保守主義的な強権政権であるとも述べる（本書68頁）。特に日本会議が安倍晋三政権に極右的作用を与えているとする（本書69頁）。そして、このような新自由主義、官邸主導、新保守主義の影響により、新鉄の三角関係へと変化したとする（本書72頁）。この新鉄の三角関係とは何なのかが第三章では明確にされていないが、第一章で述べていた政治―経済界の結びつきが強く、「政治」は官邸主導ということなのであろう。

第四章は、TPPを含んだアベノミクスと安倍晋三政権の積極的平和主義（防衛装備移転三原則、集団的自衛権、新安保法）を検討している。その結論として、日本は国際的競争力を獲得するためにTPPを推進したが、その規模と影響力は中国およびアメリカの市場規模の前に小さくなっており、集団的自衛権に関しても日本との友好国家の支援のため、日本の存続および国民の生命に明確な脅威があった場合の範囲に制限されていると述べている（本書105頁）。

第五章では、安倍晋三政権の地球儀を俯瞰する外交を取り上げ、日中関係、北朝鮮核武装問題、日米同盟の強化などが検討されている。グローバル外交の最大の特徴は自国企業の利益確保を行い、自国の繁栄を維持することにある（本書107頁）。そして、安倍晋三政権もこれと同じく日米同盟の強化など軍事大国化と国際競争大国化を目指しているとする（本書124頁）。

第六章では、日本の政党の支持率の変遷と主要政党についての検討がなされる。その中で日本は競争型社会になり（本書150頁）、自民党の一強多弱の体制となったネオ自民党の政財関係にも変化が生じ、極端な経済至上主義に走っているとする（本書154頁）。

第七章では、結論として、以下のように述べる。グローバル化の影響で自民党も変化し、官邸主導の政治によって政財関係が結合し、国家発展の原動力となっていることから、軍事大国およびグローバル的な競争社会を指向し、政治的には新自由主義と新保守主義を実行するようになっている（本書163頁）。このため、新鉄の三角関係と呼ぶべき構造が出現した。これは、政治―経済界の結びつきが強く、「政治」は官邸主導という三角関係である。また、新自由主義を採用する国家は、貧富の差が拡大するという社会問題を引き起こすが、日本企業もグローバルに活躍し利益を上げているものの、民衆はその恩恵を受けることはないという構造も新鉄の三角関係誕生の一要因であるとも述べる（本書164頁）。

さて、本書は、日本政治の全体像に触れつつも鉄の三角関係という話題から日本政治の変化を検討している。これまでの戦後日本政治は基本的に時期区分を設けるとしたら、55年体制下と55年体制崩壊後という分類であったため、このような分類は新鮮でありさらに説得力もある。また、本書は明治維新以降の日本政治史も簡単に説明しており、台湾人が日本政治を学ぶ上での入門書としても使えるものになっている。その点からすると、本書は日本は、55年体制下では国会の形式化（本書33頁）、自民党の長期政権下での国会無用論（本書36頁）、官僚の執政党化（本書42頁）、労働組合の弱体化（本書49頁）など日本政治を特徴づけるキーワードには触れているのだが、なぜそのようになるのかといった背景的理由についてはあまり言及していない。これは、参考文献一覧含めて180頁の書籍で日本政治史に触れつつ鉄の三角関係の変化を論じるための紙幅の都合であったことは想像できる。しかし、本書が入門書としての利用もできるがゆえに、「日本政治ではなぜこのようになるのかもっと知ってみたい」という知識欲を掻き立てる構造となっている。おそらく、本書を読んだ台湾人学生は「なぜ日本は労働組合が弱いのか調べてみたい」という日本への興味のきっかけを本書から得るのではないだろうか。その意味で本書は台湾人の日本への興味を誘う良書と言える。

しかし、本書にも気になる点がないとは言えない。評者はその内容の密度の濃淡について本書に疑義をもった。本書は、先述のように労働組合の弱体化、官僚の執政党化など日本政治の本質的な部分や自民党議員の昇進パターン（本書39頁）など日本政治の裏側にも触れているのであるが、そのような記述は安倍晋三政権時代の記述では大きく減少する。

例えば、本書93～94頁は安倍晋三政権の積極的平和主義の中で、日本国憲法の下に防衛政策があり、その防衛政策の下に自衛隊と「日本国とアメリカ合衆国との間の相互協力及び安全保障条約」（以下「日米安保条約」という）があるとしている。しかし、日本の防衛政策はアメリカ合衆国（以下「アメリカ」という）政府からの要望に基づいて策定されていることは既に指摘されているし（註5）、１９６０年６月23日に失効したいわゆる旧日米安保条約第３条に基づき締結された「日本国とアメリカ合衆国との間の安全保障条約第三条に基づく行政協定」（いわゆる「日米行政協定」）および１９６０年６月23日に発効したいわゆる新日米安全保障条約第６条に基づき締結された「日本国とアメリカ合衆国との間の相互協力及び安全保障条約第六条に基づく施設及び区域並びに日本国における合衆国軍隊の地位に関する協定」（いわゆる「日米地位協定」）によりアメリカ軍は日本で治外法権的権利を有していると指摘されている（註6）。すなわち、実態や本質論で言えば、アメリカとの防衛政策は日本国憲法の上にあると言える。

また、本書69頁は、早期の改憲を目指す団体として日本会議に言及している。これは正しいが、日本会議は神道の宗教集団が支えており、神道が国家の保護を受けていた戦前の体制への回帰を目指している（これには大日本帝国憲法の復元という改憲を含む）という点がさらに正しい表現になるであろう（註7）。このように、安倍晋三政権に関する記述は、やや表面的な部分が多いように感じる。しかし、台湾で出版されている繁体中国語の書籍で日本会議の話題に触れていること自体が注目に値しよう。

さらに、本書17頁は、日本の経済成長は賞賛に値するとステレオタイプ的に述べている。しかし、戦前の日本も世界6位の経済大国であり経済力の基礎は既にあり、戦争で壊滅的ダメージを受けた産業が復興していき、労働力になる人口も急増したため、日本のGDPは急成長をしたと、昨今、高度経済成長のメカニズムは説明されており(註8)、特に「賞賛」するものではない。この点も日本経済の裏側に触れられていない点である。

また、本書138頁は、安倍晋三政権による新安全保障法などについて「少なくない反対があった」と述べるが、これは「反対が多数であった」と表現する方が正しいのではないだろうか(註9)。

さて、本稿後半は揚げ足取りのような本書の欠点を指摘した。しかし、これらの点は、本書の価値を下げるものではない。むしろ、日本人であるがゆえに気づかない日本政治の見方を提供してくれている。本書は繁体中国語で書かれており、日本人万人が読めるものではないが、中国語の読解ができる者には是非一読してほしいと感じる。新しい日本政治の側面が見えてくる一冊である。

鄭子眞『重返榮耀——解構21世紀日本政治的新進化』
台湾・五南図書出版、2018年2月発売
181ページ、280ニュー台湾ドル

〈註〉

(1) 五十嵐暁郎『日本政治論』岩波書店、2010年、47頁。
(2) 長澤高明『入門 現代日本の政治』学習の友社、2014年、47〜48頁。
(3) 交通局100年史等編纂委員会(編)『東京都交通局100年史』東京都交通局、2012年、231頁。
(4) 交通局100年史等編纂委員会(編)・前掲註(3)231頁。
(5) 『第189回国会参議院我が国及び国際社会の平和安全法制に関する特別委員会会議録第10号』参議院義務局、2015年、11頁(2015年(平成27年)8月19日の参議院我が国及び国際社会の平和安全法制に関する特別委員会での山本太郎・参議院議員の発言)。

(6) 前泊博盛(編)『本当は憲法より大切な「日米地位協定入門」』(戦後再発見双書2)創元社、2013年、34〜35頁、75頁、105頁。明田川融『日米地位協定――その歴史と現在』みすず書房、2017年、115〜119頁など。

(7) 菅野完『日本会議の研究』(扶桑社新書212)扶桑社、2016年、73〜76頁、185頁。青木理『日本会議の正体』(平凡社新書818)平凡社、2016年、122頁。

(8) デービット・アトキンソン『イギリス人アナリストだからわかった日本の「強み」「弱み」』(講談社+α新書672-2C)講談社、2015年、36〜37頁。

(9) 「安保法 反対51% 賛成30%」『朝日新聞』2015年9月21日付1面。「内閣支持41% 不支持51% 再び逆転 安保法『説明不十分』」『読売新聞』2015年9月21日付1面。「安保成立「評価せず」57%」『毎日新聞』2015年9月21日付1面。

サッカー親善試合と詩人・思想家レオパルディのこと

大河内健次

（一）ミラノでのレオパルディとの出会い

T銀行のミラノ支店が一九七一年に開設されて、ほぼ二年過ぎた頃、ようやく落ち着いて来たので、他の日系の取引先と親善のサッカー試合をしようとの気運が出てきた。店の事務合理化のため、コンピュータ化に着手したが、システムエンジニア兼プログラマーのT君がサッカー試合のオフィシャル審査員のライセンスを持っていたことも、具体化に拍車を駆けた。

プレイ後はお互いの親善のため飲み会もやった。西欧人は企業内の飲み会などには積極的ではないとよく言われるが、やり方次第ということが分かった。私はもともと好きなこともあり、気分がよくなるとナポリ民謡などを歌って拍手喝采されたりした。

ある週末、南イタリアはプーリア州出身のP君が、彼は本来ギターの名手なのだが、今日は覚えている詩を朗詠すると言って立ち上がり、静かなギターの伴奏とともに見事な朗詠を行った。サッカーの参加者たちにその詩を知っているかと私が尋ねると、皆な口々に高校出以上の人なら誰でも知っているはずと言う。十九世紀前半に活躍した詩人で、その名をジャコモ・レオパルディと言った。何しろイタリアではルネッサンス期のペトラルカ以来の有名な詩人で、高校卒業資格試験の万年候補課題とされており、実際にも何年か毎に出題されるので、代表的な作品のいくつかを暗唱出来るようにするとともに、詩の引用している古典を調べたり、詩の文言の意味を分析し、詩法を覚えたりするのだという。しかも、直接的にレオパルディの詩が問題に出なくとも、他の作家や詩人がレオパルディの影響を受けていることもあるので、対比を行う場合の材料になり、何かと便利とのことだった。

私はP君に対し朗詠にとても感動したことを伝えるとともに、是非、その詩を知りたいと教えを乞うた。次の週、P君から用意が出来ているとの連絡をして来たが、ある程度時間を取って説明したいと言うので、私に都合のいい夕刻に銀行の隣のバーで会うことにした。

ビールで乾杯をしてから、話を聞くことにしたが、その詩の題は「L'infinito（無限）」と言った。おそらくイタリアでもっとも人口に膾炙されている詩の一つとのことだった。

作者のレオパルディはイタリア中部の教皇領のマルケ州のアペニン山脈東麓でアドリア海に近い丘陵地帯にあるレカナーティの伯爵家の長男として一七九八年に生まれた。フランスのナポレオンが侵攻して来ていた時代だが、当時は、今日のようなイタリアという国は存在していなかった。上層部には閉塞感が強く、一方では国家統一運動が生まれ、一部知識人たちを高揚させつつあったが、そんな中で、才能に恵まれながら、病弱に生まれたレオパルディは人生および世界に対する独自のペシミズムを深めていく。いろいろあって、レオパルディは三九歳の若さで死去するが、P君にとっては身近なナポリで亡くなったこの詩人・思想家にずっと親しみを感じていた。

このような前置きの話があってその詩の内容の分析に入ったが、何しろ相当以前のことなので、何を聞いたか、今ではよく思い出せない。P君はその後、半年も過ぎないうちに銀行を辞めた。店の同僚の話ではヒッピーの如き自由な仲間とスウェーデンに渡ったと聞いた。

(二) 日本でのレオパルディとの再会

P君が去ってしまったこともあり、ミラノに勤務していた間も含め、その後数十年間、レオパルディのことは私の意識から抜け落ちてしまっていたが、一昨年、「あとらす」に、三島由紀夫のことを書く準備をするため、「豊饒の海」を読み始めたところ、「春の雪」の部で次の描写に出会った。

「醜い侯爵の息子は本を引いて背後に隠したが、清顕はレオパルヂという名の背文字を目に留めた。素早く隠すときに、表紙の金の箔捺しは、一瞬、枯草のあひだに弱い金の反映を縫った」

その時、突然、私は、「レオパルヂ」とはミラノ時代のサッカーの飲み会の時のレオパルディのことに違いないと思い出した。ペシミズムで伯爵のレオパルディと貴族好みで虚無主義の三島とは格好の組み合わせとは思ったが、「表紙の金の箔捺し」との装丁からすると、かなり以前に出版された本のように思えたが、そんな古い時代にレオパルディの作品を誰かが邦訳し、三島はそれを読んでおり、「春の雪」に採用したのだと思った。その時、私は三島の自死に至る時代背景とユルスナールの三島分析を考えるのに精一杯で、レオパルディまではとても手が回らなかったのである。

一旦関心が戻ると、不思議と、これまで見落としていたものにも目が届くようになるのか、その年の六月二十九日にイタリア文化会館で「詩人レオパルディと出会う・ペシミズムと無限、日本での受容」という講演会があることをイタリア大使館の広報案内メールの中から探し出していた。講師は古田耕史、土肥秀行若手両教授とのことだが、もとより、私が二人を知っていた訳ではなかった。

土肥教授から「レオパルディの日本での受容」について講演があった。日本での受容は詩人としてよりも哲学者としての受容が先であり、最初に夏目漱石が「虞美人草」で取り上げた。（明治四十年・一九〇七年）夏目漱石の蔵書目録にレオパルディの「オペレッテ・モラーリ」と「感想」（いずれも哲学的散文）の英訳本があり、「虞美人草」には次の文章がある。

「甲野さんは手垢の着いた、例の日記帳を取り出して、誌け始める。《多くの人は吾に対して悪を施さんと欲す。同時に吾の、彼等を目して兇徒となすを許さず。曰く。命に服せざれば汝を嫉まんと》細字に書き終わった甲野さんは、其後に片仮名でレオパルヂと入れた。」（講演者によれば、「感想」（Pensieri）の第三十六節からの引用）

ところで、二〇〇六年に至ってレオパルディの主要作品を全邦訳した「レオパルディ・カンティ」（脇功／柱本元彦訳）が出版されたが、夏目漱石について「漱石の隠れた、奥深いところにレオパルディの影響のようなもの、あるいはレオパルディと同質なものがあるような気がしてならない」と指摘し、「いずれにしても小説の小道具としては、はなはだ高級と言わざるを得ない」としているが、講演者の話す内容は上述のレオパルディ・カンティ」の訳者あとがきにあった「日本におけるレオパルディの受容」の説明とほぼ同一のものだった。すなわち、大正時代になると、芥川龍之介が「侏儒の言葉」の中の「椎の葉」の末尾にレオパルディについて、次の言葉を残しているとの紹介があった。

「実際また偉大なる厭世主義者は渋面ばかり作ってはいない。不治の病を負ったレオパルヂさえ、時には蒼ざめた薔薇の花に寂しい頬笑みを浮かべている。」

また、厨川白村が「近代文学十講」の中で、「世界苦悩」の詩人として、レオパルディの名が記されている。

昭和に入って、昭和二年（一九二七年）に「世界大思想全集」第十四巻に「レオパルヂ集」として、柳田泉が「オペレッテ・モラーリ」と「感想」を英訳本から訳出している。本の装丁等三島の記述に合致するので、三島はその全集を読んだものと推測される、との話があり、わたしの疑問は解消された。昭和四十年、一九六五年、堤虎男の「厭世詩人レオパルディ研究」が出た。私は世田谷区立図書館で、言及された書物をそれぞれ確認するとともに、上記の脇・柱本共訳の「レオパルディ・カンティ」を借り受けて読んだ。

尚、図書館目録で検索したところ、講演会資料には掲げられていないが、野上弥生子が明治四十四年（一九一一年）「ホトトギス」(第十五巻三号)に「鳥の讃美　レオパルヂ」として、「オペレッテ・モラーリ」から訳出し、掲載しているのでこれも借りて読んだ。文中にウエルギリウスのことに触れる部分があるが(牧歌第四歌)、「ヴァージルも云った通り」とあることから、英訳本からの重訳であることは間違いない。おそらくは漱石から借り受けて訳出したものと思われる。また、平成三年筑摩書房が「筑摩世界文学大系」を発刊したが、「名詩集」の中に、レオパルディも選ばれ、六篇の詩が河島英昭訳で掲載されている。

　次に、古田教授のL'infinito(無限)の詩をどのように読むか、という講演が行われたが、いきなりパワーポイントで以下の詩の原文が大きくスクリーンに表示され、レオパルディの自然観の変遷についての説明がかなり抽象的議論になって行き、表象とか暗喩とかの用語が繰り返し使用されて、我々素人にはついて行くのが大変だった。

「L'infinito

Sempre caro mi fu quest'ermo colle　1
e queste siepe,che da tanta parte　2
dell'ultimo orizzonte il guardo esclude.　3
Ma sedendo e mirando,interminati　4
spazi di la' da quella,e sovrumani　5
silenzi,e profondissima quiete　6
io nel pensier mi fingo；　ove per poco　7
il cor non si spaura E come il vento　8
odo stormir tra queste piante, io quello　9
infinito silenzio a questa voce,　10
vo comparando；e mi sovvien l'eterno,　11
e le morte stagioni,e la presente　12
e viva,e il suon di lei,　Cosi tra questa　13
immensita' s'annega il pensier mio；　14
e il naufragar m'e'dolce in questo mare　15

　詩の内容を理解するには邦訳をまず読むのが分かり易いと思われるので、河島英昭訳を次に引用する。

無限

つねに心親しくあったこの孤独の丘は、　1
そしてこの垣根は、大方の　2
最後の地平を視野から拒んでしまうのに、　3
けれども腰を下ろして目を凝らしつつ、尽きない　4
あの彼方に空間を、人知を越えた　5
沈黙を、限りなく深い静寂を　6
わが思念のうちに象ってみる、すると危うく　7

わが心は怯えかける。そのとき風のごとくに 8
この葉裏を返して渡りゆく物音、あの 9
無限の沈黙をわたしはこの声に 10
擬えてしまう。そのとき甦ってくる、永遠が、 11
死んでしまった数々の季節が、たったいまの 12
生きている季節が、彼女の吐息が。かくしてこの 13
無限の波間にわが思念は溺れてゆき、 14
この海に難破することこそわが喜びなり。 15

(三) レオパルディの詩「無限」の分析

数十年前、P君の説明でこの詩を理解出来たように思えた記憶があるのに、P君の説明がどのようなものだったか、パソコンでレオパルディの項を探ってみることにした。まず、国民的詩人なだけに、その情報の多さに驚いたが、難解な論文の要約などの記事が多い中で、際立って分かり易いものがあった。"scuola"と"studenti"と呼ばれる二つのサイトなのだが、要すれば、高校卒業資格試験および大学入学試験等の準備教育サイトである。

会員になれば、質疑応答、回答の添削が受けられるようであるが、一般情報は自由に閲覧出来る。そして、P君の説明の基本は学校教育に準拠するものだったらしいことが解ってきた。すなわち、詩の基本的構造の説明から解き明かされるのであるが、要点は次の通りである。

(詩の形態について)

この詩は一行が十一音節 (Endecasillabi) よりなる十五行の一節の詩である。Endecasillabi の"endeca"とはギリシャ語で「十一」という意味である。何故、ギリシャ語が使用されるか。古代ローマ人が先進国であるギリシャ語の叙事詩を真似てラテン語の叙事詩に十一音節を取り入れ、そのままイタリア語に引き継がれたからである。

ちなみに、イタリアで最初のイタリア俗語の詩を試みたダンテの「神曲」冒頭詩行も次のように十一音節で始まる。"Nel me–zzo del ca–min di nos–tra vi–ta"(我が人生の道半ばにして)

(詩の構造)

「L'infinito」なる詩は最初の三行の導入部、Ma (けれども) で始まる中央の叙述、十三行目の Cosi (かくしてこの) から結論部分に分かれる。また、一行から八行までは詩人の想像による部分、九行から十五行は風のそよぎの聴覚による発展である。

(詩句の他の詩行へのまたがり enjambements))

詩に拡がりと含みを持たせている。

（4－5行）interminati（尽きない）／spazi（空間）

（5－6行）sovrumani（人知を越えた）／silenzi（沈黙）

（9－10行）quello（あの）／infinito（無限）

（12－13行）presente（たったいまの）／e viva（生きている）


（倒置法の使用）

（3行）il guardo esclude（視野から拒んでしまう）

（8－9行）il vento／odo stormir（上記訳は「風のごとくにこの葉裏を返して渡りゆく物音」と倒置法ではなく訳されているが、私見によれば、「私は風が葉裏をさらさらと鳴らすのを聞く」の方が原意に近いと思う）


（その他）

（14行 s'annega il pensier mio（わが思念は溺れてゆき）

そして、頻繁な指示代名詞の使用（quello, questo）は現実と想像の世界を分離させる効果を狙っている。

（15行）naufragar（溺れる）とdolce（喜び、満足が行く）はossimoroと呼ばれる詩法で反対の意味の語を対比させ、意味を強調する技法である。

（四）レオパルディの生涯の映画化と「無限」詩作二百年祭

二〇一四年レオパルディの一生がマリオ・マルトーネ監督により「すばらしき青年」（Il giovane favoloso）という題で映画化された。二〇一五年日本でも公開されたが、私は残念ながら、これを見逃した。しかし、イタリア国営放送では「raiplay」と呼ばれるビデオサービスがあり、いくつかのレオパルディ特集の映像から、ほぼ映画の映像が再現できた。

レカナーティの生家はお城のような館であり、教会も隣接している。L'infinito（無限）の詩を作り、朗詠される場面では、「世界を見たい、外に出たい」という青年の気持ちが痛いように伝わる映画の場面があるが、親に反対され行動が自由にならないイラダチが投影されている。確かにこの場面では、垣根は遮るものと遮られるものとの限界を象徴的に表していた。

館内の庭園を上部の方へ行くと高台に出る。そこからは、アドリア海からアペニン山脈に拡がるタボル山（il monte Tabor）のすばらしい眺望が見て取れる。詩の中で想像と言っているものが、実は、レオパルディが弟や妹と館内で遊び、幸せだった少年の頃見たこの眺望の記憶だったのではないか。レオパルディはZibaldone（断片的思索集）で「詩とは少年の追憶による想像的視界の回復（再生装置）に過ぎない」と言っているのはこのことかも知れないと思った。

この疑問は、後に二十世紀の詩人ウンガレッティの「レオパルディ論」（河島英昭訳）を読んで解消した。

「《つねに心親しくあった》ここで用いられている動詞は《遠過去》だ。すなわち、回想がここでは問題になっている」と。そして、ウンガレッティの解読で印象的だったのは次の解釈である。

「「象ってみる」と訳されている「《mi fingo》はラテン語では《おのれを装う》という意味で使われていたが、《おのれを形づくる》と同義となった。そして、今日《装う》とは《瞞す》しか意味しない。このように、歳月が言葉のなかを駆けつづける。二千年の歳月を。」そのとき、「風のように、これらの葉がさやいで……（中略）……無限の時間は逃げてゆく聴覚によって与えられ、永遠が、死んでしまった数々の季節が甦り、（中略）木の葉のさやぎは、さらに、果てしない空間へと薄れてゆく。薄れながら、無限の空間に無限の墓碑を打ち立ててゆく、長い長い人類の歴史の墓を。（以下略）」

映画に戻ると、一八二二年聖職者の傍ら古典文献学者になる含みで、叔父がローマに招んでくれたが、レオパルディは教会の腐敗、偽善の姿に嫌気をさし、レカナーティに半年ほどで戻ってしまう。

次は、ステラ書店のオーナーが古典文献著作の関連でミラノに招んでくれる。その後、ボローニャ、フィレンツェ、ピサと住まいを移すことになるが、フィレンツェではシチリアの貴族であるアントニオ・ラニエリと運命的出会いを果たす。また、同時代の著名な文学者であるマンゾーニとの出会いがあった。マンゾーニは自らのイタリア語を磨くため、フィレンツェに滞在していたのだった。既に、「いいなづけ」は執筆済みで一家をなしていた。その年の十一月「いいなづけ」の読後感をアントニオに対し、「欠点はあるが、傑作である」旨の手紙を書き送っている。

レオパルディは健康状態もますます悪化したが、アントニオの勧めでより暖かいナポリに住まいを移すことになり、アントニオの妹がいろいろ面倒を見る。映画のナポリの景色がすばらしい。ヴェズヴィオ火山を見ながら、「恐ろしき山殲滅者ヴェズヴィオの……」（脇功訳）と最後の詩「えにしだ または荒地の花（La ginestra o Fiore del deserto）」を歌う場面が印象的である。この頃になるとレオパルディは「普遍的ペシミズム論」を打ち出しており、自然は厳しく冷酷で、人間の不幸はこの自然の不易の条件に起因するとし、人間の存在自体が不幸としていた。一八三七年肺気腫で死去した。

（四・二）「無限」詩作二百年祭

「無限」の詩作は一八一九年十二月であるが、昨年末から今年にかけて「無限」二百年祭として国営放送ＲＡＩが、特集を組み、声優による朗読、文学評論家たちによる評論特集が企画されている。サンレモ祭はカンツォーネなどのポピュラー音楽祭なのに、「無限」二百年祭がここで披露された。また、イタリアの中学校・高校の中には、朗詠会、暗唱会を催すところもある。

（五）レオパルディの評価

（五・一）　消えない文学的評価

レオパルディは哲学者と詩人としての両面があるが、レオパルディは当初より国民的詩人として評価されていた訳ではなく、そのペシミズムも評価されず、そして、やや唯物論的で、非宗教的ものの見方も大方の批判を受けた。

レオパルディの評価はドイツのショーペンハウエルやニーチェ或いはフランスのミュッセなどからその哲学論が評価され、レオパルディの作品が次々と独・仏・英を中心に翻訳されたこともあり、急速に知られるようになった。海外での評価が国内に帰る形でイタリア内でも声望が高まって行ったのである。

レオパルディは詩人なのか哲学者なのか。詩人であるとしたら古典主義者なのか、ロマン主義者なのか。

いずれにしても、枠にはめられない人物であるのは確かである。

イタリア語のレオパルディのサイトの項によれば、研究論文が一番多いのはダンテで、次がレオパルディとのことである。

現代作家ではカルヴィーノの一九八五年ハーヴァード大学でのノートン詩学講義、いわゆる「アメリカ講義」におけるレオパルディへの言及がよく知られている。カルヴィーノはこの講義の途中、急逝してしまったが、講義原稿が出版され、米川良夫・和田忠彦共訳の邦訳がある。

カルヴィーノはこの講義で、詩あるいは文学作品における軽さ、速さ、正確さ、視覚性、多様性についてそれぞれの項目につき詳説しているが、「軽さ」の項では、レオパルディの月の描写につき「生存の耐え難い重さについての絶え間ない思索の中で、到達し得ない幸福の概念に軽やかさのイメージを与えており」と指摘し、「レオパルディの奇跡は月の光に似るほどに、言葉から重さを取り除くことにあった」としている。

また、「正確さ」の項で、レオパルディは詩の「茫漠とした不確かさ」を主張しているが、「不確定的なもの、漠とした美に到達するにはあらゆるイメージの構成において細部の綿密な定義において対象となる事物や光やその雰囲気の選択においてこの上もないほど精密で入念な観察力が必要」と注意を喚起し、単なる「不確かさ」ではないとしている。

レオパルディの詩には月が歌われることが多く、カルヴィーノは「祭りの日の夕べ」「月に」「孤独な生活」「村の土曜日」「アジアを彷徨う牧人の夜の歌」等の詩行の中の「月」を講義の中で掲げている。

カルヴィーノが挙げていない他の作品にも月が登場するが、「断片三七」の軽いタッチの月のスケッチが面白い。晩年の作品の「沈み行く月」には「消え行く光のいまわの際の輝きに別れを告げる」とあるが、この詩を作った次の年にレオパルディは急逝してしまっただけに、この詩句は軽いというよりは重い。

（五・二）日本人として感じる平安貴族的繊細さ

レオパルディの詩を読むと、その繊細さが平安貴族の和歌と共通したものがあるのを、多くの人が感じるようである。私も、古今和歌集、新古今和歌集、百人一首、その他の秀歌選を改めて読み、ふさわしい歌を選定しようと試みたが、意外と難しいことが解った。

上記の和歌集では例外なく、圧倒的に多いのが恋歌であり、他は季節の移ろいを歌う作品である。レオパルディにも恋歌はあるが、その時には彼は月を歌わない。「彼は十五歳の時に驚くべき博識を示す天文学の歴史を書いていますが、そのなかにはニュートン学説の要約も含まれています。」（カルヴィーノ「アメリカ講義」）とあるように、彼にとって夜空は抒情的な観照の対象というよりは存在を考える思索の動機であったように思える。

従って、同じ月を詠んでも、月に感情を投入するよりも、レオパルディは現世の悩みから離れた存在として月を把握しているので、そのような月の捉え方に近い和歌を（月の部）として選定した。

（風の部）では「葉裏を返して渡り行く風の音」のような感覚は日本人独特なものと心得て来たが、イタリア人の詩人が同じような感覚を持っているというのが、むしろ驚きである。

また、平安貴族が近代のはるか以前にこのような感受性を持ち、歌に詠んでいたことも、一方では文化の高度さを示すものとして世界に誇れるものであろう。

（月の部）

＊拾遺和歌集　巻第二十　哀傷一三二二番　紀　貫之

手にむすぶ水にやどれる月かげの
　あるかなきかの世にこそありけれ

＊拾遺和歌集　巻第八　雑上四三五番　藤原高光

かくばかり経がたく見ゆる世の中に
うらやましくもすめる月かな

＊拾遺和歌集　巻第八　雑上四三四番　大江為基
ながむるに物思ふことのなぐさむは
月はうき世のほかよりや行く

＊百人一首七九　左京大夫顕輔
秋風にたなびく雲のたえまより
もれいずる月の影のさやけさ

（風の部）

＊古今和歌集一六九　藤原敏行朝臣
秋来ぬと目にはさやかに見えねども
風の音にぞおどろかれぬる

＊新古今和歌集二八五　中納言家持
神なびの御室の山のくずかづら
裏吹きかえす秋は来にけり

＊新古今和歌集二八六　崇徳院御歌
いつしかと荻の葉むけのかたよりに
そとや秋とぞ風もきこゆる

＊新古今和歌集三五五　藤原基俊
秋風のやや肌寒く吹くなべに
萩の上葉の音ぞかなしき

わが国でも二〇〇六年に至って、前述の通り、レオパルディのほぼ全集に近い著作が翻訳され、また、近年、若手の研究者による詩集および哲学的思索集の見直しが進んでいるようであるが、不確かな現代の状況を反映しているものと考える。

カタルーニャ独立問題の現況と新型コロナウイルス

岡田多喜男

カタルーニャは、スペインの北東部に位置し、北はフランスとの国境に接する自治州ですが（註一）、スペインからの独立問題を抱えています。私はこれまであとらす38号、39号にこの問題について投稿しました。

昨今は、スペインも新型コロナウイルス蔓延により危機的状況に陥り、カタルーニャの独立問題などはすっかり霞んでしまった印象です。

しかしながら、独立の民意を問うために二〇一七年十月に実施された住民投票と、これを主導した政治家、活動家たちの裁判とその後の状況はカタルーニャにとって重要なことには変わりなく、記録しておきたいと思います。

一　住民投票の実施とリーダー達の逮捕、あるいは亡命

「カタルーニャがスペイン王国から独立し、共和国の形態をとることに賛成するか否か」を問う住民投票が、二〇一七年十月一日に実施されました。スペイン政府はこのような住民投票は違憲で無効と主張し、憲法裁判所が投票停止を命じる中での実施になりました。

スペイン政府は、七千人もの国家警察、治安警察をカタルーニャに送りこみ、投票に赴いた住民に棍棒やゴム弾で襲い掛かるなど暴力を振るいましたが、その様子は内外に報道され、国際的にも非難を受けました。この激しい弾圧下でも、投票率は四三・〇％、賛成票は二、〇四四、〇三八票（得票率九〇・二％）を記録しました。

プッチダモン州首相（当時）は、この結果を受けて十月十日にカタルーニャの独立宣言に署名したものの、スペイン政府との対話を行うため、この宣言を一旦保留としました。スペイン政府は対話に応じず、十七日には、独立運動を進めてきた二人の民間団体代表者、カタルーニャ国民会議（ＡＮＣ）のジョルディ・サンチェスと「文化協会」のジョルディ・クシャルトが逮捕されてしまいました。二十七日には、カタルーニャ州議会が「カタルーニャが共和国として独立国家を形成すること」を決議しましたが、中央政府のラホイ首相（当

時）は、憲法第一五五条を適用、プッチダモン州首相や閣僚を解任、州の自治権を停止し、中央政府による直接統治に乗り出しました。州議会は解散させられ、十二月二十一日にあらためて議会選挙を行うよう命じられました。

プッチダモンは四人の閣僚とともにベルギーに脱出しましたが、カタルーニャに残ったジュンケラス副首相や数人の閣僚、州議会議長は次々に逮捕されてしまいました。

二　州議会選挙とキム・トーラ州首相就任

中央政府の命令により十二月二十一日に実施された州議会選挙では、中央政府の思惑がはずれ、一三五の議席の内七〇を独立派が占めました。新首相選びが始まりましたが、州議会議長が指名した候補者プッチダモンは亡命中、次に候補としたANC代表のサンチェスは拘禁中、さらに三人目に前政権のスポークスマンだったトゥルイをあげましたが彼も収監されました。結局四人目のキム・トーラ州議会議員が、議会の支持を得て五月十八日に州首相に就任、その閣僚名簿が中央政府に承認された時点で、憲法第一五五条の適用は撤廃され、カタルーニャは自治を回復しました。

トーラは、プッチダモン率いる選挙連合ジュンツ・パル・カタルーニャから立候補当選した州議会議員でしたが、政治経験は浅くとも、誠実に独立を目指す人柄に見受けられます。

彼は、昨年四月に実施されたスペイン総選挙の際、カタルーニャ州庁舎に黄色のリボンを掲げたのを、スペイン中央選挙委員会に咎められました。この黄色いリボンは、刑務所に入れられている独立派のリーダー達の釈放を求めるものです。選管は、選挙の公平性の観点から、選挙運動中にはこれを撤去するよう命令しましたが、トーラは応ぜず、「不服従の罪」で告訴されてしまいました。カタルーニャ高等裁判所で口頭審問がなされた際、トーラは不服従だったことを昂然と認め、「黄色いリボンを掲げたのは表現の自由であり、撤去を命じた選管の非合法命令には従えなかった。この裁判は、政治の司法化であり認められない」と主張しましたが、高裁は十二月十九日に、トーラに対し、不服従の罪で、二十ヵ月の公職停止、罰金三万ユーロを言い渡しました。トーラは直ちに最高裁に上訴しましたが、その判決がまだ出ていない内に、選管はトーラの州議会議員の資格停止を決めました。

これに対し、州議会議長のトレントは一月二十七日、選管のこの決定を受け入れると発言しました。ただし、州首相の地位は維持されました。中央政府の副首相カルボも「トーラはもはや議員ではないが、依然州首相である」と認める発言をしました。トーラは州の本年度予算が可決されるのを待って、おそらく五月頃に州議会議員選挙を行い、新首相を選ばせる考えの様です。

そしてトーラは、かねてからの懸案であった中央政府のサンチェス首相との公式対話を、今年二月二十六日に行いました。トーラは、独立の民意を問う住民投票の実施、自治権の拡充、政治犯の恩赦などを主張したとされていますが、顔見せ程度に終わったようです。サンチェスは「スペイン国憲法からの逸脱は出来ない」と繰り返し明言しています。今後も月に一度はこの会合を持つことが同意されましたが、現下のコロナ禍でどうなるか分かりません。

三　最高裁における裁判

逮捕された政治家、民間活動家の内、十二名については最高裁で審理されることになり、検察は、二〇一八年十一月二日、驚くべき過酷な求刑をしました。中でも九人のリーダー達に対しては、国家に対する反逆罪と、閣僚には公金不正使用罪を加え十六年から二十五年におよぶ禁錮刑と罰金を求刑しました。スペインでは、求刑は検察だけでなく、法務省の国家弁護局が別途求刑し、更には民間からの訴訟参加の制度があり、極右政党VOXにも求刑が認められました。法務省弁護局は、反逆罪の適用は出来ないとして、騒乱罪・公金不正使用で八年から十二年を求刑しました。VOXは六十二年から七十四年の禁錮を求刑しましたが、判事の判決に際し一顧だにされた形跡もなく、ただ、スペイン右翼のカタルーニャ独立派への憎悪の異常さを示しただけに終わったようです。（註二）

最高裁における裁判は二〇一九年二月十二日に始まりました。カタルーニャでは、スペインからの独立と共和国設立にいたるプロセスを略して El Procés と呼んでいますので、この裁判はマスコミでも「プロセス裁判」と呼ばれています。

冒頭、元州副首相のウリオル・ジュンケラスに対する口頭審問がなされました。彼は概ねこう主張しました。

—住民投票は、問題解決の一つの方法である。投票は犯罪ではない。投票を暴力で妨げるのは犯罪である。

—住民投票を組織することも投票することも犯罪ではなく、独立を平和裏に推進することは犯罪ではない。

—我々は告発された諸犯罪の何一つとして犯していない。

—私は、私の行為により告発されたのではなく、私の理念により告発された。これは刑事裁判ではなく、政治裁判である。私は刑事犯ではなく、政治犯である。

—投票を妨げるため、国家警察や治安警察がどんな暴力を人々にふるって弾圧したかは皆が見た通りだ。

—中央政府が我々との対話を拒否し、司法に責任を負わせたのは遺憾である。

被告には、裁判の無効を主張する者、刑法に照らし無罪だと主張する者がいて、やや足並みの乱れもあったように感じましたが、最後に登場した「文化協会」代表ジョルディ・クシャルトの発言は印象的でした。

—自分は監獄にもう五百日入っている。その間に、自分の考えにも変化があった。最初は、何が何でも釈放をと望んでいたが、今はそれよりも、カタルーニャとスペインの政治紛争の解決の方を優先している。

—十月一日の住民投票は、スペインのすべての民衆に誇りをもたらしただろう。市民の不服従のエクササイズになった。スコットランドのようなより進んだ社会に特有のことを、我々も示したのだ。

その後、多数の証人の証言が続きましたが、最初に登場したカタルーニャ共和党左派（ERC）の議員ジュアン・タルダーは、カタルーニャ語で話し始め、裁判長から「証人はスペイン語のみで話すことが認められている」と咎められていました。彼は、「検察は二〇一七年九月二十日に経済局の前で民衆の暴力行為があったと主張しているが、人々が集まったのは全く自然発生的なもので、暴力も緊張もなかった。カタルーニャの独立に暴力は不要である」と主張しました。

元州首相のアルトゥル・マスも登場、「検察は、〝独立のための戦略委員会があった〟として、反逆罪の告発の一つの柱に据えているが、自分は二〇一六年から二〇一七年にかけて多くのミーティングに出席したが、そのようなものはなかった」と検察の主張を否定しました。

バルセロナ市長のアダ・コラウも証言しました。彼女は、カタルーニャの一方的な独立宣言には反対の立場ですが、この裁判では被告たちを熱烈に支持しました。

—彼らが監獄にいるのを見ると心が張り裂けます。独立運動に暴力が用いられたことはありませんでした。十月一日には、人々は基本的人権の擁護のため投票に赴いたのです。自分も投票所に行って三時間並びましたが、警官たちが野蛮な行為に及んでいると聞きました。私は、直ちに「警官は暴力をやめなさい。ラホイ首相は辞任しなさい」と公に発言しました。彼らはデッドラインを越えたのです。

検察の言い分は、「これは民主主義と憲法を防衛するための裁判である。我々は、何人に対してであれ、その理念故に訴追したりはしない。被告たちは何年も前から独立を主張してきたが、だからと言って訴追されたりはしなかった、今般、彼らが憲法を破壊する行動を実行するに至り、我々はその行為につき訴追しているのだ」というもので、独立派の動きをクーデターだと捉えた模様です。しかし、何人かの証人を立たせましたが、被告側に暴力行為があったことは実証できなかった様子でした。

そして二〇一九年六月に結審し、十月十四日に判決が言い渡されました。十二人の被告の内九人に、検察は反逆罪と公金不正使用で禁錮十六年から二十五年を求刑、法務省国家弁護局は騒乱罪と公金不正使用で八年から十二年の禁錮を求刑していましたが、判決では反逆罪は適用されず、騒乱罪にとどまったのが大きな特色です。

判決内容は、ウリオル元副首相が禁錮十三年（騒乱罪＋公金不正使用）、ルメーバ元外務相、トゥルイ元首相府相、バッサ元労働相が禁錮十二年（罪状は同上）、フルカデイ元州議会議長が禁錮十一年六ヵ月（騒乱罪）、フォルン元内務相、ルイ元地域相が十年六ヵ月（騒乱罪）サンチェスANC元代表とクシャルト文化協会代表が禁錮九年（騒乱罪）でした。その他三人の被告には禁錮刑はなく罰金刑のみが言い渡されました。

この判決へのカタルーニャの反発には激しいものがありました。十四日にはバルセロナの空港に抗議者が集結、空港機能を妨害しました。これは香港における空港占拠を模したものと言われています。カタルーニャが置かれた状況を世界に伝えるという意味があったようです。これを主導したのは、〝民主ツナミ〟と呼ばれる、SNS上の匿名プラットフォームでした。十六日には、カタルーニャの五地方都市からバルセロナに向けて、〝自由の行進〟が出発、十八日にはこれらの行進者を含めた大規模な抗議集会が持たれました。市警察の発表で参加者数は五二五、〇〇〇人でした。

四　サンチェス首相とカタルーニャの対話

社会労働党（PSOE）書記長のペドロ・サンチェスは、二〇一八年六月にマリアノ・ラホイ首相（国民党）に対する内閣不信任決議を経て首相に就任しましたが、二〇一九年度の国家予算案にカタルーニャ諸政党の支持が得られず、議会を解散、四月二十八日に総選挙を行いました。社会労働党は第一党を占めたものの、急進左派政党ポデモスの支持を得られず、またも議会を解散、十一月十日に総選挙が行われました。下院の三五〇議席のうち、社会労働党は一二〇議席で、過半数には遠く及びませんでしたが、今回は急進左派政党ポデモスの支持を得、かつ、カタルーニャ左派共和党（ERC）が反対せず棄権に回ったことから、サンチェスは辛うじて首相に信任されました。ポデモスの書記長パブロ・イグレシアスが副首相となり、社会労働党とポデモスの連立政権になりました。サンチェス首相はカタルーニャ政党ERCの協力があって初めて信任された経緯から、ERCの要求を無碍には拒絶は出来ない立場に立たされました。

ただ、従来国会には議席のなかった極右政党VOXが、四月の総選挙で初めて二十四の議席を得、さらに十月の選挙で一挙に五十二に伸ばしたのが不気味です。彼らはカタルーニャの独立運動を目の敵にしています。

サンチェス政権がカタルーニャ独立派に示した目立った配慮は、収監されている独立派九人に、二月以降週に三日ないし五日の外出が認められたことです。仕事、家族の世話、ボランタリ活動のため、日に数時間外出し夜は刑務所に戻ります。刑務所規則一〇〇・二の適用とのことですが、私は驚きました。右翼は、このような措置は最高裁の判決を踏みにじるものだとして猛烈に抗議をしています。独立派の人たちは、これでは飽き足らず恩赦を求めていますが、サンチェス首相はこれを明確に拒絶しています。

前述の通り、サンチェス首相は、カタルーニャ州首相のトーラと月一度の対話を二月に始めましたが、まだ具体的な成果は挙がっていません。

五　プッチダモン前州首相の動向

二〇一七年十月にベルギーに亡命したプッチダモン前州首相には、最高裁判事が、十一月三日に欧州逮捕状をベルギーに送り、反逆罪、公金不正使用などで裁くため本国に送還するよう求めました。しかし、ベルギーには刑法に反逆罪の規定がなく、もし公金不正使用などの微罪についてのみスペインに送還されると、スペインでも反逆罪は問えなくなることが判明したため、この逮捕状は取り下げられました。

次いで、二〇一八年三月にプッチダモンがドイツに立ち寄った際、スペインの最高裁判事が欧州逮捕状をドイツに送りました。ドイツの裁判所は七月に至り、公金不正使用容疑についてのみ、本国送還を認める決定をしましたが、スペイン最高裁は、この容疑のみの送還は受け入れ難いとして、欧州逮捕状をまたも取り下げてしまいました。

そして、二〇一九年十月十四日にプロセス裁判の判決が出た直後、スペインの最高裁判事が三度目の欧州逮捕状をベルギーに送りました。今回は容疑が反逆罪ではなく騒乱罪にされました。

しかしプッチダモンは、二〇一九年五月に行われた欧州議会選挙に立候補し当選していましたので、いわゆる議員不逮捕特権があると主張しました。彼と共に亡命した元閣僚のクミン、国にとどまって逮捕収監されている元副首相のジュンケラスも同じ選挙で当選しています。欧州議会は、プッチダモン、クミン、ジュンケラスの三人を今年一月十三日の欧州議会に出席するよう招集しました。しかし、スペインの最高裁は、ジュンケラスは昨年十月の最高裁判決で十三年の禁錮、公職停止が確定しているので、釈放されて欧州議会に出席することは出来ないとの決定をしました。法務局国家弁護局は、ジュンケラスの欧州議会出席を認めるべきとの意見を表明していましたが、政府側の意見が裁判所により否定されてしまいました。その後、プッチダモンとクミンは、一月六日に欧州議会から議員の正式認定書を受領し、十三日には晴れて欧州議会に出席しました。

プッチダモンは、かねて設立していた民間政治団体の「カタルーニャ共和国のための評議会」の大集会を、今年二月二十九日にフランスのペルピニャンで行いました。これには、クミンとプンサティーも参加しました。プンサティーも元閣僚で、現在はスコットランドの大学で教職についていますが、欧州逮捕状が出されている身の上です。昨年の欧州議会選挙では落選していたのですが、イギリスから選出された議員がBrexitにより議席を失いましたので、繰り上げ当選になりました。彼ら三人は、欧州議員の不逮捕特権に守られて、今般フランス入国が可能になりました。ペルピニャン（カタルーニャ語ではパルピニャー）のある地域は、北カタルーニャと呼ばれています。

欧州議会に出席した左からクミン、プンサティー、プッチダモン

かつてはカタルーニャの一部でしたが、一六五九年のピレネー条約によりフランスに割譲された地域です。カタルーニャ民族が国境によりスペインとフランスに分断されてしまった悲劇の地です。

三人は、カタルーニャの地を踏み、カタルーニャの海を見ることの出来た喜びを口にしました。この集会にはカタルーニャから国境を越え二十万人（主催者発表）とも十一万人（フランス警察発表）ともいわれる人々が参加しました。プッチダモンはここでスペイン国との決定的な戦いを呼びかけました。

六　スコットランドとカタルーニャ

一月末にイギリスが欧州連合から離脱したことから、スコットランドには、イギリスから独立し欧州連合に加盟しようという情熱が燃え盛っているように見受けられます。イギリスでは、二〇一六年六月二十三日に、欧州連合からの離脱是非を問う国民投票が実施され、離脱が決まりましたが、その際、スコットランドでは六二％が残留に賛成しました。州のニコラ・スタージョン首相は、独立の是非を問う二度目の住民投票実施の許可をジョンソン首相に求めましたが、正式に拒絶されました。スタージョンは「スコットランドをその意思に反して連合王国に閉じ込めておくことはできない」と答え、引き続き独立運動を継続する構えを見せています。

スコットランドは二〇一四年九月一八日にこの住民投票を実施しました。当時のキャメロン首相の同意を得たうえでの投票でしたが、結果は賛成四四・七%、反対五五・三%で否決されてしまいました。

この投票の一週間前の二〇一四年九月十一日は、カタルーニャの国民の日で、カタルーニャ国民会議ANCの組織する大集会・デモが行われました。独立を願う人々の集まりですが、この年は地元警察の発表でも一八〇万人の参加があり、近年のピークを記録しました。これにはスコットランドの熱が伝わったと見られています。

今般のスコットランドでの独立志向の高まりは、カタルーニャの独立派の人々には大きな刺激となっているようですが、ただ、スコットランドのスタージョン首相は、カタルーニャが一方的に独立宣言を行なったことには批判的で、最近も「プロセスが合法性を欠いていては決して独立には至らない」と発言していました。

七　どこへ行くのか独立の夢

私がカタルーニャ語の学習を始めた時、最初にお世話になったのが『エクスプレス・カタルーニャ語』(田澤耕著　白水社　二〇〇一年発行)でしたが、この本のコラム欄で田澤教授は、「カタルーニャには、現実主義ゆえに、バスク地方のような分離独立主義者はほとんどいません」と書いていました。私は、その前一九八〇年台に六年間マドリッドで勤務し、カタルーニャにも何度も出張しましたが、独立が話題になったことはついぞありませんでした。

それが二〇一〇年代に入り独立の気運が急に高まりました。その一つの現れとして、二〇一二年九月十一日のナショナル・デイの集会・デモに、独立を求める人たちが二百万人も参加しました。この参加者数は主催者発表ですが、地元警察の発表でも一五〇万人でした。(註三)

田澤耕教授は「彼らが独立を強く望むようになったのは、まず第一に、スペイン中央政府が彼らの民族としてのアイデンティティを踏みにじるような行動を繰り返したこと、そして、カタルーニャが中央に税金を吸い取られながら、相応の見返りがないことが原因である」と述べていました。(中央公論二〇一五年二月号)

アイデンティティ問題を私なりに読み解くとこんなことでしょう。

スペインでは、独裁者フランコが一九七五年に死去すると民主化が始まり、一九七八年に新憲法が制定され、翌年にはこれに呼応してカタルーニャでも自治憲章が制定されました。この自治憲章が、実は二〇〇六年に二十六年ぶりに改訂されました。その草案は二〇〇五年にカタルーニャ州議会で可決され、二〇〇六年六月には住民投票で七三・九%の賛成で承認されました。カタルーニャは、この草案では、当初はカタルーニャをスペイン国家の中のネーションと位置付けることを目指していました。しかし、中央政府の猛反対にあい、結局「カタルーニャはネーションである」という条文は本文から削除され、憲章の前文に記載するに留められました。この他にも、税制や言語教育などで重大な妥協を強いられた末に、スペイン下院、上院でも承認され、二〇〇六年六月の住民投票で承認されました。ところが右派政党の国民党が、憲法裁判所に違憲の訴えをし、二〇一〇に至り同裁判所が、新自治憲章の多数の条項を違憲とする判決を下しました。スペインの下院でも上院でも承認された憲章が、憲法裁判所で違憲とされてしまったのですから、カタルーニャの人々の怒りが大きかったことは容易に察せられます。

この九月十一日のデモは、二〇一三年には一六〇万人、そして二〇一四年にはピークとなった一八〇万人の参加がありました（いずれもバルセロナ市警発表）。しかし二〇一五年からはデモ参加者が減り始め、二〇一八年には百万人、昨年は六〇万人に激減してしまいました。

独立への民意を測るもう一つの手段に世論調査がありますが、ピーク時には五〇％を超す賛成票がありましたが、昨今の調査では五〇％をかなり下回っています。（La Vangualdia紙の二〇二〇年二月の世論調査では、独立賛成四四％、反対四九％、無回答七％）

このような民意の盛り上がりの低迷に加え、カタルーニャ独立に影を差すのは、強力な指導者の不在でしょう。前首相で中道保守のプッチダモンは亡命中、前副首相でカタルーニャ共和党左派を率いるジュンケラスは服役中で、かつこの二人は不仲とも噂されていて、独立運動を纏め上げる人望も力量も感じられません。

おまけに昨今の新型コロナウイルスの猖獗で、独立運動もますます影が薄くなってしまいました。正に、コロナ禍で行方も知れぬ独立の夢です。

八　新型コロナウイルスに襲われたスペイン

いまや全世界で猖獗を極めている新型コロナウイルスですが、スペインで最初の感染者が出たと報道されたのは、二月十三日のことでした。日本経済新聞社の「新型コロナウイルス感染　世界マップ」でこの日の状況を振り返ってみますと、全世界の感染者数六〇、三八五人、死者一、三七〇人で、そのうち中国が感染者数五九、八〇四人、死者一、三六七人を占めていました。日本は感染者は三十三人、イタリアは三人、米国は十三人といった状況でした。

それが、その後、イタリア、スペイン、米国など欧米諸国で爆発的に広まり、二〇二〇年四月十八日現在、感染者数は全世界で二、二二九、七〇九人、死者数一五四、四一一人に達し、その内、米国の感染者は七三二、一九七人（死者三八、六六四人）、スペインは感染者が一八八、〇六八人（死者一九、四七八人）、イタリアは感染者一七二、四三四人（死者二二、七四七人）と飛躍的に増加しました。この日の中国の感染者数八二、七一九人や日本の九、七九五人をはるかに上回り、感染の中心が中国から欧米に移った感があります。

スペインは、今では感染者数で米国につぎ世界で二番目、死者数では米国、イタリアにつぐ三番目の多さです。

世界保健機関WHOは、三月十一日に新型コロナウイルス感染症の流行をパンデミックであるとの宣言を発しました。三月十七日には欧州理事会が、この感染症対策のため、EU及びシェンゲン協定加盟国への一時的入域制限措置の導入を決めたことから、スペイン政府も「スペイン入国の制限措置」を二十二日付け内務省令として官報に交付しました。これにより、スペイン国民、EU市民以外の外国人（日本人を含む）は、一部の例外を除き入国が禁じられました。この日、スペインの感染者数は二四、九二六人、死者は一、三二六人に達していました。

スペイン政府は、「国内における人の移動を制限」するために、三月十四日の勅令法 Real Decreto Ley 四六三により「非常事態宣言」を発しました。これにより市民は自宅からの外出を禁止されました。ただし、例外として、自分の職場への出勤、食料品・医薬品など必需品の購入、病院での受診、銀行、ペットの運動、老人や病人の世話、食品の宅配等々には外出が許されました。当初は十五日間の適用でしたが、二度延長され、この措置の期限は四月二十六日午前零時となっています。この措置で、学校、映画館、バー、レストラン、ジム、プールなどは閉鎖となりました。

しかし、職場への出勤は認められていたのですが、政府は三月二十九日の勅令法 Real Decreto Ley 一〇-二〇二〇により、不可欠でない経済活動の禁止を命じました。適用期間は三月三十日から四月九日までとされ、この期間中は不可欠でない仕事は禁止され、従業員は職場への出勤を禁じられ、自宅に留まるよう命じられました。ここで、不可欠な経済活動として認められたのは、食料関連、衛生・薬品、運輸、弁護士、公証人、軍人、警官、警備会社、金融、電気通信、新聞、燃料、葬儀等々です。では不可欠でない経済活動とは何かですが、建設や工業の大部分です。

この就業制限は、イースターの閑散期を利用した期間限定のものでしたが、産業界からは冬眠措置だと批判され、四月九日の期限が来ても延長されることはありませんでした。

カタルーニャ州は、スペインの中で、マドリード州につぎ感染者が多く出ています。四月十七日現在でマドリード州の感染者数は五一、九九三人、死者累計は七、〇〇七人、カタルーニャ州は感染者数三八、三一六人、死者累計三、七五二人に上っています。

カタルーニャ政府は、この騒ぎの当初から中央政府よりもより厳しい封鎖の実施を望んできました。三月十二日には、感染が多発したバルセロナ近郊の町イグアラダなど四つの町を封鎖しました。トーラ州首相は三月十四日には、中央政府のサンチェス首相に、カタルーニャの全ての港湾、空港の封鎖を呼びかけましたが、同意は得られませんでした。

スペイン政府は、四月十四日には、新型コロナウイルスの新たな感染者数が減少傾向にあるとの認識を示しました。しかしこの疫病の終息には途半ばの感が否めません。それに、アフリカ、南米などの地域が、爆発寸前の様相を呈し始めています。引き続き注視していきたいと思います。

（二〇二〇年四月十八日　記）

（註一）スペイン王国は、十七の自治州とアフリカにある二つの自由都市（セウタとメリーリャ）で構成されています。カタルーニャ州は自治州の一つで、首府はバルセロナ市、面積はスペイン全土の六・四％ですが、人口は一六％、GDPは二〇％弱です。人口、GDPで、EUの中堅国であるデンマークに匹敵しています。

（註二）反逆罪は刑法第四七二条が定めているのですが、国土の一部の独立の宣言、憲法の修正、国王の権限の剥奪などを暴力的、かつ公然と蜂起する者が反逆罪の犯人であるとされています。つまり、反逆罪の適用には暴力行為のあったことが要件になっています。

それに対して刑法第五四四条の定める騒乱罪には、暴力行為は要件になっていません。反逆罪に含まれることなく、実力により、または、法的手段の外で、法律の適用を妨げるために、または、官庁または公務員に対してその機能の適法行使を妨げるために、公然かつ騒動的に蜂起する者が、騒乱犯であるとされています。

（註三）一七〇〇年にスペイン国王カルロスⅡ世が逝去すると、その継承をめぐってブルボンとハプスブルグが戦いました。カタルーニャはハプスブルグのカール大公を支持し、当初は優勢にみえていたのですが、カール大公の兄の神聖ローマ帝国皇帝が急逝したことで事情が激変しました。彼は皇帝に就任すると、スペイン継承戦争から身を引き、結局カタルーニャは単独で、ブルボン王朝のフェリペ五世が王位を継承したスペイン王国と戦いましたが、一七一四年九月十一日についにバルセロナが陥落してしまいました。カタルーニャの人々はこの敗北の日をナショナル・デイとしているのです。

一緒に「ディケンズ」を読んだ楽しい夏の日々

川本卓史

第一章　ディケンズを「本歌取り」する

現代の小説の中に、チャールズ・ディケンズの作品をいわば「本歌取り」のようにして、それを軸に自らの新しい物語を織り上げる、そういう事例があります。ディケンズの小説のメロドラマティックな色調が、百五十年以上経ってもなお作家の想像力をかきたてるのでしょうか。

いうまでもなく本歌取りとは和歌の世界で「一種のオマージュ」であり、「自分が好きな作家に敬意を表して、その作家の作品の一部を自分の作品に取り込むこと」です（田中紀峰『虚構の歌人　藤原定家』）。

ニュージーランドの小説家ロイド・ジョーンズが二〇〇七年に出した『ミスター・ピップ』（大友りお訳）は、ディケンズの『大いなる遺産』を教室で読んでいる南国の島ブーゲンヴィルに住む十三歳の現地少女の物語です。島がパプア・ニューギニアからの独立を図る紛争（一九九〇年初めに実際に起きた）で封鎖され、白人が逃げ出す中で一人残った男が教師をかってでて、島の子どもたちに「十九世紀のもっとも偉大な英国作家によるもっとも偉大な小説」を英語で読んできかせます。少女はそれを聞きながら空想をふくらませ、主人公であり語り手でもあるピップ少年と徐々に一体化していき、「状況は変わるものだ」という希望を持ち、悲劇を生き抜いていきます。題名の『ミスター・ピップ』は、この小説を愛読する先生につけたあだ名でもあります。

『大いなる遺産』の名前はアメリカの小説家ジョン・アーヴィングの作品にも出てきます。『ひとりの体で』（二〇一二年）の中で主人公に、私が作家になりたいという思いにさせたのが本書であり、最初に読んだのも最初に再読したのもどちらも十五歳のときだったと言わせていますが、これは著者自身のことでしょう。

『ガープの世界』や『ホテル・ニューハンプシャー』で知られるアーヴィングはディケンズへの愛着をしばしば語っています。愛犬にディケンズという名前まで付けていると知って、日本人だったら可愛がっているペットに敬愛する人物の名前を付けたりなんかしないだろうと面白く感じました。たとえば飼い猫に「夏目金之助！」なんて呼ぶ人がいるとは思えません。もっとも私の知人で二匹の猫に「アリス」と「テレス」と名付けた人がいますが、これはただの言葉遊びだったろうと思います。

いきなり脱線してしまいましたが、アーヴィングの代表作『オウエンのために祈りを』（一九八九年、邦訳は中野圭二）では、『クリスマス・キャロル』が取り上げられます。

――主人公オウエン・ミーニーは、アメリカ東部の田舎町に住む、奇妙な裏声といつまでも成長しない小さい体をもち、しかしとびきり利発な、そして誠実な少年である。

物語の語り手「ぼく」はオウエンの親友だが、十一歳の夏に、当時三十歳だった美しい未婚の母をとつぜん亡くしてしまう。しかも母は、彼女を慕い、彼女もまた利発だが変わり者のオウエンをとくべつ可愛がっていたのに、そのオウエンの思いもかけない行為で事故死する。物語の冒頭、少年野球の試合でピンチヒッターに出た彼が打った、ただ一度きりバットに当たったボールがファウルボールになり、彼女の頭を直撃して、即死させたのだ。

同じ年の冬、オウエンは町の素人劇団が上演する、芝居になった『クリスマス・キャロル』に「未来の幽霊」役で出演する。その幽霊に連れられて、けちで強欲で人間嫌いの老人スクルージは、誰にも看取られずに寂しく死んだ老人の悪口を葬儀屋や洗濯女たちが言い合う光景を知る。その上で今度は教会の墓地に連れていかれ、そこで自分の名前が彫られた寂しい墓石を見て、くだんの老人が未来の自分の姿だと知る。それまでに「過去の幽霊」から、クリスマス・イブの夜の、幼い頃の自身の思い出や、自分の使用人の貧しい家族が暖炉の周りでせいいっぱい楽しく祝っている光景を見せられたスクルージは、人を愛すること・愛されることの大切さを思い知り、良い人間になろうと心に決める。

この場面に一度だけ登場する、台詞もなく顔も見えない「未来の幽霊」役をオウエンが演じる。しかし、「この幽霊は本当に未来を知っているように見えなきゃいけない」と理解する彼は、連日の公演でまさに言葉通りの迫真の演技で大評判となる。そして最終日、いつものようにスクルージに墓石を見せる。ところがその日に限って、そこにはスクルージではなく、オウエン自身の名前とおまけに死亡の日付までが彫ってあり、彼は衝撃を受けて舞台の上で倒れてしまう。

「ぼく」はただの幻影だと慰めるが、オウエンは、この出来事は神のお告げで、自分にはある使命が与えられたのだと信じるようになる。「神さまはきみのお母さんを奪った。ぼくの手が道具となった。ぼくは神さまの道具なんだ」と語る。

そして十五年ほど経ってベトナム戦争が泥沼化していく時代の、舞台上の墓石に彫られてあった、その年のその日に、ベトナムからアメリカに逃れてきた難民の子供たちの命を守るために、ある英雄的な行為で自らを犠牲にする。

「ぼく」は、母を死なせたことで「ぼく」以上に深い悔いと悲しみに生きるオウエンと、中学・高校・大学を通して親友であり続ける。いつも勉強や困難なときに助けてくれ、卒業してからも驚くべく思い切った奇策を用いてベトナム戦争への徴兵を阻止してくれた恩人をいつまでも忘れることができない。オウエンが、こんな若さで、償いの死を自ら選んだ事実を受け入れることができない。物語は、「ああ神様——どうか彼を返してください！　ぼくは永遠に、願いつづけます」という「ぼく」の祈りで終わる——

日本の小説家では大江健三郎がディケンズを読みすすみ、『キルプの軍団』（一九八八年）に取り込みます。

——この小説では、語り手でもある高校二年生の「僕」が、叔父の個人授業をうけるかたちでディケンズの『骨董屋』をペンギン・クラシックス版の原書で読みつづけるという仕掛けが、サブプロットとして物語を最後まで引っ張ります。

『骨董屋』は、「チャールズ・ディケンズ—十九世紀リベラルの顔」（「あとらす」40号）で簡単に紹介しました。可憐な少女ネルとその祖父が田舎を流浪する物語です。祖父は、孤児のネルに十分な財産を残してやりたい一心から賭博に手を出し、高利貸の悪人クウィルプから借金をしてまでのめり込み、ついに破産して骨董店を手放さざるを得なくなり、十四歳の孫娘とロンドンを逃げ出します。執拗に二人を探しだそうとするクウィルプやネルを慕う下町の貧しい少年キットも主要な登場人物です。

忠叔父は、四国松山から長期出張していて兄の家に滞在しています。毎朝六時から七時半までの『骨董屋』を二人で読む時間を終えて、その後朝食をとり、叔父さんは研修をうけに八王子の警視庁の施設に、「僕」は立川の私立高校に一緒に出掛けるのが日課になります。

叔父は初めに読み方をアドバイスします。ある程度まず百ページぐらいザッと読んで（辞書は引かないで、文章の一節ずつを、意味を想像するように読む）から、彼が前に読んだときに赤線を引いて囲んであるところを中心に辞書を引いて下調べをするようにと。授業の進め方は、二人が交互に音読をし、わからないところを叔父が訳してくれて、最後には作品のなかの人物をめぐって会話を交わす。例えば、可憐なネルが、実は独立心の強い「端倪（たんげい）すべからざるところ」を備えた強い少女ではないかという感想を述べたり、悪漢クウィルプが姿形も醜い、しかも侏儒（こびと）だというだけで、それが悪党であるしるしのように書かれていることについての批判も述べる。

父は小説家（もちろん大江健三郎自身がモデル）ですが、「僕」が善良な少年キットではなく悪党クウィルプ（原書ではQuilp. 大江はキルプと表記する。本書の題名『キルプの軍団』はそこから来ている）に感情移入することに驚き、三人でキルプや彼が象徴する「悪」の存在について話し合います。

そして物語は、一九八〇年代の東京郊外に事情があって隠れて住む一家とそれを追いかける悪人「キルプの軍団」とをめぐって展開し、「僕」は図らずも事件にかかわってしまう。『骨董屋』のネルの死は、「罪のゆるしと和解」のために必要だったのではないかとは父の見解である。ならば、一家が見舞われた悲劇には何の意味があるのか、「僕」にも罪があるのではないか。ディケンズを読み終えて後悔に苦しむ「僕」は、父母や障害をもって生まれた兄の支えで、養護学校の卒業式のために兄が作曲した音楽に添える詩を作り、新しい人間になろうと決意するところで物語は終わります。

そもそも、自らは罪を犯していないネルを、ディケンズはなぜ死なせたのか？　おそらく、この世に人間の悪が存在する限り、罪なき者も死によってそれを贖わなければならない、ディケンズはそう言いたかったのではないでしょうか。それは、「因果応報」とは異なる悲しい思想であり、オウエン・ミーニーが「自分は神の道具だ」と感じるのも同じ認識であるかもしれません。親友の「ぼく」がいかにオウエンを返してほしいと祈ったにせよ、この世に「悪」がなくならない限り、その祈りが叶えられることはない……。

『荒涼館』と『キルプの軍団』

忠叔父に話を戻すと、彼は郷里の四国松山で現役の暴力犯係長をしています。高校時代は柔道部の主将だったが大学に行かずに、「一生柔道をやるのに不自由でないように」警察に入り、刑事になった。出世もせず、「単純な生活ですな」と郷里の母に評され、しかし「（その）お祖母ちゃんや叔母さんに、家族でいちばん愛されているようであったのです」。

その叔父は「どういうものか、ディケンズを愛読しています」。勤務が終わりさえすればすぐに読み始める、だから昇任試験の勉強をする暇がない、なかなか受けないし、受けても合格しない。父はそんな弟について、「ディケンズを読む能力と根気では、おれなんかめじゃない」と認めています。

その父がアメリカの大学の特別研究員になって留守の間には、「僕」と母と三人での夕食時、母は「叔父さんはおやすみになるとき、原文でディケンズの小説をお読みになるのね」と話題にします。そして、「主人がいつだったか、こんなことをいっていたことがありますよ。忠はあんなにディケンズが好きなんだから、あらためて大学に入りなおしてディケンズを読むことにして、それから高校の教師をやるとかなんとか、そういう気持はないだろうかなあ、と」と水を向けます。

叔父はあわてて、自分にはその能力も根気もないと言って、話に乗ってこない。母は「いまは『荒涼館』ですか？私は読んだことがないけれど」とさらに続け、叔父はその話題には喜んで応じます。「あれにはね、バケット警部という人物が出て来るんですよ。この人物の行動にそくして、犯罪捜査の原形みたいなものが見られるわけです。……バケット警部は人間の性格について独特な意見を持っている」。

そして後日、この夕食の時の会話がもとになって、母は彼から、挿絵のあるハードカバーの原書を借ります。「叔父さんは、僕に『骨董屋』を読む気持ちをふるいおこさせたように、母には、毎晩ベッドに入ってから――少しずつ幾年にもわたって、ということでしょうが――『荒涼館』を読みつづけるようにはげましたのです」。

本書について、高校生が大学の助教授のようなディケンズ理解を示すのはおかしいし、そうしたことを書くのは小説家の恥だという「過激な批判」が刊行直後になされたと、大江自身があとがきに書いています。解説者の小野正嗣は「高校生がディケンズを原文で読む、そこにリアリティを感じられるかどうかは読者次第だが、いかにも大江らしい読書の理想郷が描き出されている」と肯定的にとらえています。

私もこの点は小野氏の理解に共感しますし、小説は「何を、どのように書いてもいい自由な文学形式である」（筒井康隆）以上、リアリティがあるかないかは本質的な問題ではないと思う者です。こんな人物が現実に居るわけがないと反論するのは自由です。しかし、こういう叔父さんと「一緒にディケンズを読んだ楽しい夏の日々」が「僕」にとってどんなに幸せな時間だったか、羨ましく思いながら読む読者は私だけではないでしょう。

前述したように『骨董屋』についてはすでに「あとらす」で取り上げました。本号では母が、忠叔父に勧められて少しずつ読みつづけた『荒涼館』を取り上げたいと思います。

第二章　『荒涼館』その一

（一）

『荒涼館（Bleak House）』は、ディケンズが四十歳になった一八五二年から翌年にかけて『ディヴィッド・コパフィールド』の次に書かれた、同じく長い、六七章もある物語です。ただし、この二作では内容も構成もまるで異なります。前作はディヴィッドを語り手にして、彼の成長と周りの人たちとの人間模様に終始する直線的な展開です。他方でこちらは、多面的な読みで成りたつ、複雑で、物語の面白さを堪能させてくれる作品です。

この点を大江健三郎は、エッセイ『新しい文学のために』の中で、原書にある解説も引用しつつ、本書の多様な特色を以下のように述べます（一九八八年、岩波新書）。

まずは、「貴族から浮浪児まで、社会の多様な人びとが、お互いに関係づけられつつあらわれてくる、ヴィクトリア朝社会の縮図としての小説」です。

それだけではなく、三人称形式と、エスター・サマソンという若い女性の一人称による語りとが交互に語られる「叙述の方法の小説」でもあります。「アフリカの民衆救済に情熱を燃やして、自分の家庭はかえりみぬ女性を、どたばた喜劇式に描いた喜劇小説・滑稽小説であるかと思うと、（略）ヴィクトリア朝の貧しい少年たちへの苛酷な制度をあばく告発の小説でもある。過去に愛の罪の秘密をひそめる上流社会の令夫人（注：准男爵の妻レディ・デッドロック）を描くにあたっては、しばしば聖書の罪と審判のモティーフがあらわれる点で、キリスト教の罪の意識をめぐる小説として読みとることもできる」。さらには、「ロンドン警視庁の刑事課の創設とみあう、探偵小説の先祖ともいうべき小説でもあり、そこには謎ときから警部による追跡までの、探偵小説の諸要素がふくまれている」。

他方で作家ウラジミール・ナボコフは、アメリカの大学で『荒涼館』を取り上げます。「毎授業のすべてをディケンズを讃美することに費やしたい気持ちだが、わたしの仕事はそれを理論化すること」であり、「本書は以下の三つの主題から成り立っている」と講義を始めます。（『ナボコフの文学講義』上、河出文庫、野島秀勝訳）。

一つの主題は、ジャーンディス対ジャーンディス事件という財産相続をめぐる訴訟です。何年かけても一向に解決しない、この裁判に関係する人たちが何人も登場します。

まずはジョン・ジャーンディス。彼は、ロンドンの北ハートフォードシャー州の屋敷にひとりで住み、ロンドンに別宅ももち、五十代後半の富裕な紳士です。亡くなった親から訴訟を引き継いだ、ジョンとは親戚筋にあたる若い甥と姪を引き取り、その付き添いとして孤児のエスター・サマソンも一緒に住まわせ、家事を任せることにしました。エスターは訴訟の当事者ではありませんが、物語の主人公であり、半分の語り手でもあります。

ジョンは、この屋敷を大伯父から相続しましたが、伯父は生前「荒涼館（原語“Bleak”は「荒れた、寂しい」の意）」と名付け、「四六時中閉じこもって、山積みになった忌まわしいジャーンディス事件の訴訟書類を読むことに没頭し」、「私がここに来た時には、家はほんとうに荒涼としていた。大伯父は自らの不幸のしるしをこの家に残したのだ」とエスターに語ります。

先代の不幸を見ていただけに、ジョン自身はこの国の裁判制度に期待を持っておらず、距離を置いています。ところが、後見人として預かった甥の若いリチャードは、訴訟に勝って大金を手に入れることを夢見て時間を費やし、ジョンの忠告にも拘わらず自分の利害しか考えない弁護士たちにいいように利用されて、ついには健康を損ねて命まで取られてしまう。

他にも、同じように勝訴を信じて熱心に裁判に通う関係者がいます。しかし結局は争いの対象となる遺産の金額そのものが長年にわたる莫大な裁判費用に使われて原告には一銭も入らないことになって、訴訟は無意味な自然消滅に終わってしまいました。物語は、裁判には無関心で人助けに熱心なすこぶる善人のジョンと、裁判の行方にはかない希望を抱いて奔走する人たちや裁判官・弁護士とをめぐって展開します。心配しつつ見守るエスターの目からも語られます。

ディケンズは、本書で取り上げる非効率で官僚的な司法の現状は、「全くの真実なのだ」と初版の序文で述べます。「この時点でも、ほぼ二十年前に提起された訴訟が現実にまだ審議中である……訴訟費用はすでに七万ポンドにものぼる」。

第二の主題に、子供にかかわる物語があります。たいがいが貧しく、親を亡くすか、あるいは知りません。「地上でもっともすばらしい存在は子供だ」とジョン・ジャーンディスは言いますが、この言葉を紹介したナボコフは「こういう子供の定義はこの小説を理解するのに大切なものだ」と解説します。「この小説が内奥の核心で主に扱っているのは、小さな者たちの悲惨であり、子供の悲哀であるからだが――これらの問題を扱うとき、ディケンズは最高だ」。

本章（二）と次章ではその中からチャーリーとジョーという二人の孤児を取り上げる予定ですが、彼ら小さな者たちは、荒涼館やロンドンの別宅にたびたびジョンの居候として滞在するハロルド・スキムポールとの対比で語られます。彼は妻子のある立派な大人だが、自ら「私は子供で、お金のこと、世間のことなど何も分からない」と言うのが口癖で、それを信じる人の好いジョンにたかって暮らしています。ジョンは、慈善事業への寄付を頼まれるとすぐに乗ってしまうし、スキムポールのような人間のたかりにも応じてしまう。

ナボコフによれば、「ジャーンディス氏をあざむいて、スキムポールは（自分を）子供のように無邪気で、素朴で、屈託がないと思いこませている。実は彼はそんなものでは全然ない。だが彼はこの偽りの子供らしさによって、この小説のほかのところに登場してくる正真正銘の子供の美点が、見事に浮彫りされるのである」。

そして三つ目の主題（「ディケンズが腕を振るって演じようとしている魔術」）は、「謎の主題、錯綜したロマンスの迷路」です。その謎を弁護士とバケット警部がそれぞれに追跡し、ついに不仕合せなレディ・デッドロックのところまでゆき着くというメロドラマです。前章で『キルプの軍団』を取り上げた際に、忠叔父さんが本書に触れてバケット警部の人物評をするところを紹介しました。同警部はこの謎解きの場面で活躍します。

物語の展開は、これら三つのそれぞれに独立した「魔術」がお互いに交錯し、からみあってくるところに面白さがあります。以下では、その点に触れながら、場面場面の魅力も取り上げていきます。

（二）

両親を知らず苦労して育ったエスター・サマソンは、荒涼館で暮らし始め、まだ二十代初めですがしっかり家事をこなし、ジョン・ジャーンディスと相互の信頼が深まります。ジョンはとびきり優しい人柄で、貧しい子供たちの姿に心を痛めることが多い。ロンドンの別宅にいる時、借金を一向に返済しないスキムポールが債権者から訴えられ、その事件の督促を担当していた貧しい下っ端役人が病死した、妻はいなくて小さい子供だけで暮らしているという話を聞きます。驚いた彼は、エスターや滞在中のスキムポールと一緒に、病死した男の住まいに駆け付けます。

――私（語り手のエスター）は、ドアを開けました。天井がかたむいて、家具のほとんどない、みすぼらしい部屋に、五、六歳くらいのちっちゃな男の子がいて、生まれて間もない赤ん坊をあやし、おとなしくさせていました。冷たく寒い日だというのに火の気はなく、代わりに二人とも粗末な肩掛けのたぐいにくるまっていました。

………「あなたたち二人だけなのに、だれが閉じ込めたの？」とむろん私たちは問いかけました。

「チャーリーだよ」と男の子は立ったまま、私たちを見つめて答えました。

「チャーリーって、あなたのお兄さん？」

「違うよ。姉さんのシャーロットを、お父さんがそう呼んでいたんだ」

………「チャーリーは今どこ？」

「外に、洗濯に出かけた」

………（その時）とっても小さな少女が部屋に帰ってきました。見かけは子供なのに、賢くて、年よりませてみえる可愛いい顔をして、彼女には大きすぎる婦人用の帽子をかぶり、大人用のエプロンで（注：二つとも死んだ母親の遺品なのです）むきだしの両腕を乾かしながら入ってきました。洗濯をしていたために手指は白くしわが寄り、腕からふきとった石けんのあわはまだ湯気を立てていました。

……「ああ、チャーリーだ！」と男の子がいいました。

彼があやしていた赤ん坊は姉に抱いてほしいと両腕をのばして、声を出しました。少女は立ったまま、エプロンと婦人帽にふさわしい大人っぽいしぐさで赤ん坊を受け取り、甘えて自分にすがりつく重いお荷物ごしに私たちを見つめました。

「こんなことがあっていいのだろうか」とジョンおじさまが小さな声で口にし、私たちは少女のために椅子をもってきて、そのまま座らせ、男の子は近くまできて姉のエプロンにつかまりました。「こんな小さな子が弟たちのために働いているなんて？　見てごらん、お願いだから、見てごらん！」

たしかにおじさまの言う通りでした。三人の子供がかたまり、うち二人は姉に頼りきり、おまけに三人目はこんなに小さいのに、子供っぽい姿にふしぎに似合う、大人びた落ち着きで座っているのです。

「チャーリー、チャーリー」おじさまが言いました。

「君はいくつになるの？」

「十三と少しです」と少女は答えました。

「ああ！　もういい年なんだねえ」とおじさまは言いました。

「君はもういい年なんだねえ、チャーリー！」

彼女に向かって、半ば明るく、しかもそれ以上の共感をこめて悲し気に語りかけた時のおじさまの優しさを私はとても口にすることができません。

「それで君は、ここで三人だけで暮らしているんだね、チャーリー？」

「そうです」少女はおじさまを見上げながら、自信ありげに返事をしました。「お父さんが死んでからです」

「それで、どうやって暮らしているんだい、チャーリー？　ああ、チャーリー！」おじさまは一瞬、顔をそむけながらいいました。「どうやって暮らしているんだい？」

「お父さんが死んでからは、働きに出ているんです。今日は洗濯に行きました」

……「それで外へは、よく出るのかな？」

「できるだけ多くです」と少女は目を大きくして、ほほえみながらいいました。「六ペンス銅貨や一シリング銀貨をかせぐためにです！」

（こういう会話がしばらく続きます。健気に留守番しているると答える男の子トムは、そういいながら涙を流します。すると……）

子供たちの涙を見るのは、私たちが訪れて以来初めてでした。このみなし児の少女は、いままでは父母のことを話すときにも悲しみを見せませんでした。勇気を持ちつづけるためにも、働くことができる大切な存在だと自覚するためにも、日々を忙しく働くためにも、感情を抑える必要があると感じているようでした。
しかしトムが泣き始めたその時、チャーリーは私たちを静かに見つめて、二人の弟妹の髪の毛にふれるような動きもみせず、落ち着いて座っているままでした。しかし、声もなく、彼女の目から涙が二粒流れるのを、私は見ました。

こんな風にして、エスターたちは別れを告げます。家主のおかみさんにも会い、彼女はがさつだが優しい女性です。「だれがあの子たちから部屋代なんか取れるもんですか」とジョンたちに伝えます。他方で同行したスキムポールは、子供たちがいまも元気なのは、自分が亡くなった父親に生前、借金の取り立て代行という仕事を与えていたからだなどと呑気な感想を述べているのです。

……私たちはチャーリーにほほずりをして別れを告げ、一緒に階段を下りて、家の表で彼女が走って仕事に行くのを見ていました。どこに出掛けるのか知りません。しかし私たちは、ちっちゃな、ちっちゃなチャーリーが走っていくのを暫く見ていました。大人用の婦人帽とエプロンを身につけ、露地奥の屋根つきの通路を抜けて、まるで大海の一滴の露のようにロンドンの街の喧騒の中へ溶けて消えてしまいました。

——

ジョン・ジャーンダイスはチャーリーを荒涼館に引き取り、エスターの小間使いに雇います。彼女は、エスターから読み書きを習い、やがて荒涼館の近くの、繁盛している粉屋の青年と結ばれます。

第三章　『荒涼館』その二

（一）

次に、ジョーという孤児の少年と彼もまきこまれてしまう「謎」をめぐる物語を読んでいきたいと思います。

ジョーは、まともな人間なら誰も近づかないロンドンの貧民窟で、道路掃除でわずかの稼ぎを得て何とか暮らしている。

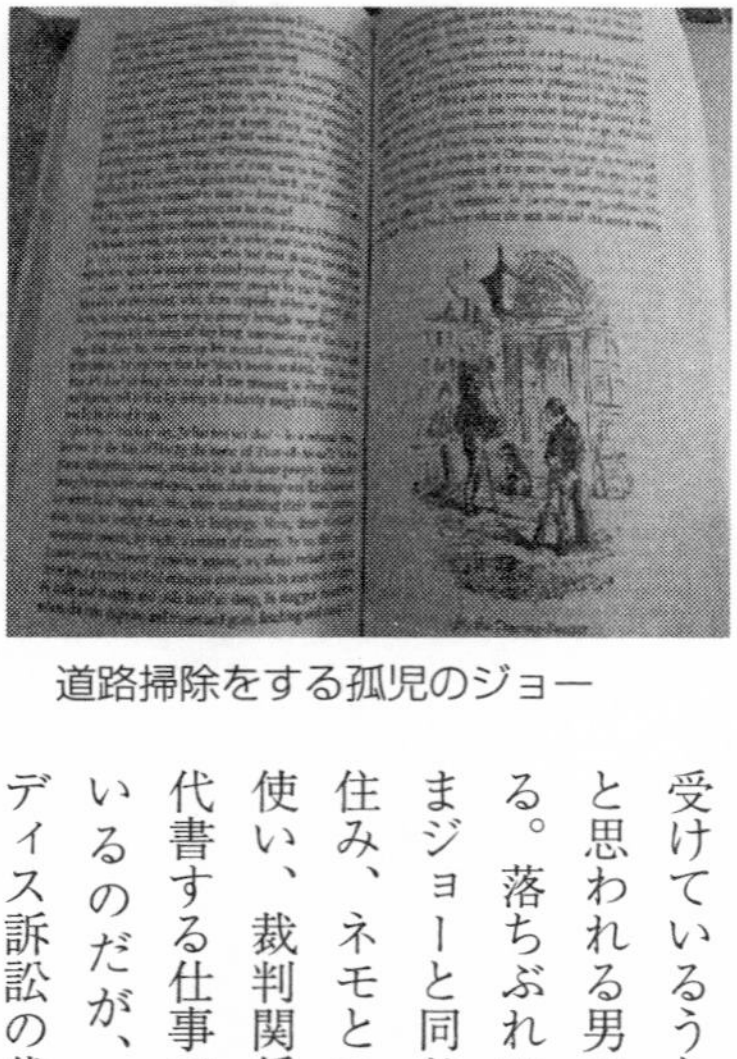

他方で自らもジャーンディス訴訟の関係者であるレディ・デッドロックは、同家の顧問弁護士をつとめるタルキングホーンから裁判の報告を受けているうちに、恋人と思われる男の消息を知る。落ちぶれて、たまたまジョーと同じ貧民窟に住み、ネモという偽名を使い、裁判関係の書類を代書する仕事で暮らしているのだが、ジャーンディス訴訟の代書も頼ま

道路掃除をする孤児のジョー

れる。その書類がレディ・デッドロックに届き、筆跡をみて彼ではないか、まだ生きているらしいと知って、弁護士に頼んで現状を調べてもらう。

ところがネモは困窮の暮らしのなかで、誰にも看取られずに病死していた。それを、家主に案内されて訪れたタルキングホーンが発見。検死の尋問が開かれ、結局アヘンの過剰摂取による急死と判断されるが、生前死者を知る証人が召喚されたなかに、泥だらけの粗末な服を着た少年がいた。

——名前はジョー。ほかにも名前があるかなんて、彼自身も知らない。だれもが名前を二つ持っているなんて知らない。……自分の名前が書けるかって？　答えはノーだ。父親も母親も、友だちもいない。学校へ行ったこともない。

そしてネモについて語る——このむさ苦しい少年が知っているのは、死んだ男が……、往来でやじられて追いまわされていたということだった。ある寒い冬の夜、ジョーがいつも掃除をしている四つ辻近くの家の戸口で寒さに震えていると、男が振り返って彼を眺め、戻ってきたことがあった。そしていろいろと訊きただして、ジョーに友だちが一人もいないと知ると、「私もそうなんだ、ただの一人も」といって、夕食と宿の費用を恵んでくれた。

それから男は、しばしばジョーに話しかけるようになり、夜よく眠れるかとか、飢えや寒さをどうやってしのぐのかとか、死にたいと思ったことがあるかとか、同じように変わった質問を投げかけた。お金を持っていない時は、「今日は君と同じく貧乏さ、ジョー」と言って通りすぎたが、少しでも持っていれば、いつも（とジョーは暖かな気持ちで信じていたが）喜んで恵んでくれた。

「あのおじさんはとてもやさしかった」とジョーは、ぼろぼろの袖口で目をぬぐって言う「死んでしまった姿を見て、おれの言ってることを聞いてもらえたらなあと思ったんだ。おじさんはほんとにやさしかった。そうだったんだ！（He wos wery good to me, he wos!）」——

この少年のことをタルキングホーンから聞いたレディ・デッドロックは女中姿に身を隠してお忍びで貧民窟を訪れ、ジョーを探し出し、男の住んでいたみすぼらしい貸間や埋葬された貧困者用の墓地に案内してもらい、金貨を与えて立ち去る。「とても女中さんとは思えない上品で素敵な奥さんだなあ」という彼の感想を残して。

タルキングホーンはこの出来事を知り、ジョーを追求してひそかに探り続け、ついに秘密を手に入れる。彼女には結婚前に恋人がいた、自らネモと仮名で名乗る男こそ彼である、子供も産んだ、しかもそれが、母から引き離されて育てられて、いまは荒涼館で暮らしているエスター・サマソンである。

この秘密は誇り高い、権勢もある名門貴族のデッドロック家の人間は誰も知らない。世間に知られたら大きな醜聞になる。悪賢いタルキングホーンにとっては、貴重な情報であり、准男爵の弱みを握り、脅すことも出来る。

調査結果に自信を得た弁護士はついにレディ・デッドロックと対決する。しかしその夜、自宅に帰った彼は何者かに射殺されていた。夫人の方は、夫である准男爵に置手紙を残して家を出る。

真相を知った准男爵は、バケット警部に何としてでも彼女を見つけてほしいと依頼する。「すべてを許す、帰ってきてほしい」という伝言とともに。警部は「必ず見つけ出します」と答え、冬の寒い夜の中、エスターを同道して馬車をかって捜索へ向かう。あちこち手がかりを得るのに時間がかかるが、ついに貧民窟にあるネモが埋葬されている墓地にゆきつく。しかし哀れにもレデイ・デッドロックはネモの墓の前で倒れ、すでに凍死していた……。

以上が貴婦人をめぐる「謎」の悲しい顛末です。第一章で「(本書は)探偵小説の先祖ともいうべき」という大江健三郎の理解を紹介しました。その理由は様々な「謎」が物語を彩っていて、その中でも「タルキングホーン殺害の犯人は誰か?」が最大の謎であり、そしてそれを究明するバケット警部というプロの探偵を登場させているところです。

レディ・デッドロックを訪問するタルキングホーン弁護士

「探偵小説とは主として犯罪に関する難解な秘密が、論理的に、徐々に解かれて行く経路の面白さを主眼とする文学である」という江戸川乱歩の定義に従えば、本書は厳密な意味ではこのカテゴリーには入らないでしょう。この事件が「小説全体を貫くような秘密」というほどの比重を占めてはいないからです。

しかし、江戸川乱歩も評論集『幻影城』の中で度々ディケンズと本書を含む彼の作品を紹介して、「私は探偵小説をトリック型とプロット型に二大別することが出来るように考えている。トリック型の祖先はポーであるが、プロット型の方は、ディケンズ、コリンズ、グリーンなどの系統を受けついでいる」と述べています。

犯人を暴くまでの過程は、その後の推理小説に比べればまだ素朴といってよい。バケット警部は、「人間の性格について独特な意見を持っている」と忠叔父が言うように、推理よりも直感を大事にします。推理すれば、怪しむべきはレディ・デッドロックです。動機は十分にあり、しかも彼女には当日のアリバイがなく、タルキングホーン邸を訪れたところを目撃されてもいる。

しかし、警部は自らの「人間性の研究」にもとづいて、「レディ・デッドロックは、誰からも広く尊敬されておられます」と准男爵に語り、そんな女性が殺人を犯すはずがないと確信します。そしてある人間に狙いをつけ、そのためにまずは別の人間を逮捕して真犯人を油断させるという手も使います。証拠を固めて、准男爵のいる前で真実を発表します。江戸川乱歩が「トリック派」でなく「プロット派」と呼ぶ所以です。

このように、読者にもレディ・デッドロックが怪しいと思わせておいて意外な展開にもっていく。真犯人にも動機があり、人間性からも納得がいくという手の内をあらかじめさりげなく見せておく。読者が真犯人がわかって「それはフェアじゃないよ」と言わせないように仕組んでおく。そういった工夫に、その後の探偵あるいは推理小説のモデルとなる要素を盛り込んでいるのです。

もっとも、このような人間性にもとづく善悪の直感はディケンズの時代だから通用したのかもしれません。ディケンズが二十世紀を生きていたら何を思ったでしょうか？　アウシュヴィッツやヒロシマ・ナガサキを持ち出すまでもなく、いまは誰もが悪を犯す可能性のある時代になり、社会になってしまったことに慄然とするのではないか。それでも彼は、ジョン・ジャーンダイスのような善人はこの世から無くならないと信じて書き続けるでしょうか。

（二）

それではジョー少年の方はどうなったでしょう。彼はレディ・デッドロックから金貨を貰ったことが災難になって、まず警察からはこんな大金を正当な理由でもっている筈がないと盗みを疑われる。彼はレディの秘密を自分一人のものにしたい。タルキングホーンにとっては邪魔な存在である。ところがジョーが彼女との出会いを喋ってしまうと、それを知った誰かほかの人間が彼女を探ろうとするだろう。

そんなこんなの事情でジョーは、彼らから疑われ、うとまれ、あちこち浮浪しているうちに伝染病にかかってしまう。知り合ったエスターが荒涼館に引き取って看病するのだが、病いをうつすのではないかと心配したジョーは黙って屋敷を逃げ出してしまう。スキムポールは、例によって見かけは善意にみちたふりをして、彼を追い出すのに一役かう。そしてジョーがロンドンの貧民屈に戻って寝込んでいるところを、アランという医者（貧しい病人にも手を差し伸べる正義漢のアランは後にエスターと結婚します）が見つけて看護する。しかしもう残された命はわずかです。

——ジョーはひん死の状態にある。ジョン・ジャーンディスもエスターも何度も見舞いにくる。実は荒涼館で看病しているときにエスターも感染してしまい、一時は生死をさまよう重病に陥ったことを知ったジョーは、見舞いにきたエスターにそのことを謝るが、「おれのやったことを何とも言わないんだ。……文句ひとつ言わないし、いやな顔ひとつしないんだ。それでおれ、壁の方を向いちゃったんだ。そしたらジャーンディスのおじさんも、そっぽを向いちゃったんだ」と別の見舞い人に告げる。

そして、字の書けない自分の代わりにとてつもなく大きな字で「御免なさい」とエスターに書いてほしいと依頼する。そう言っているうちにも病状は進む。

……アランは問いかける「ジョー、お前、お祈りって知ってるか?」

「なんにも知らないよ」と答えるジョーは、とつぜんベッドから起き上がろうとして、

「いよいよ、あの墓場にいかなくちゃなんない」と興奮した表情で言い出す。

「寝てるんだ、ジョー。どこの墓場だい、教えてくれるかい?」

「おれにやさしくしてくれた、まじでやさしくしてくれたおじさんが葬られたとこだよ。とうとう、おれもあそこに行って隣りに埋めてくれって頼まなくちゃなんない時が来たんだ。あそこに埋めてもらいたいんだ。おじさんは前によくいってくれたよ、おれもおんなじく貧乏さ、ジョー』って。今度はおれがおじさんに、おれも同じく貧乏だよ。だから隣りに置いてくれよ、って言いたいんだ」

……「ジョー、ああ、可哀そうに!」

「先生の声は聞こえるよ。暗いけれどね。……手を握らせてくれないか」

「ジョー、私の言う通りにいえるかい?」

「先生の言うことなら何でもいえるよ。いいことに決まってるもの」

「『われらの父よ』」

「われらの父よ! ——そうだ、こりゃいいな、先生」

「『天に在(ま)します』」

「天にまします——明かりはすぐにくる?」

「すぐそこに来てるよ。『願わくは、御名(みな)の崇(あが)められんことを』

「崇められん――」

暗いゆき暮れた道に明かりがつき、彼は死んでいく！

死んだのです、国王陛下。死んだのです、貴族、紳士の皆様。死んだのです、徳のあるなしに拘わらずあらゆる宗派の聖職者の方々。死んだのです、心の中に気高い哀れみの情を抱いておられるあらゆる男女の皆さん。わたしたちのまわりでは、ひとは毎日こんな風に死んでいくのです。――

―ここは本書の中でもよく知られた場面です。

まずは邦訳の違いに触れたいと思います。医者のアランがひん死のジョーに復唱させるのは、新約聖書に出てくる「主の祈り」です。英語では「Our Father, Which art in heaven, Hollowed be thy name」。邦訳は「天に在（ま）します我らの父よ、願わくは、御名（みな）の崇（あが）められんことを」。

そしてディケンズの原文では「祈り」の言葉に沿ってアランが少しずつ区切ってジョーに復唱させます。ジョーはアランの言う通り、最初の言葉を復唱し、「Our Father — yes, that's wery good, sir」と応じます。

私は「われらの父よ！　――そうだ、こりゃいい、先生」と訳しました。

他方で既訳は、

ちくま文庫―「天にましますーこりゃ、いいなあ、先生」

岩波文庫―「天にまします！―ああ、感じいいね」

違いが判って頂いたでしょうか？

既訳は「祈り」の日本語訳の順になっていて、「天にましま す～」が先に出てきます。この方がわかりやすいかもしれない。私の方は、「祈り」の英文とディケンズの原文に沿った訳になっています。孤児であるジョーが「われらが父よ」という文句を聞いて、「ひょっとしておれにも父がいる、〝こりゃいい〟」と感じて死んでいく、作者がその気持ちを読者に伝えたかったのではないかと考えて原文通りに訳しました。

別にどちらでもいいのですが、こんな風に、自分でも一部分でも訳してみるという作業はなかなか楽しいものです。

なお、ジョーの英語は貧民窟で耳で覚えた言葉です。作者は発音に沿って、例えば「was」でなく「vos」、「very」は「wery」と表記します。辞書には載っていないこういう表記はジョーだけはなく、『ピクウィック・ペーパーズ』のサム・ウェラーなど彼の作品にたびたび使われます。

やや脱線したかもしれませんが、ジョーの臨終や前に引用したチャーリーという女の子の場面を読んで、何ともセンチメンタルだなと感じる読者は多いだろうと思います。それのどこが悪いのか、と開き直るのがディケンズを愛してやまないジョン・アーヴィングです。彼には「センチメンタリティを弁護して」という短いエッセイがありますが、主に『クリスマス・キャロル』を取り上げてディケンズの擁護に終始します。彼を「お上品な芸術とは無縁な作家」と呼び、「私たち現代作家というものは、自分の現代的な作品で、センチメンタリティの誹り（そし）を免れているときには、自分の果たしていることが大切なことかどうかを、自らに問うてみるべきだろう」と言い切ります。ディケンズの美質として賞賛される点として「やさしさ、おおらかさ、人間の尊厳に寄せる信頼」をあげ、別の言葉で非難されるとそれが「センチメンタリティ」なのだと指摘します。

チャーリーやジョーの姿を通して、ディケンズは同時代の英国ロンドンに生きる貧しい子供たちの悲惨をセンチメンタルに描きました。他方でカール・マルクスの盟友フリードリッヒ・エンゲルスは、一八四五年、『イギリスにおける労働者階級の状態』を著しました。邦訳の岩波文庫には、「一八四二年、父親の経営するマンチェスターの工場で働き始めたエンゲルスは、資本家による苛酷な労働者搾取の現実を目のあたりにして、労働者の生活状態についての実態調査と研究を重ねた。本書はこの成果をまとめたもので、資本主義の原罪を明らかにした労働者生活史の古典」とあります。

本書の第二章は「大都市」と題されて、産業革命によってロンドンを始めとする英国の大都市に労働者が移動し、いかに貧困の中に暮らしているかを詳細に語ります。以下は、ロンドンのある貧民屈についての記述です。

『写真で見るヴィクトリア朝ロンドンの都市と生活』から、貧民屈の姿

「きたなさと荒廃ぶりは想像を絶する。完全な窓ガラスはほとんど一枚も見られず、壁はくずれ……ドアは古板をくぎで留めあわせたものか、まったくくっついていない。この泥棒街では盗む物がないのだから、ドアなどは無用なのである。ゴミや灰の山がいたるところに散乱し、ドアの前へぶちまけられた汚水が集まって、悪臭を発する水たまりとなっている。ここでは、貧民中の貧民、つまり最低の賃金を支払われている労働者が、泥棒や詐欺師、売春の犠牲者とまざりあって住んでいる。（彼らは）日ごとに深く沈み、窮乏や汚辱、そして劣悪な環境の屈辱的な環境に対する抵抗力を日ごとに失っている」。

ジョーはこのような場所で暮らし、清掃の仕事で何とか駄賃をもらおうとしていたのでしょう。しかも、当時のロンドンは世界最大の人口を擁する大都会で、繁栄する大英帝国の首都でした。『荒涼館』が書かれた十年後に英国を訪れた福澤諭吉は、その格差の激しさに気づき、以下の観察を残しています。「イギリスの人は金持と貧乏人と学者と文盲とうちまじりてはなはだ不ぞろいなり。数百万両の身代にて大家にいる者もあり、裏ずまいにて朝夕の暮らしに困る者もあり」。（「条約十一国記」慶応三年）。

福澤が言う「ふぞろい」、すなわち格差について補足すれば、デッドロック准男爵は、リンカンシャー州にチェスニー・ウォールドと呼ばれる豪壮なマナー・ハウスを構え、ロンドンにもお屋敷があります。そして大邸宅に住むレディ・デッドロックの自らの過去を探る道程は、ジョーや、貧しい煉瓦職人やその妻と交錯します。煉瓦職人は荒れた、すさんだ暮らしをして妻ジェニーを虐待します、彼女はのちにレディ・デッドロックの逃避行を助ける純情な女性ですが、生まれての赤ん坊を貧しさの中で死なせてしまいます。

このようにディケンズは、今から百五十年以上も昔の英国の貧困と格差について、フィクションの中で思い切りの感傷をまじえて取り上げました。方やエンゲルスは、資料と観察をもとにリアリズムの筆致で現状を鋭くえぐり、資本主義の病根を摘発しました。

二十一世紀のいま、果たして問題は解決されたでしょうか。貧困問題を専門にする阿部彩（首都大学東京教授）は、「貧困と格差は異なる。貧困撲滅を求めることは、完全平等主義を追求することではない。「貧困」は、格差が存在する中でも、社会の中のどのような人も、それ以下ではあるべきではない生活水準、そのことを社会として許すべきではない、という基準である」と書きます。その上で、現代においてもこの「許容できない生活水準＝貧困状態」で生活する子どもたちが日本社会に少なからず存在する現状を指摘します（『子どもの貧困―日本の不公平を考える』岩波新書二〇〇八年、同「Ⅱ―解決策を考える」二〇一四年）。

ディケンズやエンゲルスが捉えた悲惨は、二十一世紀の日本社会においても様相を変えて存続しているのではないでしょうか。

第四章　忠叔父さんのように読む

私のディケンズへの思い入れを知る友人が、いろいろと情報を伝えてくれて、その親切にまことに感謝しています。

一人は中高時代の友人で、彼は世界中の切手収集が趣味で、英国の切手雑誌（その道のマニアには著名な雑誌だそうですが、私は知りませんでした）に載った文章を送ってくれました。ディケンズに関連する記念切手を紹介しながら彼の作品と生涯を要約した記事で、きれいなカラーの写真が幾つも載っています。一九七〇年、没後百年を記念して彼の作品の登場人物を取り上げた五種類の記念切手が英国で発行されました。「ピクウィック・ペーパーズ」のピクウィック氏とサム・ウェラーの二人、「オリヴァー・ツイスト」の有名な個所、オリヴァーが救貧院で「もう少し欲しいんです」と大胆にも乏しい夕食のお替りを懇願するところ、そういった場面を切手にしたものです（この二つの作品は「あとらす」39号所収「チャールズ・ディケンズ賛歌」で取り上げました）。

もう一人、読書会で知り合った年下の友人は、村上春樹の小説『東京奇譚集』の中に「偶然の旅人」という短編があって、『荒涼館』が言及されていると教えてくれました。私は知りませんでした。

青年がカフェで本を読んでいる。若い女性も隣の席で読んでいる。彼女から「失礼ですが、ひょっとして」と声を掛けられて、たまたま同じ本、『荒涼館』だった、という場面があるそうです。

「確かに驚くべき偶然だった。平日の朝、閑散としたカフェの隣り合う席で、二人の人間がまったく同じ本を読んでいる。しかも、世間に流布しているベストセラー小説ではなくて、チャールズ・ディケンズの、あまり一般的とは言えない作品なのだ」。

そして青年については、「チャールズ・ディケンズは彼の愛好する作家の一人だった。ディケンズを読んでいるあいだはたいていの他のことを忘れてしまえるからだ。いつものように最初のページから、その物語にすっかり心を奪われてしまった」と書かれている。他方で女性が読んでいる理由は、参加している読書クラブのテキストだからだそうですが、本書をテキストに選ぶとは珍しいのではないでしょうか。私も世田谷区の有志による読書会に長年参加していますが、読む本は殆ど一冊の文庫本か新書です。文庫本で四巻もある『荒涼館』を皆で読む機会があれば素晴らしいとは思いますが。そして物語がここからどう発展するか。友人の説明からは、著者は単に偶然性を強調するために「一般的でない」この本を選んだようで、ストーリーと結びつく必然性はないように感じました。

本屋で立ち読みをしたところ、女性の運転する車は「ブルーのプジョー３０６」、青年は「ホンダのオープン2シーター（グリーン）」だと説明されます。どちらも素敵な乗り物なのでしょうが、私は知りません。短い物語の中にわざわざ車種や色まで入れる必然性があるのかどうか。単に洒落た小道具として登場させたかったのではないだろうか。『荒涼館』の役割も「プジョー３０６」とさして違わないのではないか、と言ったら言い過ぎでしょうか。さはさりながら、村上春樹が名前をあげるなら読んでみようかという読者が増えるとすれば、それはそれで嬉しい話です。

一方で、大江健三郎にとっては引用する書物と自ら書く作品とは彼の内部の世界で深く結びついています。エッセイ『私という小説家の作り方』（一九九八年）のなかで、私にとって外国語の本を読むことは、「もう一方に日本語での表現を対置してみる、ということにこそ意味があったのだ」、「外国語とそれを訳した日本語とを、眼の前に二つながら広げて、一緒に見てとるように読むことが好きだった」と書き、この二つに自らの〈言語〉を加えた「三角形の場に生きていることが最も充実した、知的また感情的な経験なのだった」と述べます。

東大フランス文学科在学中からの習慣であり、「ほぼ四十年後のいまも、毎日午前中はフランス語―あるいは英語―の本と辞書と、傍線のための色鉛筆にあわせて書き込みのための鉛筆を脇に置いて読み始める。これまではしばしばそのようにして午前中に読んだものを、午後からの小説を書く時間に数節訳してみて、それらをきっかけに小説を展開してゆくことがあった。私の作品に外国の詩人や作家、思想家からの引用が多いと批判されることがあるが、それはこういう単純な理由から生じた事態なのである」。

「引用には力がある」と題する章では、「実際、私の一生は（略）、引用することで経験した細部の多くに代行させることができるかと思えるほど、書物を読むことを大切な要素とするものだった」。そして、「すべての小説も詩も、他人との共有の言葉によって、つまり引用によって書かれてきたのだ」。

このように、「テキスト」からの引用に「自分を支える力」を見出す。自らの作品に登場する人たちにとっても、「他者の言葉」が生きるうえで傷ついたり悲しんだりする自らを乗り越える糧となっている。大江は、読むことと書くことの結びつきをこのように理解します。

ディケンズを読むこともその実例です。『キルプの軍団』のあとがきで大江はその点に触れます。

まずは、「十九世紀の盛沢山なストーリーと波瀾にみちた運命の物語の一つとして、自分の作品の中でディケンズを読んでいくこと。こうした読み方を二十世紀の小説としての書き方にあわせることで、後者にはなりたちにくい、こみいった物語性を加えたいと思ったのです」。

そして、「あらためて思うのは、私たちが二十世紀の小説においてそのあきらかな衰退を見ている、十九世紀の小説にはまだあきらかだった特質のことです」と書いて、晩年のドストエフスキーが疲れて心理的窮境にある自分をなごましめ喜びをあたえてくれる作家として、ディケンズほどの人はいないと語ったという逸話を紹介します。

その上で大江は、『キルプの軍団』は主人公の高校生が現実世界において苦しい葛藤のなかに自分を追い込んでいく過程を描いていますが、その背後にはディケンズの小説を読むことがある、と言います。「少年（小説では「僕」）はディケンズを読むことで自分を危機におちいり、かつはそうすることで自分を恢復させ・癒す準備をした、ともいえるでしょう」。「僕」はひとりで読むのではなく、忠叔父というメンターの助けを得ます。二人の共同作業が「読書の理想郷」を示してくれます。しかしそもそもは忠叔父もひとりで読んでいるわけで、その点は大江自身も同じでしょう。

「僕」は叔父との体験を、「一緒にディケンズを読んだ楽しい夏の日々」と回想します。残念ながら「一緒に」という体験を持ち合わせていない私であれば、ひとりで読むしかありません。それでも、「ディケンズを読んだ楽しい夏の日々」が私にもあります。彼の作品を、一年中手に取ってはいます。しかし、とくに標高千三百メートルの八ヶ岳の麓にある古い田舎家で過ごす夏、落葉松や白樺の緑に包まれ、小鳥やりすが訪れる庭にときおり目をみやりながら、大江のように、外国語と邦訳とを二つ並べてデイケンズを読み進んでいく楽しみは何物にも替えがたい時間です。

〈そして、僭越ながら、ほんの少し似たような試みをしてみる。〉

ディケンズについての（現にいま書いているように）雑文をものする、と同時に（現にいま試みているように）邦訳を参照しながら原文を自分なりに訳してみる。そうしているうちに、一緒に読んでくれる人はいなくても、ディケンズと対話している気持ちになってきます。

大江健三郎は、「当の私がディケンズのまさに素人（アマチュア）研究家にすぎず」と語ります。研究書を含めて深く読み込んでいる大江の謙虚な言葉は額面通りには受け取れません。しかし私たちにとって大事なのは彼が、『キルプの軍団』の中で「忠叔父」という正真正銘のアマチュアを造型してくれたことです。高校を出てすぐに四国松山の警察に入り、暴力犯係長になって、出世もせず、ただひたすらディケンズを原書で読んでいる。機会があれば高校二年生の甥と一緒にその体験を共有する。小説家の兄でさえ、「ディケンズを読む能力と根気では、おれなんかめじゃない」と認めている。

「リアリティがない」と言う人には勝手に言わせておけばよい。大江健三郎がこういう人物を提示してくれたことが、例えば私のような忠叔父さん以上の素人にとって、どれほどの喜びを与えてくれることか。そういう想いにかられるのは果たして私だけでしょうか。

ナポレオンの帽子

隠岐都万

一

私は神戸の老舗骨董商である。日頃、京都の同業者の中小路氏と親しくしている。

因みに私は岩崎と称し、三代目である。大学では西洋美術史を専攻した。

彼の方は日本や中国の品を多く扱い、私は欧州や中近東が専門であるが、共通のものもある。お互いに五十の坂を越え、中年太りとなった。関西圏に住んでいるので、業界の集まりで時々顔を合わせることが多い。何となくお互いに相性がいい。従って、数年に一回は海外のオークション参加を兼ねて、一緒に海外出張することもある。

今年は世界的に有名なロンドンのS社主催のオークションが八月にパリで開かれることになって、私は早々と参加を表明した。間もなく、中小路氏も手続きを進めていることが分かった。

そこで、旅は道連れとばかりに、同じフライト、同じホテルをアレンジし、随分とリラックスできた。私達は英語の他に、彼が中国語、私がフランス語をそれぞれ、何とか操れたのでお互いに助け合うこともできた。

実は私にはかねてからの夢があった。地中海のコルシカ島を訪問したいと思っていたのだ。いうまでもなく、かのナポレオンの故郷である。ナポレオンの遺品の掘り出し物があれば僥倖だという打算があった。世界中にはいまだナポレオンのファンが隠然として存在している。業界紙を見るとファンは欧米中心であることは無論であるが、日本にも少なくない。私がその数少ない一人なのである。日本の経済力が豊かになるにつれて思いもかけない金満収集家が出現して話題をさらう。商いの対象としても面白い。

今回のパリ・オークションの機会に知り合いとなった某フランス人の骨董商から若干の情報を入手したが、紹介された店を訪ねてみると、どこも首を左右に振るばかりだった。

（どうやらナポレオン・グッズはもはや払底しているらしいな?）

私は落胆はしたものの、彼が幽閉先の南大西洋のセントヘレナ島で五十一歳の波乱万丈の人生を終えたのが一八二一年であることを考えればもはや二百年近くの歳月が経過しているのだ。彼の遺品が払底していても当然だと、一応、私は納得はした。

しかし、と私は考え直した。

（パリ以外の地方都市、特に彼の故郷のコルシカ島まで行けば掘り出し物に遭遇できるかもしれない。そんな僥倖もあり得るのではないか？）

それがパリ商用後のコルシカ島行きの動機であった。ホテルのバーで、ワインを楽しみながらざっくばらんにそんな話を中小路氏に打ち明けると、意外な反応があった。彼も参加したいと言うのである。

「私の商売上は直接役に立つことはないでしょうが、初めての土地で、しかもナポレオンの生地と聞いて、大いに魅力を感じます。是非同行させてください」


翌々日、私達はパリのオルリー空港を出発し、約一時間半の西海岸の港町アジャクシオに着いた。この港町が島最大の集落で、山と絶壁が群青の地中海海岸に迫る。「海に立つ山」と作家モーパッサンはこの島を評している。島中央に立つ急峻な山が印象的だが、別の表現をすれば貧困と絶望の島でもある。

この険しい山岳地帯と断崖絶壁の島で、かのナポレオンが育ったのだ。そう思うと感慨深い。私達はホテル・ル・マキにチェックインした。海岸に立つホテルの窓から地中海の眺望を満喫できる。数年前、島が世界自然遺産に指定されたと知り、なるほどと思った。

そう言えば、ホテル名の「マキ」とは灌木の林のことで、岩に張りつくように密生している。オリーブ、ヤマモモ、エニシダなどの総称で、花や実を利用して、マキ酒やマキジャムを作る。

ナポレオンがフランス本土から帰郷する際、海の上で、「マキの香り」を嗅いで故郷が近いと感じた、という逸話もあるようだ。

ホテルのチェックインの際、年配のフロント係りに質問してみた。

「実はナポレオンの遺品を探し求めて日本から来ました。島内の骨董品のお店などでそんな品物を扱っているところをご存じありませんか？」

年配のフロント係りは驚いた表情を見せながら言った。

「今日は珍しい日ですね。さっきもアジア人の方が同じ質問をされていましたよ。私はここで三十年も働いておりますが、残念ながらそんな話も、噂話も聞いたことがありませんね。ただ、毎月一回、ホテルの中庭で〝蚤の市〟を開いております。明日の十時から始まりますよ。そこを覗いてみては如何ですか？」

「それは耳よりなニュースです。明日覗いてみましょう」

私達はフロントの老人に感謝した。夕食まで時間があったので、市内を散歩しながら、ナポレオンの生家〝メゾン・ボナパルト〟を訪問してみたが、質素な作りで、めぼしい発見もヒントもなかった。

この日の夕食はホテルの中庭で、バーベキューが用意されていた。この島は海の幸も有名だが、島特有の名物のヤギのチーズに人気がある。もうホテル客が三々五々とたむろしている。私はフロント係りに聞いたアジア人を探してみた。すると若い青年が欧州系の客と話しているのを発見した。私はきっと彼に違いないと見当をつけて近づいた。

「今晩は。お話し中のところを大変失礼します。貴方は日本の方ですか？」

青年は突然日本語で話しかけられたので怪訝な顔をして答えた。

「そうです。横浜の熊田です。貴方は？」

「私は岩崎です。神戸からです。こちらは京都の中小路さんです」

「初めまして。こちらの方はイタリア人のボルゲーゼさんです」

この人物は四十代前後の大柄な男性で、何故か服装は貧弱だった。肥満体で、愛想だけは頗るいい。口髭が画家ダリのようにピンとまるく跳ねているのが特徴だ。

「はじめまして。ボルゲーゼです。ジャポネーゼがうまく話せません。すみません。ながいあいだつかっていません。もうさびています」

「いいえ、驚きましたよ。お上手ですよ。日本に行かれたことがあるのでしょう？」

「ええ、わかいときふなのりでした。よこはまとこうべにたくさんゆきました。とてもすてきなみなとです」

「有難う。貴方はイタリアのどちらのご出身ですか？」

「エルバとうです」

「ええ！　ナポレオンが閉じ込められて、やがて脱出したあの島ですか？」

「ええ、そうです」

「それは興味深いですね。私は骨董商なので、古い掘り出し物を探しているのです。ナポレオンの遺品か何かがこの島に残っていないか来てみたのですがね。余り期待はできなさそうですね。けど、エルバ島まで行けば何かありそうでしょうか？」

その時、横浜出身という熊田氏が声をあげた。

「これは偶然ですね。実は私も同じ動機で旅をしているのです。ここで偶然ボルゲーゼさんと会ったので、もしやと思ったのですがね」

「何もなさそうだ、というのですね」

するとボルゲーゼさんが発言した。

「すみません。ナポレオンはてきでした。えるばとうにはわずかさんかげついただけです。しまはフランスでなく、イタリアです」

「そう言えばそのとおりですね。ところで、熊田さんはどういうご予定ですか？　差し支えなければ教えて下さい」

「私はここで意気投合したボルゲーゼさんと汽車に乗り北西のカルヴィ町まで行きます。観光客に人気のある路線らしいです。彼が誰かがドタキャンした切符を探して、融通してくれると仰るのです」

「それは結構ですね。私達は北東方向のバスチア町まで行きます。何でもその町にはナポレオンが洗礼を受けたとかいう大聖堂があるそうですね」

「ではここでお互いにお別れですね。日本のどこかで再会しましょうね」

「では失礼。さようなら」

「アルデベルチ（さようなら）！」

　最後にボルゲーゼがそう私達に向かって叫んだが、その時、彼が見せたニンマリした笑顔に何となく卑しさと卑屈さとを感じ、それが気になった。

二

　翌朝早く、私達はチェックアウトし、ホテルの中庭へと急いだ。晴天だった。もしかして、掘り出し物があれば一瞬の差で、誰かに買い取られてしまうかもしれないという恐怖感があったからだ。この道の商いにはよくある話だ。

　すでに、二、三十の露天商が店を広げて、雑多な品物を広げていた。会話がかまびすしい。客はまだ少ないが徐々に増えてきた。が、昨日会った熊田氏とボルゲーゼさんの姿は何故かなかった。観光列車の出発時間に合わせて、駅へ急いだのであろう、と推測された。

　私と中小路氏とは〝蚤の市〟を一巡見て回ったが特にめぼしいものはなかった。

　私達が失望して、帰ろうとすると、見事な白髪をした赤ら顔の老人がフランス語で私達を呼び止めた。

「アタンデ・シルヴプレ（どうかお待ちください）！　ムッシュ！」

　私達は一応戻って見た。老人は大きな袋の中から、何とあのナポレオンが着用していた両横に広い三角の軍帽を取り出して、私達にチラリと見せるのである。私達はドキッとして足を止めた。よく見るとかなり古いもので埃をかぶっている。博物館などで見るあの古色蒼然とした雰囲気を湛えているではないか！　私は一瞬胸騒ぎがしたが、何食わぬ表情で、質問した。どうせ偽物と思ったが念のため拙いフランス語を動員した。

「セ・シャポ、ブレマン、ド・ナポレオン（この帽子は本物ですか）？」

　老人は歯のない口をパクパクさせながら、顔を真っ赤にして叫んだ。

「シ、シ、シ！　ブレマン、シャポ・ド・ナポレオン（本物ですよ）！」

「エ・コンビアン（おいくら）？」

「トレ・ミル・ドラー、シルヴプレ（三千ドル）です」

「トレ・オー。アン・ミル・エ・サンク・サン(高いですよ)。千五百ドルにしてくれませんか？」

「ノン。ダン・ス・カラ、ドウ・ミル。シルヴプレ（では二千ドルでは如何？）」

「ダコール（了解）」

　中小路氏はからかうような視線を私に投げたが、私は無視して老人から品物を受け取り、現金を渡した。そして、私達は駅へ向い、島の北東にあるこの島第二の町バスティア行き山岳鉄道に何とか間に合った。これはディズニーの乗り物と大差ない。山や海の絶景が見え隠れして素晴らしい。欧米など世界各地からの観光客に人気がある理由も納得できた。途中で大学町コルテに立ち寄った。古い要塞もあったが、私の目的となる品物は見つからなかった。私達は落胆した。

　結局、私達は四時間弱をかけて、目的地バスティアに着いた。ここにも要塞があったが、収穫はなく、私達は道を急ぎ、ナポレオンが洗礼を受けたという大聖堂に向かった。ここでも収穫がなく、私達は溜息をつくばかりだった。私達は失望し、疲労が溜まったので波止場前の安宿に一泊して、翌朝のマルセイユ行きフライトで飛び立ち、パリ経由で帰国した。実はパリにはナポレオンの墓（ザンバリド）があるが、帽子の手懸りは期待できそうもないので、パリをパスしたのだ。

　こうして、結局、今回の旅行で私が得たものは、白馬に騎乗してアルプス越えをしているナポレオンが被っていたと言われる帽子だけだった。それも由緒正しいとはとても言い難く、偽物である公算が高い品物だった。私のようなプロが衝動買いしたようなものだった。思い出しても恥ずかしい。

　それから半年が経過した。ある寒い秋の夕方のことだった。電話が鳴った。

「もしもし、岩崎さんでしょうか？　私は横浜で骨董を商っている熊田と申します」

「アッ！　確かコルシカ島でお会いした方ですね？」

「そのとおりです。覚えて下さり、ありがとうございます」

「懐かしいですね。貴方は確かボルゲーゼさんとか言う方と旅を続けられるとか仰っていましたね？」

「そのとおりです。結局、彼の故郷のエルバ島まで足を延ばしましたよ。貧相な島で何の魅力もない所です。彼がナポレオンが幽閉されていた場所などを案内してくれましたけど、遺品らしいものは皆無で、失望してしまいましたがね。まあ、ノコノコ彼の口車に乗ってついていった私が間違っていたのです」

「それはご苦労様でした。私はあのホテルの蚤の市で、ある老人からナポレオンの軍帽とか言い伝えられている品を買い求めましたよ」

「やはり、とは何か意味があるのでしょうか？」

「エルバ島へ行く旅の途中で、ボルゲーゼが私に警告をしてくれましたよ。あのホテルの蚤の市に老人が出す品物は全部偽物だと言うのです。だから決して手を出さないように、というのです」

「で、貴方はエルバ島まで行って何の収穫もなしだったのですか？」

「いえ、実は島を発つ前夜、彼がナポレオンの遺品を後生大事に隠し持っている老婆を発見したので一度見に行かないか、と私を誘うのです」

「何か掘り出し物があったという訳ですね」

「そうです。それがあのナポレオンの帽子です。貴方の分とどう違うか分かりませんが、一度実物を見せ合おうではないですか。勿論、急がれるなら携帯写真で送ることも可能ですが」

「ええ、それも結構ですが、もうすぐ年末に、恒例の東京オークションがあるでしょう。欧米の骨董品が中心テーマのようです。私はこれに参加する予定なので、その際、再会して実物を見比べましょう。如何ですか？」

「結構なご提案ですね。ではその時再会して、実物を見比べてみましょう」

三

年末の骨董品オークションの日は意外に早く来た。場所は上野駅に近い中規模ホテルの会議室で行われた。オークションの開始は午後一時からである。最近は外国人バイヤーの参加が目立ち、この日も既に数人の姿が目にとまった。私は駅近くの食堂で簡単な昼食を済ませて、早めに会場に着いた。熊田氏の姿を探していると声がした。

「やあ！　久しぶりですね！　お元気でしたか？」

「おかげさまで。貴方はバリバリと仕事に張りきっておいでのようですね」

「関西風に言えば、まあボツボツ、というところですよ。ところで今日は貴方の相棒はお見えになりませんね？」

「中小路君はアジア専門ですから、本日のオークションには興味がないようです。ところで、あのナポレオンの帽子ですが、本日は持参されましたか？」

「ええ、既に事務局に登録手続きを済ませてきましたよ。貴方の分はどうされましたか？　私の分には証明書がないので、高値はとうてい無理でしょうが、どんな反応があるのか、会場の雰囲気が知りたいのです。貴方も勿論参加されるのでしょう？」

「そのとおりです。私も登録済みです。このリストに出ていますよ」

「私も同じです。ところで……」

私は本心を言えば彼がどの程度の価格で仕入れたかを知りたかった。彼も多分同じ心境だろう、と思ったのだが。その時、司会者のアナウンスがあった。会場の数十人が一斉に動き、それぞれの座席に着席している。係員が簡単な飲み物を配っている。

「皆さん、今日は。どうかお静かに。私はS社東京支店の原と申します。本日の司会を担当しています。まず、オークションのルールは皆さんのご存じのとおりでしょうから省略させていただきます。お手元の和英両語で書かれたパンフレットと出品リストをご参照ください。なお、午後五時には閉会する予定です。では早速リスト一番からセリを開始いたします。実物は私の真横のテーブルの上に置いてます。興味のある方はとくとご吟味下さい。背後のスクリーンは実物を大きくプレゼンしていますのでご参考まで。では本日の一番バッターはコロンブスの望遠鏡です。彼が新大陸発見のさいに使用したものと伝えられているそうです。証明書付です。本日のハイライトの一つでしょう。これは貴重品ですから五万ドルからスタートしましょう。ではご興味のある方は挙手して、同時にご自分の登録番号を仰って下さい」

オークション対象に品目リストを見ると、私のナポレオン軍帽はナンバー三十三で、熊田氏のはナンバー三十四となっている。興味深いのはもう一個のナポレオン軍帽が登録されていたことである。登録者の氏名はロゼッタ・コバヤシとなっている。何だか不思議な存在である。

（このロゼッタ・コバヤシとはいったい何者なのだろうか？私達の業界の人間ではなさそうだけど……？）

私と熊田氏とは今回はナポレオンの遺品以外の出品には興味がなかった。この業界ではそれぞれ得意分野を持っている。その分野では自他ともに相手に決して負けないというあの傲慢な自信というようなものがある。最近ではオランダの画家フェルメールの作品についてはごく少数の鑑定家に絞られている。他の人はうっかり参加すると怪我をするのだ。

そこで私達は自分達の順番がくるまでの間、会場外のホールで、コーヒーを飲むことにした。私は気になっていた購入価格について、熊田氏に問いただしてみた。

「君はあのナポレオン軍帽をボルゲーゼから幾らで仕入れたのかい？」

「色々と駆け引きがあったけど、最終的には二千米ドルだったよ」

「ほう！　それは偶然だね。私もあのホテルの中庭にいた、がめつそうなご老人から同じ値段で手に入れたよ」

「それは驚いたね。ところで、ナンバー三十五の登録者は何物なのだろうか？　あのロゼッタ・コバヤシとは氏名から判断するとハーフの日本人のような気がするけどね」

「わからんね。どうも日系人のような感じがする。出稼ぎ中の人かもしれないよ」

「ロゼッタ、とはフランス語の名前かい？」

「いや、ポルトガル語だろう。小さなバラの花、という意味だ。ブラジルはポルトガル語圏だからね」

「君は物知りだね。感心したよ」

「実は私の客の中に日系ブラジル人が多いのだ。金に困ってよく俺の店に顔を出してくる。いいお得意さんだ。当然、俺も少しは勉強したというわけだ」

「そろそろ会場の中に戻ろうか？　俺たちの順番が近づいてくるぜ」

「了解！　いよいよ本番というわけだ」

セリが進行して、オークション会場は熱気に溢れていたが、私達はナポレオンの軍帽以外には興味がなかった。こうしてオークションは着々と進んでいった。ついに司会者が私達の登録番号を響き渡らせた。私達に緊張が走った。

「ナンバー三十三番です。岩崎氏の出品です。品物はかのナポレオンの軍帽です。会場の皆様、写真のとおりで、実物は私の目の前にあります。残念ながら保証書はありません。最低価格は二千ドルとされています。」

沈黙が支配した。ただ、それは一瞬のことで再び元のざわめきの雰囲気に戻った。司会者が再びわめいた。

「どなたかいらっしゃいませんか？　どうやらどなたもおられないようです。如何ですか？　ではこれでボツになります。後ほど、岩崎さん、どうぞ現物をお引き取りに来て下さい」

私は覚悟をしていたが正直なところ、やはり駄目だったのかというのが実感だった。せめて、仕入れ価格の回収をしたかったのだが、全ては後の祭りだった。とにかく保証書無しではこの世界では万事無理なのだ。そんなことはプロならイロハの常識の筈だ。私は自己嫌悪を感じた。

次にナンバー三十四の熊田氏の分がセリにかけられた。彼も保証書なしがたたったのか会場の反応はゼロだった。彼を見ると、私と同様の結果を覚悟していたのか、平然とした表情だった。私は初めて熊田のナポレオンの軍帽を見たことになるがそれは私の分と寸分違わぬものであった。何しろ、時代がかった様相までも酷似しているではないか！　会場の参加者の中には冷笑しているものも見受けられた。こんな呟きも聞こえた。

「あの二人は証明書も無しで、よくも図々しく出品したものだね」

「これではS社の企画も権威が傷つくだけだね」

ともかく、私達は次の出品番号三十五番のセリに注目した。この出品物にも保証書はないが何かそれに代わるものをそろえているらしく、何だが不気味な存在だった。やがて私達はとんでもない経験をする羽目となる。出品者はブラジルの日系夫人らしい。もう八十台に達していると思われた。同じ日系人らしい若い女性が押す車椅子で会場の入口で待機している。若い女性は多分孫娘なのだろう。

突然、司会者の声が会場に轟いた。一段と張り上って聞こえた。

「皆様。本日のオークションは面白いですね。次のナンバーでは前の二点と同じです。三十五番もナポレオンの帽子ですよ。これも保証書が無い点では前の二点と同じです。ただし、これには紹介状が付いています。では始めましょうか。どなたかいらっしゃいませんか？」

「三千ドル！」

「五千ドル！」

「一万ドル！」

「五万ドル！」

三十五番の出品物はあれよあれよという間にせりあがって行く。私達は仰天した。私達は三十五番の実物とスクリーンの映像を何度も凝視し、見比べてみた。私達の品と寸分の違いもなさそうだ。保守書がない点も同じだ。ただ、この三十五番の帽子はいやに古ぼけている。まるで長期間、海水に浸して、それが乾燥したような印象を与える。この辺はプロの私達にはよく分かるのだ。そんな疑念が自然と湧いてくる。

ただ、ロゼッタ・コバヤシ夫人の品には紹介状が添付されている。見ると、司会者の直ぐ隣りの小机上に帽子が鎮座し、その前にその紹介状が和英両語で書いてある。

訝しく思った私達はその小机に接近して、紹介状の文面の一語一語を熟読してみた。

「この帽子は不思議な運命を辿ったものです。ナポレオンが武運拙く敗北し、南大西洋の孤島セントヘレナ島に幽閉されていた時、何らかの手違いで、ある日、この帽子が紛失してしまい行方不明となったそうです。

ところが、暫くして、この帽子が南米の東北ブラジルのフェルナンド・ジ・ノローニャ島を経由して、対岸のリオ・グランジ・ド・ノルテ州ナタール市海岸に流れ着き、これを漁師が拾い上げて、土地の骨董商に売り渡したことから、この帽子の不思議な旅が始まり、現在、皆さまの眼前でご披露されている次第です。

この紛失事件についてはナポレオンとともに、セントヘレナ島に幽閉されていた某貴族の存在があります。この貴族は何かの理由でナポレオンより早く釈放されて、帰国し、その後パリで生涯を終えました。ただし、この貴族は実はナポレオン付家政婦と共謀して、ヒ素を飲ませ続け、ナポレオンを暗殺させたとの疑惑のある人物でした。死後、彼の邸宅の屋根裏から発見されたという日記によれば、ある日、ナポレオンが崖近くの小道を散歩中にフト立ち止り、大西洋の海原を睨んでいると、偶々、一陣の強風のため、帽子が吹き飛ばされて、崖下の波浪の中に落下したことがあった、ということが記されていたそうです。それがセントヘレナ島の北西の位置にあるブラジル領フェルナンド・ジ・ノローニャ島まで流されて漂着したのでしょうか。

なお、ロゼッタ夫人は日系ブラジル人で、サンパウロでのコーヒー栽培に成功し、夫の死後は豊富な遺産で、東北ブラジルのナタール市ポンタ・ネグラ海岸付近の別荘地を買い、余生を過ごしていました。骨董品取集が彼女の趣味で、ナポレオンのポルトガル占領で国を追われたポルトガル国王一家が暫くの間、当時植民地だったブラジルに亡命した時代に遺した宮廷用の品々の蒐集家として有名です。

しかし、三十年前に、ブラジルが軍政下に置かれ、年率五千パーセントものスーパー・ハイ・インフレーションに直面し、彼女はついにブラジルに見切りをつけて、全財産を整理の上、帰国し、現在は広島市郊外に住んでいます。

以上は本件骨董品取り扱いの委任代理を受けたアントニオ・ボルゲーゼ氏の調査結果です」

読み終わった直後、私達は思わず叫んだ。

「ボルゲーゼだと?」

「まさか！　あのボルゲーゼだろうか?」

「きっと、そうだろう。それにしても、この解説は不思議な内容だな！」

その間、私達の驚愕と混迷を無視して、三十五番のセリは続いていた。

「十万ドル！」

「二十万ドル！」

「三十万ドル！」

「五十万ドル！」

「七十五万ドル！」

私達はきっとあのボルゲーゼが会場に潜んでいるような気がした。周囲を見回してみた。が、何故だか彼の姿は見当たらない。また、さっきまで車椅子に座って会場の入口付近にいたロゼッタ・コバヤシ夫人の姿も消えていた。

「八十万ドル！」

この時点で、熱気に溢れた会場もさすがに一瞬静まり返った。すると冷静な筈の司会者が絶叫した。彼が興奮している様子がありありと見えた。

「皆様。この三十五番の物件は実に人気がありますね！　さて、そろそろ潮時だと思いますが如何でしょうか?」

「九十万ドル！」

「百万ドル！」

「百一万ドル！」

「百十一万ドル！」

「さあ！　ついに百十一万ドルが出ました！　どうやらこれが終値でしょうか?　さあ、これ以上の挑戦はないのでしょうね?　ではこれで決まりといたしましょう。百十一万ドルが終値です。最終競り値を射止めた方、確か登録番号八十八番でしたね。それに出品の委任代理の方、ご両名様、壇上までお越しください。事務局との手続きをしますので」

今や会場は騒然となった。しかし、私達は唖然となった。それにしても不思議な話である。ほぼ同じ品物が「ゼロ」と「百十一」の違いとなって現れたのだ。骨董商独特の微妙な心理の反映なのか？　まるで手品みたいではないか！

「きっと、あれは高等詐欺の手口だと思うよ」

しかし私はそこまで踏み込めなかった。確かに腑に落ちないものがあったけれど。

「あの紹介状も調査内容もまんざら嘘ではなさそうだけど……」

「これでは会場の聴衆が集団錯覚を起こしただけの話とされてしまいかねないね」

その時、壇上にあのボルゲーゼが上った。以前と容貌は変わらないが黒ひげが随分と多くなっている。私達は彼を背後から睨んだ。彼は視線を感じたのかひょいと振り返った。私達の存在を認めると、昔のように手を挙げて呟いた。

「やあ！」

私達は彼が委任代理の手続きを終えて、壇上から降りてくるのを待った。壇上では例の司会者がすでに次の品物のオークションを始めていた。ところが、彼がなかなか姿を現さない。不思議に思って、事務局の係員に聞いてみると意外な返事が返ってきた。

「あの髭面のイタリア人ならとっくに裏口から帰って行きましたよ」

「エッ！　私達に伝言か何かメッセージはありませんでしたか？」

「いいえ。何にも」

私達は絶句した。しかし、よく考えて見るとボルゲーゼが詐欺を働いたという証拠は何もないのだ。彼を警察に突き出す理由は何もない。要するに偽物を掴んだ私達が愚かだっただけの話だ。

四

オークションの夜、私は熊田の誘いに応じて、横浜の居酒屋で痛飲した。やはり悔しかったのだ。お互いに二千ドルずつの損害だったのだから、横浜と神戸の、自分達の骨董店の店頭に飾っておけばよい。そのうち、必ずどこかの気紛れやかおっちょこちょいが買い取ってくれるだろう。そう期待することにした。ただ、飾り窓のこの商品には次のとおりの説明をつけることにした。

「この品はかの英雄ナポレオン・ボナパルトがアルプス越えの快挙を成し遂げた折に着用したと思われる有名な軍帽です。流刑地セントヘレナ島で失い巡り巡って収集家の許に辿りついたとの伝聞がありますが、証拠はありません。店主」

多分、横浜の熊田君も同様な姿勢で売り出していることであろう。

そんな折、週刊誌にアッと思わせるような記事が掲載された。要旨は次のとおりだ。

「このほど、ヨーロッパを根城とする有名な骨董品詐欺グループがローマで逮捕された。一味の首領格はイタリア、アントニオ・ボルゲーゼ、四十八歳である。この一味はイタリア、フランスや地中海を中心に骨董品の模造、変造、偽造を専門として活躍し、外国人観光客、特に米国人や日本人をターゲットとして悪事を働いてきた。最近、日系ブラジル人女性ロゼッタ・コバヤシ夫人、八十歳、を甘言をもって彼女が所蔵するナポレオンの軍帽を東京でのセリに出品させた。このセリではボルゲーゼの用意周到な根回しが成功し、軍帽は何と百十一万ドルで落札した。ところがボルゲーゼは落札金額のうち、一万ドルだけをロゼッタ夫人に渡し、残金はそっくりねこばばし、姿をくらました。これは代理契約違反だとして、老婦人の孫娘ハナが治安当局に告訴し、「ＩＮＴＥＲＰＯＬ（国際刑事警察機構）」を経由して今回の逮捕に至ったものである」

私達はこの記事を読み何だかボルゲーゼに鼻を明かしてやったような気分がして嬉しかった。私達は心の中で、ロゼッタ夫人と孫娘ハナに対して感謝の言葉を述べた。

なお、後刻、私は大西洋の地図を広げてみて、英領セントヘレナ島とブラジル領フェルナンド・ジ・ノローニャ島の間の距離を測ってみた。それによると約千キロメールである。さらにこの島からブラジル本土の海岸までの最短距離を測ってみた。こちらは三百四十五キロメールという数字がでた。合計千三百四十五キロメートルもある。これでは東京・沖縄間に近い。私はその数字を見て、思わず呟いた。急におかしくもなった。

（あのフェルト製を思わせるナポレオンの軍帽が果たして、まるで椰子の実か、桃の実かのようにドンブラコ、ドンブラコと海水を吸いながら、東京沖縄間もの長い旅路を流れ流れて辿りつけるものであろうか？）

その後、私の店も、熊田の店も、あのナポレオンの軍帽は売れていない。今では幼稚園児の孫がチャンバラの決闘で時々使ってくれている。

（了）

それぞれの旅立ち

浅川泰一

一

その朝出掛けに「今度いつ帰るの?」と寝巻きのまま起きてきた妻の洋子が聞いた。だんだん横着になってきて、この頃は朝食の支度もしないことが多くなり、浩二はしばしば自分でパンを焼きコーヒーを淹れて簡単にすませていた。

「日曜の夜に帰る予定だ。泊りはいつもと同じ、横浜ポートホテル」

「週末はいつもむこうね、女でもできたんじゃないかってお父さんが言ってたわよ」

「自分と一緒にしないでほしいと言っといてくれ。土曜日に大学時代のOBコーラスがあるし、日曜日は取引先とゴルフがあるんだ」と言って浩二は迎えの車に乗り込んだ。

会長をしている妻の父は若い時からその方は盛んで、今も神戸の三宮でバーをやらせている、港祭りの準ミスだった女性がいる。


朝七時台に新神戸駅をでる新幹線の〝のぞみ〟は二本あり、いずれもビジネスマンでいっぱいだった。

大手の冷凍冷蔵庫会社西日本冷蔵の社長をしている深山浩二は、毎週前半は神戸の本社におり、そのあと週末にかけて、横浜の事業所にいることが多かった。


東京駅に着くと日本橋の支社に寄って支社長の報告を聞いたあと、取引先のマルハに顔を出して輸入部長に会って最近入れてもらった冷凍鮭の礼を言い、すぐ横浜の倉庫にむかった。

浩二が出先の横浜倉庫に着くと総務課の女子社員が「先程会長からお電話がありまして、電話をするようにとのことでした」と伝えた。

早速浩二が神戸本社の会長に電話をいれた。

「浩二です。お電話を頂いたようで」

「このごろそっちへ行くことが多いんだな。ところで来週の神戸市長を囲む港湾関係者の懇談会には社長出てくれるか?」

「それはよろしいですが、会長は出られないんですか?」

「来週市民病院で前立腺の検査を受けることになったんだ。ちょっと膝や腰の関節も痛いし」

「わかりました。出席させてもらいます」

電話が終わるのを待って常務で神戸事業所長の木村宏が
「ご苦労様です。今朝こちらに出てきました。先週から西で新しい荷物が入ることになったんで、今よければ報告したいんですが…」と言って入ってきた。

以前には、「御報告させていただいてよろしいでしょうか？…」と言っていたが、このごろは大分物言いがぞんざいになってきた。宏は洋子の妹の喜美子の夫で、主として西日本を担当しているがなかなか商売上手で、こと、まえだれ商売については浩二よりもうわてだった。これも食品のインポーターに勤めていたのを会長が西日本冷蔵倉庫に引っ張ってきて、その時洋子の妹の喜美子と結婚させて木村姓を名乗らせていた。

浩二は週末の金曜日まで東京で、品川の地元倉庫と争って、荷物の取り合いをしている大手乳業メーカーの輸入アイスクリームについての営業活動を精力的に行ったあと、第三土曜日の午後は月一回学生時代に同じコーラスグループで歌っていたOBコーラスの練習に出た。

浩二が学生生活をおくった昭和三十年頃から四十年代の半ばくらいにかけて、大学や若い社会人を中心に歌声運動という活動が盛んにおこなわれていたが、その頃のコーラスサークルのOB仲間が集まって数年前から混声のコーラスグループが結成され、毎月第三土曜日の午後に新宿の〝どん底〟を借りて練習をしていた。

約三時間の練習がすんだあと、一同うちそろって近所のイタリア料理店にくりだし、ビールやワインを飲みながら談笑するのが恒例になっていた。

梅村由紀子とはおととしのグループの新年会の席で初めて話を交わすようになり、その知的な容姿に惹かれるものがあった。浩二は立食パーティだったのでテーブルを回っているうちに、彼女がワインのグラスを持って一人でぽつんとしているのに気がついた。早速ワインボトルを持ち、勇気を出して横に行ってワインを注ぎながら話しかけた。

「この会には時々出てるんですか？」

「仕事の都合もあってめったに出られないんです。今度は東京に用事があったんで久しぶりに出席出来ましたわ」

「ああ、まだ現役で仕事してるんですね。どんなお仕事しているんですか？」

彼女が差し出した名刺には〔豊橋医科大学地域看護学科教授〕の肩書があった。

「ああ、豊橋市で大学の先生しておられるんですか、私も東海道新幹線で豊橋市は毎週通っていますよ」と言いながら浩二も自分の名刺を渡した。

現役の大学の先生か……。日ごろ学生にかこまれているから、この若さを保てるのだなぁ、と納得し、会話はさらに弾んだ。

「普段はどちらにおられるんですか？」と彼女が訊いた。

「家は神戸ですが、横浜にも事業所があるんで毎週東西を行き来してます。あなたは豊橋市に家があるんですか？」

「主人と息子が川崎の留守宅にいます。私は豊橋市に単身赴任しているんです」

男の単身赴任はいくらでもいるが、女の単身赴任は珍しいなと思った。

散会の前にちらっと見ると、メンバーの立岩の他に何人かが梅村の周りを囲んで笑いながら歓談しているのが見えた。

二

翌週月曜日に浩二が神戸の本社で、外出から帰社してたまっていた書類を整理している時に、秘書から「江藤さんとおっしゃる方からお電話ですが」という内線がまわってきた。

江藤？…咄嗟に誰だか思い出せない。

「どういう用件か聞いてみてくれ」

「お友達だとおっしゃっていますが…」

友達？…これも心当たりないが、とにかく友達と言ってるというのでつないでもらった。

「やあ、深山君？…江藤です。大和生命の江藤だ…」

「なんだ、君か…突然なので名前聞いても誰だか思い出せなかったよ」

江藤は浩二が三十数年前大学に入った時、駒場の同じクラスで机を並べた旧い友人だった。

殆ど二十年ぶりくらいに電話をもらって、懐かしいというよりは一体何事だろうかといぶかしい気持ちだったが、とにかく「こちらに出張で来てるの？…よかったら今晩飯でも食おうか？」と誘ってみた。地方都市にいると、時々東京からの出張者から電話の入ることがあり、よく食事を一緒にする。

「いや…そうじゃないんだけど、ちょっと頼みがあって東京から電話したんだ」

「頼み？」

「うん。電話ではちょっと言いづらいんだけど、君はちょくちょく東京に来るんだろう？　もしよければ東京で時間もらえないだろうか？」

「うん。いいよ。おれは大体毎週、週の前半は横浜に行っているから…そうだな、よければ来週の水曜日の夜、東京で会おうか」

電話では話しにくいか？　一瞬あんまり良い話ではなさそうだなという気がよぎった。

次の週、神戸発のいつもの時間の〝のぞみ〟で上京した。

その夜、新橋の小料理屋を予約し、江藤と新橋駅で待ち合わせした。すこし早く着いたのでぼんやりと周りの人を見ていると、横から「やあ…」と声がかかって、江藤が軽く手を上げながら近づいてきた。二十数年ぶりに会う江藤は、日本の生保会社のトップと言われる大和生命の部長にしてはややくたびれた感じで、なにより顔がめっきりふけていた。

「いらっしゃいませ。お待ちしておりました」

女将の元気な声がかかり、奥の小部屋に通され、二人のコップにビールを注いだところで、再会を祝して乾杯をした。

「どう、仕事の方は変わりないの？」

「うん。まあまあだ。ところで君はしょっちゅう東京に出てくるの？」

「うん。トップセールスということになると、神戸では限界があるので、殆ど毎週出てきて、客筋を廻る事が多い」

「それはたいへんだなあ」

「君の方はどうなの？　生保は業態が違うのでよくわからないけど」

「うん。あまり変化なしだ。君は週の初めに上京すると一週間くらい居るの？」

「いや、後半は神戸に帰ることが多い。今回は業界の会合もあるし、週末の土曜日に大学のＯＢのコーラスがあるから週末までこちらで仕事している」

「ふーん。コーラスは毎月やってるの？」

「毎月一回第三土曜日の午後やっている。ところで君の方はどうなの？　地方の支店に変わること、例えば大阪支店に変わってくるようなことは無いのか？」

「うん。まあね……」

江藤は自分の話を殆どせずに、こちらの事にばかり話題を向けるのは、最初受けた印象どうりで、何か会社の仕事か一身上で具合の悪いことでもあるのかなと、遅ればせながら気づいた。それならあまり突っ込まない事だ。

「……ところで先週の電話では、何かおれに頼みがあると言う事だったが、どういうこと？」

いつまでも彼がその話を持ち出さないので、ついにしびれを切らしてこちらから持ち出した。

「うん…実は会社ですこし接待に金を使いすぎてしまったんだ。期末までに埋めなくてはならないし、三百万円ばかり貸してもらえないだろうか？」

そういう話か。あまり良い話ではなさそうだという予感はあったが、それにしても思いがけない話にとまどった。たしか三、四年前の日経新聞の人事欄に、彼が本社の監理部長とかいう要職についたという記事が出ていたのを覚えていた。

生保業界のトップクラスの大和生命の本社の部長が、三百万円程度の金を二十年以上も交渉のない学生時代の友人に借りたいということ自体、普通ではない。しかも彼くらいのポストになれば年間何百万円かの交際費の枠も当然もっているはずで、接待に自分の金を使うことなどまずありえない。何か金の必要な別の理由があるはずだ。いずれにせよ、まともな話ではないだろう。頭の中で警報機が点滅した。

「突然何十年かぶりに会って、いきなり三百万円貸せといわれてもそんな金すぐには用意出来ないよ。だいいち君とは最近は年賀状かわすだけの付き合いだろう。率直に言って君が今どういう状況にあるのかもわからない」

「突然こんな話し出して、申し訳ない。おれも身動きが取れなくなって、旧い友人の君にまでこんな話を持ち出す事になってしまったんだ」

そこへ女将が入ってきたので話は中断した。

「深山さん、今度は何時まで東京にいらっしゃるんですか？」

「今週末の土曜日に新宿でＯＢコーラスがあるんで、週末まで居て日曜の朝帰るつもりだ」

こんな会話をして女将は席をはずした。

「東京でも楽しみがあっていいね」

「商売が大変だからすこしは息抜きもないとね。ところで、途中で中断してしまったが、さっきの話、一度考えさせてくれ。また返事する」と言って話を打ち切った。

翌日浩二は大和生命の人事部に電話して、クラスからもう一人大和にいっている吉田の所属を聞きだし、電話をいれてみた。

吉田に江藤から借金の依頼のあった話をすると、吉田は第一声で「君のところにも言っていたのか！」と驚いたような声をあげた。

案の定、吉田の話では、江藤は数年前からどう魔がさしたのか競馬にのめりこみ、会社の内部でも上司、同僚、部下から金を借りまくり、吉田自身も同期生として多額の金を貸した被害者の一人だということだった。会社の関係者で相手をする人間がいなくなったので、融資先とか会社の保有するビルのテナントとか、はては学生時代のゼミの友人達にまで声をかけていたらしい。

「ちょっと信じられない話だなあ……よくギャンブルで身を持ち崩して犯罪に走る人間の話は新聞で読むことがあるけど、彼なんか大和生命で順調に出世街道を走っていたんだろう？

会社の金にも手をつけたの？」

「いや、それはしていないと思うが、人事部も体面を考えてか何も言わないんでよくわからない。大和の席のまま二年くらい前から生命保険協会に出向していたが、半年位前だったかな、社報に自己都合退職の記事が出ていて俺も彼の退職を知ったんだ」

また何か彼に関する情報があれば教えてほしいと頼んで、吉田への電話を切った。

その直後、秘書が、会長が帰っておられます、と知らせてきたので浩二はすぐ会長室に行った。

会長はがっしりした体格で浅黒い顔の造りも大きい上に目つきが鋭く、会うものに大変な威圧感を与える。浩二にとっては義父でもあり、決して頼み込んでこの会社に拾ってもらったわけでもないので、別にそれほど恐れることもないはずだが、その威圧感にはやはり圧倒される思いがした。

浩二がこの会社に入ったのは、当時西日本冷蔵倉庫の社長だった現木村良隆会長から勧誘されたからだった。木村会長としては、西日本を自分一代で関西で一、二の冷蔵倉庫会社に育てあげたものの、気がつくと従業員の中にこれという経歴、学歴のある社員はほとんどいなかった。会社を関西のローカル企業から全国規模の会社に育て上げ、またそれに伴って起こる業界活動などを考えると、この際これまでの経歴からいって中央でも通用するこの娘婿を入社させて自分の後継者にしたいと考えた。

浩二は大学を卒業した後三英銀行に入ったが、神戸支店勤務の時に西日本冷蔵の木村社長に認められてその娘と結婚し、西日本冷蔵に移り、取締役、専務として七年間修業したあと社長に就任していた。

「おかえりなさい。検査はどんな具合でした?」

「うん、前立腺肥大のおそれがあるということで、しばらく検査を続けることになった。それとこの頃膝の関節が痛くなり出して、こっちも検査してもらっとるが結果出るまでもう少し時間がかかる。ところで、関東の方はどんな具合だ?」

「マルハは会長のご尽力もあって、今のところ荷物の鮭も順調に入れてもらっているんで、今回顔をだして部長に礼をいってきました。あと大きな荷物として大手商社の花紅や三井商事の鯖とかマグロがありますが、倉庫各社皆これを狙っていて厳しいです」

「厳しいことは言われんでもわかっとる。とにかくどうしてでも取れ。宏から聞いたと思うが長い間懸案だった西宮のタイトー食品から輸入肉をいれてもらうことになった。あいつも熱心に日参していたのがなんとか実をむすんだ後、荷物が落ち込む一方だったのに歯止めがかかった感じだ」

最後にじわっと圧力がかかった。義弟の木村宏などまだ若いし経歴も格下で問題にもならないと思っていたが、だんだんと自分を脅かす存在になってきた。

三

翌週上京すると浩二は面会のアポイントを取っていた花紅の草野取締役を訪ねた。大学の教養学部時代に同じクラスで、大学時代はそれほど深い付き合いでもなかったが、読書会を一緒にやったり、奥多摩の日帰り登山に一緒にいったりといった程度の付き合いがあった。

「やあ、このまえから色々お世話になって、有難うございます。ところで例の鯖の件どんな具合かしら?」

「うん、食品担当の三田本部長が会社の同期なんで、そいつに話ししてるんだが、他からもいろいろ来てるようで、中々むつかしいようだぜ」

「だめだということ?」

「いや、まだ決まってはいないようだから、せいぜい君の方も三田のところへ熱心にかよったらどうだ」

「もちろん、言われるまでもなくそうするが、引き続き君のほうからもよろしく頼むよ」

「君なんか社長だろう？　君自身がそこまで営業活動をせないかんのかいな…」

「小さな得意先のお守は社員に任せておけばいいが、中央の商売は社員まかせでは無理なんで俺がやらなきゃならんのだ。親父からも圧力かけられてるしね…」

「親父って奥さんの父親だろう？　どんな立場でもそれなりに苦労はあるということか…まあ頑張れよ」

それ以上言わなかったが、草野もなんとなく浩二の立場は理解したようだった。

その後浩二は三井商事にまわった。こちらは輸入マグロの大手でこちらに対しても、南極水産初め倉庫各社は目の色をかえて攻勢をかけている。関東の赤身、関西の白身という言葉があるが、マグロはなんと言っても圧倒的に関東で好まれ、西日本冷蔵が全国レベルの企業に変身するには、なんとしても関東にマグロの拠点を作らねばならない。その為に西日本クラスの企業としては破格の五十億円という多額の銀行借金による設備投資をして横浜にマグロの冷蔵倉庫を作った。これに対する会長の思い入れも大きい上に、とにかくこれを荷物で埋めなければ、企業の存続にも影響してくる。そしてこの倉庫の建設については、浩二の進言がきっかけになっているだけに、浩二としても大きな責任があった。

ただマグロは日本の輸入魚の中でも桁はずれて金額が大きく、かつマグロ用の超低温の倉庫を保有できる会社は、ごく限られているのでそれだけに商品をめぐって少数の倉庫会社による競争は熾烈をきわめた。

三井商事の山田水産部長は同じ札幌の出身で、かつ大学の後輩ということもあって、浩二に対しては比較的好意的だった。

「お願いしている件どんなもんでしょうか？」

挨拶もそこそこに浩二がきりだした。

「丁度新しい台湾からの輸入ルートを開こうとしているところなんで、私としてはなんとかこのぶんをお宅に回したいと思って内部調整を進めていますが、ほかからの攻め込みもあって簡単には行きません。よほど大きなミスでもない限り、これを切りかえるわけにはゆきませんね。新ルートのものに対しても、これまでうちに入っているところは、既得権益みたいに考えていますよ」

「そうでしょうね。まあうちとしてはなんとか山田部長におすがりするしかありませんので、どうかよろしくお願いします」

とにかく当面のキーマンである山田がこちらに好意的なのは有難いが、単に同郷人だとか大学の先輩後輩関係だけで決るほど事柄は簡単ではない。何かほかにもよい攻め手を探さねばならないなと思いながら浩二は三井を辞した。

東京での仕事を早めに切り上げて金曜の夜九時頃神戸の自宅に帰ると、娘の恵子が一人でテレビを見ていた。恵子は神戸の短大を出て市内の銀行に勤めている。

「ママはどうしたんだ？」

「お兄ちゃんと一緒におじいちゃんのところへ行っているの」

「良雄が帰ってきているのか？」

「うん、おじいちゃんが話があるって言ったので帰ってきたらしいわ」

そこへ母子が帰ってきた。良雄は東京の大学を出たあと大手の商社に就職して、その東京の本部で食品の輸入の業務についていた。

良雄は一族に初めて出来た男の子ということで、祖父の木村会長は溺愛し、ゆくゆくは浩二の後継者として思い描いていることは明らかだった。

「ところで俺の飯は？」テーブルの上のすき焼きの残りを見ながら浩二が言った。

「あら、あんた済ませてきたんじゃあないの？」

「東京出張に出掛ける時に、夜は家で食べると言っといただろう」

「あら、そうだったかしら、いつもあんた外ですませてくることが多いから、今日もそうだと思って…」

「この残りの中に肉がいく切れか残っているから、これ暖めなおしてご飯にのせて牛丼にしたら？」と娘の恵子が言った。

「そんなガキの食うようなもの食えるか！」

母親も母親なら娘も娘だ。

「そこにうどんを入れて暖めてくれ」と妻に言って、浩二は自分でウイスキーの水割りをつくり、むっつりと黙ってそれを飲みながら残り物のすき焼きに入ったうどんを食べた。

四

新年会で名刺を交換した梅村由紀子から「十一月の合宿に参加したいけど、私のところにスケジュールが送られてきていないので教えてください。新年会の席であなたが最初に声をかけてくれたんで、嬉しかった」というメールが入り、浩二も「あなたと知り合いになれてよかった」と返信し、スケジュールは郵送することを約した。そして、「私は参加するかどうか決めていなかったが、あなたが参加されるようなので是非自分も参加したい。あなたに会いたくてあの新年会のあとの月例会に出来るだけ無理しても出席するようにしているが、あなたも忙しいせいかあまり出てこられないので、がっかりすることが多い。是非合宿でゆっくり話したい」という文面の手紙を書きスケジュール表と一緒に彼女の学校宛に送った。

なんとか日程のやりくりは出来るだろう。

その年の合宿は文部省ＯＢの藤田の世話で、埼玉県の武蔵嵐山にある国立婦人教育会館でおこなわれた。池袋から東武東上線で北西の秩父の方にむかって急行電車で一時間以上かかる。施設は、甲子園球場が三つも四つも入るのではないかと思われる広大な敷地の中に、研修棟、宿泊棟、食堂などの建物群があった。

練習のあとは例によって夕食を兼ねた立食パーティになったが、この日は色々なメンバーにつかまって話しがはずみ、なかなか彼女のところへいけなかった。

やっと抜け出して壁際に座っていた彼女の横の椅子にたどりついたのは、パーティが殆ど終わりかけた頃だった。反対側に立岩が座って二人で何か熱心に話していた。間もなくパーティがお開きになり立ちあがったときに、彼女が小さな声で「裏の林をちょっと歩きませんか……」と言った。

メンバーが三々五々自室に向かう中、そっと二人で抜け出してテラスから建物の裏に出た。建物に続いて広い芝生になっている。その向こう側に樟や楓や桜などの木々が茂った林が、黒々と横たわっていた。空を見上げると、既に夕映えは色あせていて、菫色の空の奥に、星が涼しげな澄んだ光で輝きだしていた。

「星がきれいね」ぽつりと由紀子が言った。

「いつ以来かな？　こんなきれいな星空を見るのは」

やがて林に入って、まったく人気のない小径を、二人でゆっくりと歩いていった。建物の光が木の間を通してちらちらと見える。

突然、由紀子が浩二の腕を組んできた。浩二は一瞬ためらったが、そのまますこし歩いて立ち止まった時、二人はどちらからともなく向き合って抱き合った。いったん体をほどいて、手をつないだままさらに林の奥深く入ると、もう一度立ち止まって、またひしと抱き合った。全く無言だった。

浩二が彼女の唇を求めると、由紀子は顔を横に向けて避けようとした。浩二はかまわず強引に唇を近づけると、やがて由紀子は応じた。

しばらく時が流れたが、やがてまた無言のまま体をはなすと二人は別々に宿泊棟に戻った。

年が明けてもマグロの商戦は膠着状態が続いていたが、必ずしも悪い方向には向かっていない。一方横浜に建設中の倉庫は順調にすすんで予定どおり秋には完成の見込みだった。

四月のコーラスの例会には由紀子も出席していて、合宿以来始めて顔をあわせた。三時の休憩のときに、終わったら地下鉄の幡ケ谷駅のホームの一番後ろで会いましょう、と短く約束した。

ホームには由紀子がすでに来て待っていた。

新宿で地下鉄を降り小田急デパートのレストラン街の中にあるとんかつ屋で夕食をした。食事の終わり頃「今日は川崎のお宅に帰るんでしょう？」と浩二が聞くと「ええ、明日は日曜日ですから」と由紀子は短く答えた。

「どこか二人だけでゆっくり話の出来る所へ行きたいんだけど、今日は何時頃までに帰ればいいのかしら？」

「遅くなるかもしれない、と言ってきていますから、十二時位までに帰れればいいわ」

「それじゃあまだゆっくりどこかで話出来るね。私も横浜のホテルだし、とにかく品川の方に向かいましょう」と浩二が言って、二人は山手線に乗った。

品川の手前の五反田で「ちょっとここで降りましょうか？」と浩二が言うと由紀子は黙ってついてきた。五反田はかつて銀行時代にここにある社宅にいたことがあるので土地勘があった。やっと車が通れるくらいの道に入ると、浩二は小さなネオンのついている一軒のホテルの前で立ち止まり「ここへ入りましょうか……」と後ろからついてきた由紀子に言った。一瞬躊躇したがやがて由紀子は小さくうなずいた。

部屋に入ってから二時間ほどたったろうか。ベッドの上でけだるさが二人の全身をおおっていた。

「五反田駅で下りたときは、どこへ行くのかしらと思ったわ。こんなとこ前から知っていたんですか？　なんだか恥ずかしくて……」由紀子が上目遣いににらんで笑みを含みながら聞いた。

「ごめん、あなたのような女性を連れてくるところではないんだけど、バーや喫茶店では、ゆっくりと話も出来ないし…正直に言って入り口で、馬鹿にしないで！　と言って横面張られて立ち去られても仕方ないと思っていた」

浩二が弁解するように言った。

身繕いしたあと二人はもう一度しっかりと唇を合わせてから部屋を出た。ホテルの外に出てみると、夕方からぱらぱら降りかけていた雨がすっかり本降りになっていた。駅まではほんの五分もかからないが、傘もないし困ったなと思った時、目の前に品川ナンバーのタクシーがゆっくりと通りかかったので手を上げて止め乗り込んだ。

「中原街道を通って川崎の方へ行ってくれ」と浩二が短く運転手に指示すると「川崎まで行ったらタクシー代たいへんよ、どこか最寄りの駅にしたら？」とすぐ由紀子が言った。

「いや、雨がひどいから歩いたらずぶぬれになってしまう。気にしなくていいんですよ。五反田は中原街道が通っているから川崎や横浜方面に向かうのには一番近くて便利なんだ」と浩二が言った。

初め運転手のことを気にして話していたが、いつしかその存在を忘れて、やがてその日歌った曲のことからメンバーのことなどに話題が移っていった。

窓から外を見ると雨がますます激しくなり、車は徐行してやっと多摩川にさしかかったところだった。

「神戸のお宅には奥さんと子供さんもいらっしゃるの？」由紀子が話題をかえてきた。

「息子は社会人で家を出たんで、妻と娘がいるんです。なんせこのごろは下宿人みたいなもので、あんまり大切にされていない。たまに早く家に帰っても妻はしょっちゅう実家にいっていて不在のことが多い」

「奥さんのお父さんが会長だとおっしゃったかしら？」

「そうなんです。僕なんか社長だけど僅か三パーセントしか株をもっていない。典型的な同族企業ですね」

「なんだか会長一族との人間関係がむつかしそうで、あなたの立場は大変ね」

すこし動きかけていた車がまた停滞しだした。雨足は相変らず衰えない。

「さっき清水と話したと言ってましたね、彼今なにをしているんだろう」

由紀子がバッグから合唱団のその日もらった名簿を引っ張り出した。

「この名簿見ると清水さんの勤務先の電話番号欄はブランクになっている。お勤めを引退したのか、もしかすると自由業かもしれないわね」

「ところであなたのご主人はまだお仕事してるの？」

「交換教授で中国へ行ってたんだけど、今は完全に引退して家にいるんです」

川崎に入って由紀子が道を指示し、自宅が近づいたころ「来月の第三土曜日は出席できそう？」と浩二が聞いた。

由紀子は手帳を出して「来月は十八日ね。川崎の家に用事があるんで週末にはこちらに帰ります。ただコーラスに間に合うかどうか…」

「もしコーラスに出れなければ、夕方でもいいからどこかで会わない？」

「そうね、その日のうちに家に帰ればよいから夕方でも会いましょうか」

「僕もあちこち行ったりして連絡がとりづらいかもしれないから、一応決めておきましょう。六時に幡ヶ谷駅のホームでどうですか？」

由紀子はしばらく考えていたが「いいわ。都合わるくなれば会社にメールをいれます」と言った。

やがて住宅街に一角にある由紀子の自宅に着く頃には、雨はかなり小降りになっていた。

「お世話になりました。送っていただいて本当に助かったわ。来月またお会いしましょう」と言って、由紀子は門扉をあけ小さく手を振って中に入っていった。

五

翌月十八日のコーラスの例会に由紀子はなんとか都合をつ

けて豊橋から出てきた。練習の終了後二人はまた幡ケ谷駅のホームで落ち合い、ふたたび五反田駅前のホテルに入った。

「いつも我々二人が二次会に行かずに抜け出して会っていること、誰かに気付かれていないかしら?」部屋に入るやいなや待ちきれずに強く抱き合って唇を合わせたあと、椅子に座りながら由紀子が言った。

「さあ、あなたに興味関心を持っている男のメンバーは多いし、またそういう男に関心をもっている女もいるから、案外誰かに気付かれたかもしれないけど、でも若い独身の時と違って、メンバー内の男女関係に対する我々の感覚も、随分鈍化してるんじゃあないかな」

「そうだといいけど、立岩さんや清水さんが、じっとこちらを覗っているような気がして……」

「気のせいじゃあないの、仮に誰かが気がついたとしても、別に仲間にとやかくいわれる筋もないし……」。

「それはそうだけど……」歯切れ悪く由紀子が言った。

そして躊躇いを打ち消すように求めあった。

ホテルを出て駅までの間、浩二が何度か後ろを振り向いたり、横に目をやったりするので「どうしたの?…」と由紀子が聞いた。

「どうも気のせいかもしれないけど…誰かに見張られているような気がして…新宿の駅で思ったんだけど」

「まさか…気のせいじゃあないの」周りを見回しながら、由紀子が言った。

六月に入って間もなく、三井の山田部長から至急来てほしいという呼び出しの電話が入ったので浩二はすぐ上京して虎ノ門の三井商事に出向いた。

早速山田部長から「実はお申し越しのマグロの保管の件、当社としてはお宅と南極水産と二社に半々で保管をお願いすることに決まりました。深山さんが熱心に営業に来ておられたし、私としてもなんとかお宅だけにお願いしたかったしそれで上も大体OKしてたんですが……、最後の段階で南極の社長から当社の社長に話があって……、まあ私の力不足ということでご了解下さい」という話があった。

「そうですか、とにかく私どもの倉庫も採用いただけることについては、深く感謝します。山田部長のおかげです。しかし、私どもとしてはお宅の増量分のマグロを全部頂けるという前提で倉庫の容量と加工場のサイズも決めて建設しています。その点については山田部長も承知していただいていると思います。もしこの倉庫が半分しか埋まらないということになると、膨大な銀行借り入れ金の金利の返済がむつかしくなり、当社としては大変苦しい事態になります。なんとかその点をご考慮いただき再考願えませんか」

「私としては今深山さんの言われたことも十分上層部に話していますが、最後には南極とのトップどうしの話で決まってしまったので、私としては南極と半々の線までもってくるだけでも大変だったんです。西日本は三分の一くらいでどうかという話も途中で出ていました。うちと南極との付き合いは長くて、トップどうし関係も深いんです。とにかくお宅としても当社との取引がスタート出来ることになるんで、今回は一応これで矛先を納めて次のチャンスで取引の拡大を期待してくれませんか」

この後も浩二はねばってみたが、結局山田部長の言うせんで折り合わざるを得なかった。

神戸に戻って会長に報告すると「建設中の横浜の倉庫、今さら設計変更して小さくすることも出来ないし、どうするんだ。君がなんとかいけるやろうというので踏み切ったんじゃあないか」と浩二の責任を追及してきた。

「まあ、私の力がいたらなかったことは認めますが、こうなった以上他の営業面で荷物を増やすよう頑張ったり、金利や人件費その他の経費の圧縮につとめてなんとか乗りきらなくては仕方ないでしょう。とにかく懸案であった三井商事との取引の道がついたんだから、とりあえずそれで我慢して次の取引の拡大を期して頑張るしかないんではありませんか」と浩二が言うと会長は憮然としたまま黙り込んだ。

浩二の言う通り、なんど西日本がトライしてもこれまで歯が立たなかった三井商事の門をこじあけたのは浩二の働きがきっかけになっており、その点は会長としても認めざるを得ない。ただ三井のマグロが半分しか入らなくなった為に、会社の中期経営計画を根本から見直さざるを得なくなった。

次の朝出社すると浩二の机の上に、親展と書かれて浩二宛に郵送された白い封筒が一通置かれていた。ひっくり返して見ると、「黒井 滋」という全く心当たりのない差出人から来ている。なんとなく不安を感じて急いで封を切って手紙を取り出した時に、ぱらりと何枚かの写真が机の上に落ちた。

一枚を手にとって見ると、建物の入り口に入ろうとしている人物が二人写っている。なんだこれはと思ってその人物をよく見ると、五反田のラブホテルを出ようとしている浩二と由紀子であることがはっきりわかる。暗視ゴーグルを使って望遠で写しているのかやや不鮮明だが、知っているものが見れば浩二と由紀子であることは明確にわかる。

もう一枚はホテルの入り口のところが写されていて、なまめかしいホテルのネオンがはっきりと写っている。こちらには人物は写っていないが、もう一枚の写真とあわせて見れば、浩二と由紀子がこのホテルに出入りしたことがわかる。写真はホテルと道をへだてて少し離れた斜め前の、おそらくビルかマンションの階段の踊場のようなところから撮られたものだろう。

急いで手紙を開くと文面はパソコンで書かれてあった。

「あんた達は会社の社長や大学の教師という社会の指導的な

立場にありながら、このような所に出入りして不倫をはたらくとはもっての他だ。

深山さん、私はあんたが銀行にいた時代に、融資を断られて会社を解散せざるを得なくなり、当時の従業員もみな路頭にまようことになった。あんたが今ぬくぬくとこのような行為にふけっているのはどうしても許せない。

天に代わって制裁を加えるために、それぞれの配偶者にこの写真を送ろうかと思っているが、反省して今後このような行為を止めるならば考えなおしてもよい。そのかわり昔あんたがひどい目にあわせた人間に対する償いのあかしとして二人で二千万円を支払え。金の振り込み先については改めて指示するが、金を用意するのに時間がかかると思うので一ヶ月先にもう一度連絡する。連絡あればすぐ振り込むこと。引き伸ばしてこちらの身元をさぐろうなどとすれば、すぐ写真をそれぞれの家に送る。

振り込みを確認してから写真のネガをそちらに送る」

天に代わって不倫を糺すという正義の味方のような書き方をしているが、要するに金を脅し取ろうとする脅迫状だ。

一体誰がこのような手紙を出したのだ？　手紙によると浩二が銀行にいた当時行った貸し付けの査定の結果、融資を受けられなくて会社がつぶされた恨みを持つ者のように読める。たしかに銀行時代に貸し付け係りとして職務に忠実に査定を行った結果、貸し付けを断ったケースは沢山ある。それらの中にはその後会社がつぶれた者もいたかもしれない。ただもう随分昔の話だし、疑えばそのようなケースは自分で気がついていないものも含めて沢山あったかもしれない。だがそれから十年も経った今頃になって、そんなことで脅迫してくるのも、あまりに不自然だ。これは身元を隠して浩二たちをかく乱するためにやった事で、本当の犯人は別にいるのではなかろうか。

とりあえずすぐ携帯電話で由紀子の研究室に電話を入れ、「黒井」から来た手紙の内容と写真のことをかいつまんで話した。

「たいへんなことになりましたね……」と言ったまま驚いたのか、しばし絶句してしまった。

とにかく至急に会って善後策を話し合おうということになり、浩二があす上京する予定になっていたのを繰り上げ、豊橋駅で途中下車して会うことにした。

豊橋駅に近いところにあるこじんまりした料理屋に入り、浩二はすぐ二枚の写真を取り出して由紀子に見せた。

「服装から二度目に行った時に撮られたのね。それにしても一体誰がこんなことをするんでしょうね」

と由紀子が写真を手にとりながらつぶやいた。

「まったく見当もつかないんだよ。昔銀行にいた時の私に恨みを持っていて、また我々の現在の関係を知っていてこんなこと出来る奴は誰か？…」

「銀行時代に恨みを買ったなんていうことあるんですか？」

「ずっと考えていたんだが、貸し付け係りとして厳密に査定した結果、融資できなかったことは、いくらでもある。その結果恨まれたこともあったかもしれないが、こんな脅迫をうけるような覚えはない」

由紀子は写真を見ながら何か思いめぐらしていたが「これは私たちを混乱させるためにあなたの銀行時代に関心を向けさせているけど、全然別の方向に犯人がいるということないかしら？」と言った。

「実はわたしもそのことを考えていたんだよ。銀行時代といえばもう十年以上前のことだし、その頃の恨みを持つ者が、たまたま偶然に私が社長をしていることと、あなたと深い関係にあるという事実をつかんで、これはよいネタがあると思って脅迫してきたということもあるかもしれないが…でもやはり今頃になって不自然な気もする…」

「あなたが社長で私が医大の先生をしており、それぞれ配偶者もいること、そして最近親しくお付き合いをしていることを知っている誰かでしょうね……」

「我々のことを一番よく知っている、もしくは知り得る立場にいるのは、やはり今いるコーラスグループの仲間だけど…でもこんなことする人間があの中にいるだろうか？」

「私もコーラスグループにそんな人がいるなんて信じられないけど…」

「とにかく古いメモなんかを探して、銀行時代のことは調べてみようと思っていたけど、他の線も調べてみなくてはならないな……。例えば私の会社の中にだって問題があるといえばあるしね」

「あなた社長さんでしょう、それでもなにか問題があるんですか？」

浩二は木村会長のファミリーの中における自分の微妙な立場と、社長のポストを覗う義弟の存在について話した。

「義弟は役員報酬以外に自分の金は殆ど持っておらず、妻、つまり会長の娘ですが、これにしっかり頭を押さえつけられているんで、自分の自由になる金がほしくなったとも考えられる。色々女性との付き合いもあるらしいし。金が手にはいったあと、黙って写真を私の妻に送ることも出来ますからね」

「仮に奥さんにこの写真が渡ったらどうなるのかしら？」

「すったもんだの末離婚することになり、私が会社から追い出される可能性が高いでしょうね。本来個人生活と会社の仕事とは一応別のはずですが、同族会社のオーナーの娘が妻では、切り離して考えることは不可能です」

「あなた、それでいいんですか？…もちろんよくないわねえ」

「それより万一お宅のご主人のところにこんな写真が送られてきたらどうなりますか？」

由紀子は下を向いてしばらく考えていたが、

「私たちにも色々なことがあったけれど、もっと若ければ大騒ぎして別れるというようなことも起こったのかもしれませんが、二人ともそこそこの社会的な地位も出来歳も重ねているし、そしてこれからだんだんと年をとっていって最後にはお互いを必要とすることはわかっていますから、少々のことは目をつぶって今の家庭を維持しようという年輪からくる生活の知恵とでもいうんでしょうか、それがお互いにあったように思います。でもこんなにあからさまに私たちのことが表に出てしまうと、正直にいって主人も許してくれないでしょうね」と言って深いため息をついた。

「私の不注意から随分あなたにも迷惑をかけることになって申し訳ありません」

「それはお互い様です。だいいち私のほうから最初にあなたに積極的にアプローチしたんですもの」

「でもホテルにさそったのは私ですからね…今思えばあれは軽率だった。それと、まあ脅迫をして金をゆすろうとする直接の対象は私でしょうね……」

「それよりこれからどうしますか？　お金を払って写真のネガを取りかえしますか？」

「一応ひと月の時間の余裕があるんで対応をもう少し考えてみましょう。金さえ払ったら犯人はそれぞれの配偶者に写真を絶対に送らないという保証もないし、ネガをそのまま持っていて、あれでは足りないからもっと金を出せといってくる可能性だってある…それよりその間になんとか犯人を探し出してこんなことを止めさせなければならない。場合によっては警察につきだす。万一を考えて金は一応用意はしておくつもりですがね」

「私にも半分責任がありますし、私も働いていますからなんとか一千万円は用意します」

「そのことはあとで話し合うとして、とにかく東京で会うのはしばらくやめましょう。」

食事をすませたあと、豊橋駅で二人は別れた。

六

夜十時過ぎに浩二の東京のホテルに息子の良雄から電話が入った。珍しいことだなと思いながら出ると「親父さん、ちょっと相談があるんだ」と良雄が言った。

「どうしたんだ、何か会社で問題でもおこったの？…」

「神戸のおじいちゃんから、今の会社を辞めて西日本冷蔵に来ないかと言われたんだ。将来僕に会社を継がせたいらしい」

「ふーん、それでお前どう答えたんだ？」

「今の住倉商事の仕事は面白くてやり甲斐もあるし、ずっと続けていきたいと答えた…」

「この前帰ったときやっぱりそんな話が出たんだな…」

「親父さんも、おじいちゃんと同じこと考えているの？　おじいちゃんに聞いたらいずれ浩二にも話すけど、まだ話していないからお前もしばらくは黙っていなさいって言われたんだ。だけどそんな重要なこと、当然親父に相談すべきことだからね。そう思って電話したの」

「わかった、それでお前としては今の会社でそのまま働くつもりなんだな？」

「うん、いずれ海外勤務のチャンスも出てくるし、仮にやめるとしてもここで勉強したことを生かして、例えば将来インポーターとして独立することも考えているけど、それはまだまだ先のことだし、いずれにしても今から西日本冷蔵に行く気持ちはないよ」

「まあ、お前の人生だからそう考えているんなら、はっきりおじいちゃんにそう言うべきだろうな。俺の意見を求められれば、お前が今うちにくるのは反対だ。お前の力で十分今いる会社で将来も伸びて行けると思うし、早くからあんまり小さく将来を限定しない方がいい。俺はお前から相談があったことは黙っておくから、早い時期にはっきりと、その気はないという返事をお前からしておきなさい。俺が最初から出ると、お前に入れ知恵したんではないかとか、無理に説得したんではないかとか言われて、話がややこしくなるかもしれない」と言って浩二は電話を切った。

　祖父の良隆の言うがままに住倉商事を辞めて西日本に来ると言っても仕方ない所を、良雄がはっきりと自分の将来に対する考えを持ってこれを断ろうとし、かつ父親である自分に意見を求めてきたのは、当然のことながら嬉しかった。由紀子とのことがどう収まるかによっては、自分が一人悄然と一族を出ていかなければならないかもしれない中で、この良雄の存在はたのもしかった。

　手紙のことが気になって仕事をしながらも、気がつくと時々ぼんやりとそのことを考えていることがある。

　義弟の宏については日常の行動や浩二に対する態度に気をつけて見ているが、特に疑わしいところは見えない。心にやましいことがあればどこか不自然なところ、こちらを避けるようなそぶりがあると思うが、これまでと態度はかわりない。

　もちろん銀行時代のことについては最初に調べているが、今のところ疑わしい線は出てこない。そうなると西日本にうつってから何か商売上のことで浩二に恨みを持つ人間がいないか、勤務成績が悪くて退社させた人間の中に浩二に激しい恨みを持っているものがいないか、そういうところにも広げて調べてみなければならないが、範囲が広がりすぎて大変だ。

　そんなことをしているうちに、たちまちひと月の期限が近づいてきた。残り時間は少ない。

七

毎年七月の第二木曜日に駒場のときのクラス会が学士会館で行われていた。一人で鬱々としていても仕方ないので、今年も浩二は出席することにした。

　幹事の挨拶のあと九十歳近くなってまだ健在な受持ちの新村先生と、クラスを代表して、久しぶりに出席したＪＲ西日本の社長をしている井上が挨拶した。

　立食パーティで大和生命の吉田といっしょになった。

「やあ、今度のゴルフは君が幹事だったよね…ところで彼、その後なにか消息あるの？」

「彼って？　ああ、江藤ね、いや特にないけど、なにか鎌倉の家に戻っているらしいよ」

「どうやって生活しているんだろう？」

「さっぱりわからんけど、風の便りによると東京の下町で、宅配便かなにかの運転手をしてたとか、ビル建設現場の交通整理してたとかいう話を聞いた事がある」

「ふうーん。職業に貴賤なしとはいうけど、大和生命の役員になっていたかもしれない男がそんな仕事をしているのか」

「まあ人生いろいろ、思いがけない展開があるということだな」

　あと三日で犯人のいうひと月の期限がくることになったが、犯人の目安は皆目つかない。そろそろ覚悟を決めるべく夜ホテルから豊橋の由紀子のマンションに電話を入れた。このひと月の間に何度か電話して話し合ってきた。

「脅迫犯のいう期限が迫ってきたんで、最後の相談をしようと思って電話しました。どうしますか？　私の腹は大体固まっているが、あなたの今後の人生にも大きく影響することだから、あなたの意向も聞いてその上で最終的に犯人の要求に応じるかどうか決めたいと思うんだが」

「私もこのひと月の間どうすべきかじっくり考えたわ。ただあなたが言われたように、あなたのこれからの人生にとっても大変な問題ですから、私一人の意向でなくあなたのご意向もお聞きして決めたいと思います」

「どうやらお互いの考えている方向は同じようですね。私は犯人の要求は無視したいと思っている」

「それでいいんですか？　私もまよいましたが、やはり無視したいと思います」

「わかった。ただもし現実に犯人があなたのお宅に写真を送りつけて、ご主人が我々のことを知った場合、どうされますか？」

「私は正直に我々のことを話して、主人が許してくれない、別れようと言えば応じなければ仕方ないと思います。自分の蒔いた種ですし、これはお互い合意の上でやったことですから、どちらの責任というようなことはないと思うわ。前にも言いましたが、あなた一人に負担させるつもりはありません。二人でしたことですから」

「そう言ってもらうのは有り難いけど、犯人のねらいは私でしょう。だから私あてに脅迫状も送ってきている」
「いつも堂々めぐりになるんだけど、なんとか払わないですますこと出来ないかしらね」
「今回犯人の要求する二千万円さえ払えば、それ以上は絶対に要求してこない、写真を妻に送らないということが保証されるならば、私も金を払ってことを納めるのも仕方ないと思っています。でもその保証はないし、脅迫状に書いてあるように犯人がこちらに恨みを持った人間であれば、金を取ったあとで家に写真を送りつけるかもしれない。すべてのカードは犯人だけが持っていて、我々に抵抗したり交渉する余地がまったくないんですよ。無視するという私の気持ちは変わりませんゝ」

こうして二人の考えは犯人の要求を無視する方向で一致した直後、丁度ひと月目になる七月十五日に「黒井」から二度目の手紙が浩二の会社にきた。

「先日書いた二千万円を三日以内に住倉銀行藤沢支店の名義人井深恵子の普通預金口座６４５１２３１に振り込んでもらいたい。口座の持ち主はすでに死亡しており、調べても私とのつながりは出てこない。もし三日以内に振り込まれなかったり、振り込んだ後でも口座を凍結したりすれば、写真をそれぞれの配偶者宛に送る。警察に言った場合も同じだ」

とりあえず由紀子に電話を入れて手紙のきたこととその内容を伝え、無視することを再確認した。犯人もどうしても金がほしければ、いきなり写真を送り付けたりせず電話かなにかでもう一度アプローチしてくる可能性が高い。そうなれば犯人の手がかりもつかめるし、条件交渉に持ち込めるかもしれない。ただお互いに最悪の場合の覚悟だけはしておく。こんなことを話し合った。

企画と経理がまとめた中期的な収益と資金計画が出てきたので、それを持って会長室へ入り、義弟の木村常務と経理担当の役員も交えて四人で今後の経営の進め方について検討した。

経理担当の役員が来年から三年間の収益見通しを説明したあと「このままでは運営資金もショートするし、収益も赤字になるおそれがあります」と締めくくった。

それを受けてすぐ木村常務が「やはり横浜の新設倉庫に半分しかマグロが入らないのが痛いですな」と言って会長の方を見た。

「今それを言ってみても仕方ないから、これからどうしていくか考えなければならないだろう」と浩二がかたい口調で言った。

「従業員にもしばらく賞与を我慢してもらい、我々の役員報酬もカットしよう。新しい倉庫も出来たところだから従業員の削減はできんだろうな。それと、もう処分できる不動産は残っていないのか？」会長が重い口調で言った。

「全部担保として銀行の抵当権が設定されています」すぐ経理担当の役員が言った。

　そのあと、会長の指示で浩二だけが残りあとは退席した。

　二人になったところで会長が「従業員の賞与をカットする以上、我々役員も気分の一新をはかると共に痛みを分け合わねばならん。九月の中間決算の役員会で副会長制度を設けて君に副会長になってもらい、宏を社長にしたい。わしも体調が十分ではないので、会長として対外的にわしがやっていたことを段々と君に引き継いでもらう」と言った。

　これを受けて浩二は、「わたしが副会長になり、宏君が社長になったとして、役員報酬はどう削減できるんですか？」と問い返した。

「会長の報酬は社長の五割と決まっていたが、副会長もそれと同じにして会長のわしは二割五分にする。わしももう老人夫婦だし君も一応子供も学校を出て出来あがっているから我慢できるやろう。宏は社長になっても今の常務の報酬のままに据え置く。君が銀行とか業界とか社長の仕事の一部をそのまま引き継いでやるので、宏はそれでいいだろう。他の役員は二割カット、部課長クラスは一割カットでどうだ？」

「常務の仕事はだれに引き継ぐんですか？」

「社長になっても常務の仕事もそのまま継続してやってもらう。あいつも若いから、やってもらおう」

「わかりました。そういうことでもう一度経営計画を作りなおしてみましょう。その上でまた相談させてください」

　浩二としても社長のポストを明渡し収入が半減することについても色々と言いたいことがあった。そもそも自分が言い出して実現に移した横浜の新倉庫が、構想通りいかなかったことがきっかけだとしても、この会社に移る時の約束から言ってもまだ社長を譲る時期とはとうてい思われないし、十分抵抗する余地はある。最後まで投げだしてはいけない。投げ出すのならいつでもできる。浩二は覚悟を決めた。

八

朝、社長室でデスクに座ると間もなく「黒井さんといわれる方からお電話です」と秘書から電話が回ってきた。いよいよ来たなと思った。すぐ録音のボタンを押した。

「はい」と言って浩二が出ると「もしもし、深山浩二さんですか」と相手は低い声で言った。声に聞き覚えはない。誰かわからないように何か口に含んでいるような気もする。

「君か？　あの脅迫状よこしたのは…」

「まだ金が振り込まれていないが、写真を送ってもいいんですか？」

　相手は単刀直入に写真のことを持ち出し、金の振り込みを要求した。どこかで聞いたことのある声のような気もしたがわからない。とにかく出来るだけ引き伸ばそうと思った。

「二千万円などという大金は簡単に用意出来ないし、第一君に払う理由もない」

「あんた社長でしょう。それくらいの金すぐに用意出来るだろう。それとも奥さんにあの写真見られてもいいんですか？　黙って金払った方がいいんじゃあないの…」

「おまえ、自分のしていること、わかっているのか？　こんなことして捕まらんと思ってるんか…」

「とにかくあと三日待とう。もしその間に振り込まれなければ、もう何も連絡せずにすぐ写真を奥さんに送るからな。これが最後通牒だ！」と言って相手は電話を切った。

なんとか相手の言葉の中から、少しでも手がかりを得ようとしたが、全く不可能だった。

そしてすぐ由紀子の携帯電話に、犯人からの電話の内容を伝え、もう再度要求を無視することについての念押しの電話を入れた。


その夜浩二が家に帰ると勤めから帰っていた娘の恵子が一人でテレビを見ていた。

「ママはいないのか？」

「おじいちゃんのところへ行ってるわ」

別に珍しいことでもない。洋子はしばしば実家に入り浸って、浩二が帰宅してもろくに食事の用意が出来ていないこともよくある。その夜は恵子が母の用意した材料で豚の生姜焼きとほうれん草のお浸し、お汁などを手早く用意し、二人は黙って食事をすませた。

浩二が居間でテレビを見ていると、十時頃洋子がぶすっとした顔で帰ってきて、そのまま黙って二階の寝室に入ってしまった。どうも様子がおかしいので、いよいよ写真を送ってきたのかもしれないと思ったが、洋子はその夜は何も言わなかった。

翌日出社すると、秘書が会長が部屋で待っていると伝えてきた。会長室の応接セットに座ると、会長もその向かいに座り「これは君か？」と言いながら二枚の写真をポンとテーブルの上に放り投げた。覚悟はしていたのでいまさらじたばたしてもしょうがない。

「はい、私です」浩二は写真を手にとりながら言った。

くどくどと弁解するのかと思っていたのかもしれないが、あっさりと浩二が認めたので会長はやや勝手がちがった様子だ。

「それでどうするんだ？」

「まあ、私のした浮気というのか、それとも不倫というんでしょうか…洋子には大変申し訳ないことをしましたし、会長ご夫妻にも大変申し訳ないことをしてしまって、このことについては深くお詫びします。洋子が別れたいと言うのなら、私に抗弁の余地はないんで応じるつもりです」

こう言って浩二は立ちあがり、会長に深深と頭を下げた。

「相手はなにものだ？　どこかのクラブにでもいた女か？」

「いいえ、仕事はしてますが家庭の主婦です」

「ふうーん…ところで洋子と別れてもよいと言うが、洋子のことはもう愛していないんか？」

「私から別れたいという気持ちはありません。若い時とちがって我々の年輩になると、普通の夫婦はお互いに空気みたいな存在で、愛しているといつも意識しているわけではないが、さりとて相手がいないと困る、どこか心の底では愛しているというようなことではないでしょうか。ただ洋子の場合この頃は妻としての役割を半ば放棄して実家に入り浸り、友達と遊びあるくことも多くて、朝食の用意もしない、帰宅しても夕食の準備が出来ていなかったり、ワイシャツにアイロンがかかっていなかったり、冬物のスーツがそのまま梅雨の時期までほって置かれて黴がはえてしまったりというようなことが、しばしばあります。

　夫婦としてのしっとりとした会話もなくなりました。別に洋子を憎んでいるわけではないが、普通の夫婦としての愛情と言えるようなものも、もう我々の間にはなくなったように思いますね。ただ誤解のないように申し上げておきますが、だからといって洋子に私の浮気の責任を押し付けるつもりはない、やはり今度のことは私の責任です。洋子が別れようと言い、慰藉料を要求されれば出来る限りのことはせねばなるまいと思います」

「当然だろう。洋子とのことはそうとして、会社はどうするんだ？」

「会社と言われますと…西日本を辞めろといわれるんですか？」

「この会社は一応株式会社ではあるが、わしが一代でここまで大きくした言わば木村商店だ。君達が別れれば君自身もこの会社に居れないのじゃあないか？」

「要するに辞めろと言われるんですね。私は個人の離婚の問題と、会社の問題はまったく別で、洋子と離婚しても会社を辞めるとは考えていませんでしたが、会長がそうおっしゃるのなら私も会社を辞めなければならないのでしょう。引継ぎをしっかり済ませてから退社させてもらいます。ただ私も銀行からこの会社に入って約十年、会長は自分一代で作ったとおっしゃいますが、私も私なりに会社の発展に今日まで全力を尽くしてきたつもりです。私のこれからの生活もあるし、洋子への慰藉料支払いのこともあるので、会社の規定に則った相応の退職慰労金はもらいたいと思います」

「こんなこと起こしておいて、退職慰労金をよこせというのか？」

「当然でしょう。会社のルールが適用されるべきです。会社が払わないというのなら、私もそれ相応の法的な手段はとらせてもらいます」

法的手段をとると言われて、会長の顔に不安げな表情がよぎった。予想もしていなかったんだろう。

「ひらきなおるんか！」と言ったまま会長は黙ってしまった。憤慨して声も出ないということだろうか。会長の浅黒い顔がどす黒くなり、血管が皮膚に浮かび上がった。

その夜業界の会合を終えて九時過ぎに帰宅すると、洋子が一人で居間でぶすっとしてテレビを見ていた。恵子はまだ帰っていないらしい。

話があると言って浩二が応接セットに座ると、洋子も予想しており、テレビを消して移ってきた。

「今日、お父さんから写真の話があった。君を驚かし大変不快な思いをかけて申し訳ない。あやまる」と言って浩二は深々と頭を下げた。

「ただこれは君と俺との問題だから、直接俺に言ってほしかったけどな…」

「相手はどういう関係の人？　父から普通の奥さんだって聞いたけど」

「俺が月に一度大学のOBコーラスに行ってるの知ってるだろう。そのメンバーだ」

「私と別れてその人と一緒になるの？」

「さあ…相手もそこまでは考えていないだろう。旦那もいることだし」

「二人とも一寸した浮気と言うわけね？」

一寸した浮気という言い方には抵抗があったが、考えてみればそのとおりで反論の余地もない。

「私もプライドがずたずたになったし、絶対に許せない気持ちだわ。もう若くもないから泣いたりわめいたりはしないけど。別れたほうがいいんでしょうけど、ただ子供達がまだ二人とも結婚していないのでそのことだけがひっかかるの…」

「俺もその点は気にかかる。子供達にどう言ったらよいのか…」

その夜は最終的な別れ話にまでは進まなかったが、大体そういう方向は定まった。

九

翌日浩二は会社の顧問弁護士である後藤弁護士に会って、昨日の会長との話し合いを含めて、ありのままに今日までの事実を話して相談してみた。後藤弁護士とは年齢も似通っており、同じ法学部の出身者ということもあって、時々ゴルフなど一緒にしたり会食を共にしたりして親しい間柄だった。

後藤の意見も浩二と同じで、離婚と慰謝料については洋子の意向を尊重しなければならないだろうが、離婚したからといって浩二が社長を退いたり、仮に退職するにしても退職金を返上する必要はない、ということだった。

その日の夕方由紀子から浩二の携帯に電話が入った。

「…主人のぐあいが悪くて入院させたので学校を休んでいました。あなたから電話があったと事務課から言ってきたの。写真送ってきましたか？　実は私のところにも昨日送ってきました。丁度主人を入院させて下着など身の回りのものを取りに帰宅した所で、幸いというか…私が黒井の手紙受け取ったんです。主人宛の親展になっているから開けてないけど、中身はあの写真だと思います」

「だけど、いつまでもご主人に渡さない訳にはいかないでしょう」

「それが、主人おとつい突然脳梗塞で倒れて、今は意識がないんです。仮に回復しても半身不随で言葉もしゃべれなくなる可能性が高いと先生に言われたの。だからしばらくはこの手紙を主人が見ることにはならないでしょうね」

「それは大変なことだね。それで、これからどうするの？」

「まあ、当面は講義のある日は川崎から豊橋までかよいますが、主人の回復状況いかんでは、大学辞めてこちらに戻り、付き添って看病することになるでしょうね。写真のことにしても、主人の病気のことにしても、やはり私天罰が当たったと思います…それよりあなたの方はどうなりました？」

浩二は昨日の会長と洋子との話し合いと、その結果おそらく洋子と別れ会社を辞めることになるだろうということを簡単に説明した。

その日家に戻ると例によって洋子はいなかったが、やがて夜遅く息子の良雄と連れ立って実家から帰ってきた。

「出張で来てたんか？」

「いや、おじいちゃんが話があるって言うんで、休みとって帰ってきたんだ」

「それでどんな話だったの？」数日前良雄から電話があって二人で話し合ったことはふせて言わなかった。

「いつまでも住倉商事にいても仕方ない。住倉を辞めて西日本冷蔵に来いって言うの。僕は今の仕事が面白いし勉強にもなる。今住倉を辞めてこちらにくるつもりはないと答えた」

「それに対してでおじいちゃんはどう言うんだ？」

「親父が住倉を辞めるなと言うんか？　と言うから、親父とは話していない、僕の進路は僕が決めるって言った。そうしたら住倉にこのままいたって、どこまで偉くなれるかわからないし、早くここに来て冷蔵庫のこと勉強していずれ社長になったらよいじゃあないかって言うから、この会社で社長を目指して頑張っている若い人もいるだろうから、僕が同族だからというだけで最初から将来の社長としてここに来るのは、他の若い人達のモラールにもよくない。僕は自分の力で住倉で生きていくって言った」

浩二は改めて息子の顔をまじまじと見つめた。社会人になってまだ年数も浅い良雄が、随分しっかりした自分の意見を持っているのに驚いた。彼は若手から住倉の中堅社員として育ちつつあるようだ。

東京での冷蔵倉庫業界の理事会に出たあと、開拓しつつあるユーザーを二軒訪問して浩二は夕方神戸に戻った。まだ今は社長としての仕事をたんたんとこなしていくしかない。

洋子が夕食の支度をととのえて待っていた。

「お父さんから話があるので夕食をすませてから一緒にきてほしいと言うの」と洋子が言った。

どうせ社長交代や、浩二夫婦の離婚に関する話だろう。会長宅の応接セットに会長夫妻と向き合って座ると、早速会長が話の口火を切った。

「どうだ、二人の間の話はついたのか？」

「はい、私達の間の問題については私にはあまり発言権はないので、洋子の意向に従わなければならないと思っています。私はなんとか許して欲しいと言うんですが、洋子は別れたいと言っています。ただ二人とも子供のことが気にかかってはいますが…」

「洋子と別れて、今付き合っている女と一緒にはならないの？」と姑の菊野がなんとなく見下したようなもの言いで聞いた。

「その女は学校の先生してるっていったかしら？」

「豊橋医科大学の先生してます。ご主人がいるんですが、突然脳梗塞で倒れてしまって…川崎の自宅に戻って面倒みることになるようです」

「写真見てショック受けたんか？」

「それは全く関係無いです。見る前に病気で倒れましたからご主人はまだ写真は見ていないようです。もともと私達も結婚しようと思って付き合っていたわけではないですし、それと脳梗塞で倒れた主人を捨てて、私と結婚するような女性ではないです。私も人道的にもとてもそんなこと出来ません。付き合いも打ち切らざるを得ないと思ってます」

「そんなことなら別れんで、そのまま生活を続けるということにはならんのか。洋子に詫びをいれて…」

「今度のことは、私にも若干の言い分はありますが、とりあえず私の責任ですから、洋子には申し訳なかったと思っています。洋子にもそのことをはっきり言って謝りました」

「詫びられたって私はいやだわ…」

ぶすっとして洋子が言った。

「あなたはこれまでにもいろんな女がいたけれど、どれだけ私が苦しんだかわかっているんですか…洋子にも同じ思いさせたくないわ」菊野が夫の方をむいて口をはさんできた。

風向きが妙な方向に行きそうなので、会長はあわてて方向を戻した。

「万一別れるとして、その場合の財産の分配についてもう話し合いは出来たんか？」

「いえ、まだです。先ず洋子の方から要求を出してもらいたいと思っています」

「私は今住んでいる家をもらえばいいわ。それと家の貯金が一千万円くらいあったから、それを半分もらえばいいわ」

菊野が「あんた、生活はどうするの？　毎月少しずつでも生活費をもらわないでいいの？」と口をいれた。

「家の貯金が一千万円くらいあったと思うから、その半分をもらえれば、当面はそれで生活していけるでしょう」

洋子はお嬢さん育ちで苦労もしていないので、金銭に関しては割合淡白なところがあった。

「別れてから同じ家に住むわけにもいかんから、家は洋子に渡さなければしょうがないでしょう。ご承知のようにあの家には私の銀行の退職金と親から相続した若干の貯金、それとこの会社でもらった役員賞与などを合わせて約一億円払っています。私には他に財産らしきものはありませんから、もし西日本を辞めろと言われれば、次の仕事を探す間の当面の生活費もいるし、第一早速住む家も探さなければならない。そういうことで、退職金のことは別にして、慰謝料の意味も含めて家は渡しますが、家の価値の幾分かはもらいたいと思っています。とりあえず小さなマンションでも買わねばならないでしょうが、そのために使うことになるでしょう」

三人はしばらく押し黙っていた。やがて会長が「辞めてからどうするつもりだ？」と聞いた。

「遊んで暮らすだけの余裕もないし、いまさら銀行にも戻れません。なりふりかまわずなんでもやるつもりです。ただ五十台半ばのこの年齢では普通の会社勤めでは雇ってくれるところがないでしょう。すぐ働くとすればマンションの管理人か、ビルの守衛くらいしか思いつきません。とりあえず二年くらいは退職金で暮らすとこになるでしょう」

「退職金か…その話になると宏もまじえて話し合った方がよいな。ちょっと宏を呼べ」

「それでしたら会社の問題ですから、お義母さんや洋子には席をはずしてもらった方がよいのではないですか。私も自分達の離婚についての話し合いを、宏君の前でするつもりはありません」

「そうだな、おまえ達はむこうに行っておれ。また必要になったら呼ぶ」

会長はあっさりと同意し、ほどなく宏が入ってきた。

「今まで洋子達の離婚の話をしてたが、社長の退職金の話になったんで、おまえにも入ってもらった」

「やはり退職金は払わなければならんのですか？」

宏が会長の方を向いて言った。浩二が憤然として、「当然だろう。別に会社に損害を与えたり取締役としての義務不履行で免職になるわけではない」と言った。

やがて会長が「まあ、浩二君のこれからの生活もあるから、全く払わんわけにもいかんだろう。退職金はどれくらいほしいんだ？」と浩二の方を見ながら言った。自分の懐から金を払うような気分が抜けていないらしい。

「会長もご存知の通り一昨年会社の規定類を整備した時に、役員の退職金の規定も決めています。去年前田専務が退いた時からその規定を適用して払っています。私としては、特別の功労加算をしてもらうつもりはありませんから、その規定通り払ってもらえば結構です」

規定と聞いて会長はうんざりしたような顔をしたが「規定か…それで規定ではどれくらいになるんだ？」と聞いた。株式の二部上場もはたして、いずれ一部上場を狙おうかという会社としては、当然その類の規定は整備しなければならんと言い出して、規定の整備をさせたのは会長自身である。

「私もまだくわしく計算もしていませんが、ざっと計算して一億円から一億二千万円くらいになるんじゃあないかと思います」

「一億だと！」会長が驚いたような声をあげた。宏も唖然として声も出ない様子だ。

しばらく沈黙したあと会長は「わしは君に会社を辞めろとは言っていない」と言いだした。

浩二も宏も同時に、いぶかしげな表情で会長の顔を見た。

「この前会長とお話した時、私と洋子が別れれば君もこの会社にいずらくなるんではないか？　とおっしゃいましたが、あの言葉はとりもなおさず、会社を辞めろということでしょう？」

「いや、そこまでは言っていない。君も我々に遠慮があって働きづらいんではないかと思ったんだ。君が会社に残ると言うのならそれでもかまわない」

その時この成り行きを横で見ていた宏があわてて口をはさんだ。

「深山社長が辞めるのはもう決ったことでしょう。皆そう思っているんではないですか？」

宏としては、会長の思惑などには全く気がまわらない。せっかく自分の天下になると思っていたのに、ここでまた話がご破算になって浩二が居座ることにでもなったら大変だ。そのことだけに意識が行って、あわててこういう発言になったのだろう。それにしてもまだ正式に決ってもいない話を、社員に漏らすなど軽率なことだ。浩二がそのことを指摘しようとした時に、会長は顔をしかめて「社長の交代は、まだ正式に役員会で決った話ではない。先走って社員には話すな！」と宏を制したあと、腰と膝が痛いので今日はここで中断して、二、三日あとにまた話し合おうと言って話を打ち切った。

十

その二日後のこと、浩二が外出先から戻って席に着くと間もなく、三井商事の山田部長から「深山さん、あなた社長を交代して会社を退かれるんですか？」という電話が入った。

浩二は驚いて「また、どうしてそんなことおっしゃるんですか。誰かがそんなこと言ってるんですか？」と聞き返した。

「今日午前中におたくの木村常務が来られて、近近自分が深山社長に代わって社長に就任するのでよろしくと言ってこられました。まあ普通は社長が交代されるような場合には、事前にお話があります。そのあと新旧の社長がそろって挨拶にこられるものですが、新任者だけが突然来られるというのもおかしいので、深山さんはどうなるのですか？　と聞いたら、会社を退くことになるだろうというご返事でした。私は以前深山さんと会食した時に、おたくの会社の人間関係について若干うかがっていたので、これはなにかおかしいな、失礼ながら内紛でもあったのかなと感じました。うちは深山さんの熱心な営業活動もあり、またあなたのお人柄もあって、この方が居られるならと今回おたくと取引を始めようとしています。西村さんには、もし深山さんが退かれるようなことになれば、西日本さんとの取引は再考することになると言ったら、あわてて、まだどうなるか正式には決っていない、いずれ会長が説明にあがるが、マグロの取引は是非よろしくと言って帰られました」

「それはみっともないことをしましたね。申し訳ありませんでした。お詫びします」

と電話を切り、そのあとすぐ会長室に行った。

「会長が宏君を三井商事に行かせたんですか？」

会長はきょとんとした顔をして「いや、そんなことしてないぞ。一体どうしたんだ？」と聞いた。浩二が山田部長との電話の内容を話すと「いや、俺はそんなこと指示していない」と言ったあとすぐ「木村常務を呼べ！」と秘書に指示したが、上京中で明日から出社すると秘書が伝えた。

会長の態度からみても、木村常務の独断での行動だったようだ。

さすがに会長もことの重大性を悟り「いや、すまん、宏にはきつく言っておく。それと君の辞める話はしばらく凍結しておいてくれ」と苦渋の表情で言った。

翌日浩二は上京して取引先まわりを済ませたあと、由紀子の携帯電話に電話をいれ、川崎市立病院に行った。

殺風景な待合室の中でしばらく待つと「お待たせしました」と言って由紀子があわただしく入ってきた。白の薄手のセーターに紺のスラックスという姿で、髪も乱れて疲労が化粧っけのない顔に色濃く現れている。

「やあ、今いいの？　ご主人どんな具合ですか？」

「ええ、なんとか落ち着いているんですがまだ意識は戻っていません」

「そう…話が出来るようになるんかしら？」

「さあ…命はなんとか助かったけど、しゃべれるようになるのかどうか。いずれにしても元通りにはならないっていわれてます」

その後しばらく話して浩二は「あなたが倒れたりしないように体調に気をつけてくださいよ」といって病院を辞した。由紀子は学校を退いて川崎に戻り、主人の看病に専念することになりそうだ。

上京したら必ず三井商事を尋ねることにしていたが、今の中途半端な状況では行きづらく、浩二はそのまま神戸に引き返した。

三人の話し合いを中断してから、もう一週間になる。このところ会長が会社に出てきていないので、今日でも帰ったら自宅に連絡してみようかと思って浩二が帰宅すると、ご飯すんだら父がきてほしいって言ってるわと洋子が伝えた。

浩二夫婦が入ると会長宅の応接間のソファーには、会長夫妻のほかに宏夫婦もむっつりと押し黙って座っていた。宏夫婦がいるのも意外だったが、浩二は一目会長を見て愕然とした。あれからまだ一週間くらいしか経っていないのに、会長の顔色は青白くなり頬も落ち込んでいて、あの人を圧倒するぎらぎらする精気が失われていた。人間の外貌は僅かの間にこんなにも変わるものだろうか。お手伝いがお茶をだして引っ込んだあとに、会長が浩二に目を合わせておもむろに口を開いた。

「先日の病院の診断で、この前から治療を受けていた前立腺が実はガンで、しかもそれが膝や腰の関節に転移してることがわかった。どうもこのところ膝や腰がどんどん痛くなるので何かおかしいと思って医者に問い詰めてわかった。医者は初め言いおらんかったが、会社の運命がかかってるんだと言って、やっと言いおった」

「それはえらいことでしたね…男はある年齢をすぎると前立腺の病気になる人がふえるが、あまり命にはかかわらない病気だと聞いてましたから会長のこともそれほど心配してなかったんですが…」と浩二が言った。

「それで医者は長生きしたかったら、すぐ仕事を辞めて病院に入り、痛みを止める麻酔薬を打って体力の消耗を防ぎ、手術は歳からいって出来ないが、いい抗がん剤も出来ているのでそれと放射線による治療を続けろと言うんだ。もしこのままの状態を続けるとあと三か月しかもたんらしい」

会長の妻も娘達もすでにこのことを聞かされていて、ショックで声も出ない様子だ。

「それで先週浩二君や宏に今後の会社の体制についてのわしの方針を言ったが、あれは御破算にする。そのあと洋子夫婦の離婚話から浩二君が会社を退く話が出ていたが、それも撤回してほしい。そして浩二君に引き続き社長を続けてもらい、宏を育ててもらいたい。将来宏が社長として一本立ち出来るようになったら、浩二君が会長になって社長を宏に譲ってやってもらいたい。良雄にうちに来てほしいと思ったが来ないと言うし、宏のあとのことは君達で考えろ。それとわしは名誉会長になって、会社の運営は君達にまかせ、会長の給与も辞退する。君達役員も応分の給与返上をしてなんとか現在の苦しい事態をのりきってほしい」

　ここまで一気に言うと会長は疲れたのかぐったりと椅子に沈み込んだ。

「会長のご意向はわかりました。私は先日の会長との話し合いのあと、きっぱりと西日本冷蔵を辞める決心をし、今後の身のふりかたを考えはじめていましたし、宏君は社長になるつもりで動いていたと思うんだが、今会長の言われたことでいいのか？」と浩二は宏の方を見ながら言った。

「はい、結構です」と宏が短く言った。

「わしが会長として宏のサポートを出来ればよいが、それが出来なければ、まだ宏には社長は無理だ」と会長が言った。

　宏にも言い分があるかもしれないが、会長の言う事に宏は全くさからわない。

「それともう一つ、私と洋子との問題がありますが、仮に私達が別れた場合どうしますか？」

　皆はっとしたように押し黙った。やがてそれまで一言も言わなかった、会長の妻の菊野が口を開いた。

「浩二さん、あなた洋子と別れてその女と一緒になるつもりですか？　もしそうでなければ洋子の所に戻ってやってもらえませんか。あなたには不満な妻かもしれないけど……」

　夫の威を借りてこれまではかなり高圧的な物言いをする妻だったが、やはり会長の病気や良雄の選択がこたえたのだろうか、菊野は珍しく低姿勢な物言いをした。

「そう言われると痛み入りますね。もともと今回の女性問題は私の方が一方的に悪いんで、洋子にも申し訳ないことをしました。洋子が別れたいと言えば私としては受けざるを得ないと思ってました」

　しばらく皆押し黙っていた。重苦しい雰囲気がただよった。

「それでお前どうなんだ？」

沈黙を破って会長が洋子に訊いた。

うつ向いて聞いていた洋子は、やがて「私もあの写真を見たとき腹が立って仕方がありませんでしたが、あなたがその人と切れて家に戻ってくれるなら、私も今度のこと忘れて一緒にやっていってもよいと思ってます」と小さい声で言った。

　もし父親が元気ならとてもこんなことでは納まらなかったのだろうが、父親がガンで仕事も続けられないと聞かされて、すっかり気が弱くなったんだなと浩二は思った。

「まあ、そういうことだ。浩二君の社長継続のこと、君達夫婦のこと、宏のこと、すべて元どうりということでよいな？」と会長がしめくくった。

「…結構です。私も辞めたくてこの会社を辞めるのではないし、特に会長のご病気のことを聞いた以上、ここで辞めるわけには行かないでしょう。洋子とのことも、もし洋子が許してくれるなら別れるつもりはありません」

十一

　翌日、由紀子から電話が入り、夫の意識は戻ったが言葉を話すことが出来なくなり、また生涯車椅子の生活になるだろうということを伝えてきた。浩二からも木村家での話し合いの結末を伝えた。

「あなたが落ち着かれてご主人のそばを離れることが出来る時間がとれるようになったら、いちど会って二人の今後のことを相談しましょう。大変だけどあなた自身の健康にも気をつけて頑張ってください」

「そうですね。また私の方から電話します。ああ、それと私も主人がこんなことになって、親しい方々に手紙を出そうと思うんですが、コーラスグループの名簿の写しをお閑な時に送っていただけませんか。いつかあなたに五反田から川崎まで送って頂いた時に、あのタクシーの中に名簿を忘れてきたらしいんです。あの時タクシーの中でたしか清水さんのこと調べようとして名簿出したと思うんだけど、そのまま座席に置いてきたらしいの…電車の中で忘れたんなら、ＪＲの忘れ物センターに行けば出てくるかもしれないけど、タクシーではどこへ言って行ったらよいのかしら…」

「タクシーでも、たしか業界共通の忘れ物センターみたいなものがあったと思うよ。名簿の写しを送ることはお安いご用だけど、それよりこのごろ他人の名簿を悪用するものが多いから気をつけないと……。タクシーの運転手はそんなことはしないだろうけど……」

　ここまで言いかけたとき「あ!!」突然何か頭に閃くものがあった。運転手…運転手…運転手…！

　由紀子との電話を早々に切り上げると、すぐ大学同期生の名簿で吉田の自宅の電話番号を調べて電話を入れた。

「やあ、夜分遅く申し訳ない、じつは緊急に聞きたいことがあってこんな時間に電話させてもらった。この前クラス会で君に会ったとき、江藤が東京の下町で宅配便の運転手をしていると聞いたけど、ひょっとしてタクシーの運転手じゃあないの？」

「うん。…そう言われると、そこのところは自信がないな。僕にそのことを言った男は、江藤が宅配便か何かの運転手をしているらしいと言ったように記憶してるけど、あるいはタクシーだったかもしれない。その男も直接自分が見たわけではなくて、やはり誰かからそのことを聞いているんだ…だから途中で話が曲がったかもしれない。ところでそれがどうかしたの？」

「わかった。ちょっと説明すると長くなるので今日のところは勘弁して。いずれ終わったら必ず報告するから」と言って浩二は吉田への電話を切った。

　あの時のタクシーの運転手が江藤ならそれが出来ることに気がついた。その日の六時に二人は五反田駅で会って、ホテルに行く約束をしたのも彼は運転しながら聞いていた。事前にカメラを持ってホテルのそばで待ちかまえていることが出来る。そして撮った写真を脅迫状と一緒に、置き忘れた名簿を見てそれぞれの自宅へ送りつけた。名簿には自宅と勤め先の住所と電話番号がのっている。あの時の運転手が江藤だったのではなかろうか。一方タクシーの運転手はすぐ、車に乗った客が浩二だと気がついた。そして二人のかわした会話を残さず聞いたのだ。もしやと思って吉田に確認したら、案の定、タクシーの運転手だった可能性もあることがわかった。東京のタクシー運転手が何千人いるか何万人いるかは知らないが、よりによってその江藤のタクシーに乗ってしまったのではなかろうか。怖ろしい偶然だが、この推理はおそらく間違いあるまいと浩二は確信した。

浩二はホテルに置いてあった東京都の職業別電話帳を取り寄せ、あの時のタクシーが品川ナンバーをつけていたのを覚えていたので、品川区に本社あるいは営業所のあるタクシー会社に片っ端から電話を入れ、江藤宣夫という運転手がいるかどうかを問い合わせた。その結果七軒目の大森交通の品川営業所に江藤宣夫という運転手が在籍することをつかんだ。下関から出てきた高校の同級生だと言うと、相手は信用して、江藤が明日の昼番で夕方四時に勤務があけて帰宅することも聞き出す事が出来た。

浩二は一日出張を延期して、翌日の夕方JR品川駅に行った。

初め山手線の内側の改札に行ったが、出る前に気がついて反対側に向かう事にした。

五時半頃よれよれのジャンパーを着て頭もぼさぼさの、くたびれた感じの男が戻ってきた。体にはだいぶ肉がついてたるんでいたが、江藤の面影がかすかにある。去年久しぶりに会って、新橋で飯を食ったがそのときの印象とも格段に変わっていた。タクシーに乗っても気がつかないはずだ。

ついと物陰から出て「江藤君…」と呼びかけると、彼はあきらかにぎょっとして浩二を見つめた。やがて浩二だと認めて「やあ…」と言って顔をそむけ薄く笑った。おそらく借金取りや不義理をした昔の仲間から身を隠した生活が続いているので、態度、物腰が卑屈になっているのだろう

「君にちょっと話があるんだけど…どこか話の出来る店がこのあたりにないだろうか?」と浩二がさそうと、江藤はしばらく下を向いて考えていたが「今勤務明けで帰ってきたところで疲れているんだけど…何か用?」と言って応じようとしなかった。

「俺がなんで来たのかわかっていると思うんだが…」

「さあ、全くわからないけど…」

あくまでとぼけようという態度にも見えたので、浩二はポケットから写真を取り出して「これ君が俺や俺の妻あて、そして梅沢由紀子宛に送ってきたものだろう」と言って突きつ

けた。

写真を手に取って見た江藤は「いやこんな写真初めて見た。だいいち俺は君達の自宅も奥さんの名前も知らんのにどうして送れるんだ。…何か知らんが変な言いがかりつけるな！」と言って写真を浩二に返した。この勢いに浩二は一瞬、やはり江藤の言う通りで江藤は事件とは無関係かもしれないと思いかけたが、いやそんなはずはない、江藤以外にこんなこと出来たものはいないはずだと思いなおし「どうしても君が知らないというなら、やむをえない。これまでにわかったことや資料を全部持って警察に行くことにするがいいんだね」と言って立ち去るそぶりを見せると、江藤はややあわててとにかく君の話を聞くよ、と言って浩二について来た。

駅近くの小料理屋に入り、カウンターから少し離れた小座敷に向き合って座ると、ビールと幾品かの料理を頼んだ。

浩二は、吉田から江藤が大和生命を辞めて東京でタクシーの運転手をしていると聞いたことを皮切りに諄々と確信に到る経緯を説いた。

じっと聞いていた江藤は「君の説明は筋は通っているけど、だからといってその時のタクシーの運転手が俺だったと言うのは飛躍しすぎではないか…あくまで状況証拠にすぎないだろう。とにかく俺はそんなことしていないよ。たしかに俺は会社でしくじって、今はタクシーの運転手だが、だからといって俺をそんな犯人扱いするのは失礼ではないか！」と強い口調で言った。

「そうか、知らんと言うのか。ただ俺達としては現実にこの手紙によって家庭崩壊や仕事を失うかもしれない被害を受けている。もし君があくまで知らんというのなら、二千万円要求の脅迫状やら写真を警察に持ち込み、今君に説明したようなことも警察に話して徹底的に調べてもらうつもりだ」

江藤は苦渋に満ちた表情でしばらく下を向いていたが、やがて、がばっと後ろに下がって畳に手をつき「すまなかった…俺のやったことだ。どうか警察には言わないでくれ。もし警察に調べられたりすると、せっかくついた今の仕事を辞めなければならなくなる」と頭を畳にすりつけて言った。仕事を辞めるどころか、脅迫罪で懲役になる可能性もある。必死に保っていた虚勢が崩れた瞬間だった。丁度注文していた最後の料理を持って部屋に入ってきた仲居さんが、驚いたような顔をしてこれを見ていた。

「どうか手をあげてくれ」と言って浩二は江藤の姿勢を元に戻させた。

「俺も今君の告白を聞くまで実は半信半疑だった。君しかやれる人間はいないと思う一方、まさか昔の親友の俺にそんなこと出来るだろうか？　という疑いも最後まであったよ…それにしても随分ひどい事したもんだな…」と、浩二はじっと江藤を見ながら言った。しかし、不思議に怒りの気持ちはそれほど強く湧いてこなかった。ここまで落ち込んだ江藤に、怒りを覚えるよりむしろ痛ましく思う気持ちの方が勝った。江藤は大体浩二の想像したとおり、タクシーに浩二たちが乗ってからすぐ客が深山浩二だと気がつき、二人の話をあらかた聞いた。もちろんその時はそれをネタに脅迫することなど全く考えていなかったが、由紀子が名簿を忘れていったのに気がついて、つい魔がさしたと説明した。

「競馬はまだやっているんか?」

「すっかりやめた。俺が借金取りに追われて自己破産し、今日にまでたどった地獄の生活は、とても君達まともな人間にはわからんだろう。とにかく今はやっとタクシー会社に勤めて最低の生活は出来るようになり、個人的な借金は細々と返しはじめている。今度君達から出してもらう金で一度にかえそうと思ったが…やはり悪い事は出来ないものだね…」

「わかった、まあ、今度は警察には届けないが、君もせっかく真面目に働き始めて少しずつでも借金を返し始めているのなら、二度とこんな犯罪になるようなことをするなよ。一旦警察の世話になったら二度とまともな仕事にはつけなくなるよ」

甘いかなと思ったが、追求を打ちきった。昔の親友の弱みにつけこんで実にあくどい脅迫をしたのは許せなかったが、ここまで落ちぶれている江藤を見ると警察に突き出す気持ちにはなれなかった。警察には届けないといわれて、江藤はほっとした表情を見せた。浩二としてはすぐにでも江藤との話しを切り上げたかったが、おそらくこんな店で酒を飲む機会など全くないであろう江藤の為に、我慢してしばらく付き合い、何枚かの一万円札を折りたたんで江藤の胸のポケットに押し込み、勘定をすませて先に店を出た。

終章

その夜川崎の自宅に電話をいれ、丁度主人の下着を取りに自宅に帰っていた由紀子に、犯人がわかり事件は決着したことを伝えた。

江藤とのやりとりを聞いた由紀子は「ほっとしました。でも思いもかけないところに犯人がいたんですね…脅迫事件は一応収まったわけですが、あなたの身の上にもわたしの身の上にも大きな出来事が起きました。とにかくこの事件は、私たちに対する天からの警告と受け止めて、この際二人の関係はきっぱりと打ちきって再出発しませんか。短い期間だったけどあなたとの間に忘れがたい時を持つことが出来てしあわせでした」

「そうだね…あなたと離れがたい気持ちがあるけど、僕も妻や会長夫妻に対してあなたとの関係をやめて、むつかしい局面になった会社の経営に全力をそそぐという約束もしました。OBコーラスもきっぱりと止めて、会社の経営に全力をそそぐつもりです。短い間の夢を見せてもらったと思って打ちきりましょう…ところであなたはこれからどうするの？」

「学校はなるべく早く辞めて川崎に戻ります。主人のほうは近じか退院は出来るでしょうが、ほとんど私がつききりで世話をすることになるでしょうね。この脅迫事件と主人の病気とは直接は関係ないようだけど、せめて川崎に戻った時だけでも私が出来るだけ主人のそばにいて食事に気をつけ健康に気をつけていれば、あるいはおこらなかったかもしれないと思うと、なにか大きな責任を感ずるんです。これからその償いをしなければと思っています」

「また会える時がくるかどうかわかりませんが、お元気で頑張ってください。ご主人をお大事に」

「あなたもお元気でね。さようなら……」

浩二は最後にもう一度由紀子に会いたい気持ちが強くあったが、そうすればますます未練が残るだけだと考えて、きっぱりと別れを告げた。


良雄のニューヨーク支店勤務が急遽決まり、その出発の前に良隆の入院の日取りも決まった。良雄はあわただしい日程の中を家族にしばしの別れを告げる為に神戸に帰ってきた。

「おじいちゃん、希望にそえなくてごめんね…」

「いや、いいんだ…人間にはそれぞれ定められた運命がある。それに逆らってねじまげようとしたり押し戻そうとしても結局うまくいかない。お前も今度よいチャンスを与えられたんだから、ニューヨークでしっかり勉強してきなさい。将来そのまま住倉で伸びていくにしても、また別の転身をはかるにしても、その経験、勉強が生きてくるはずだ」

「おじいちゃんもしっかり治療して元気になって、すこしでも長生きしてください」良雄は良隆の手をしっかり握って言った。

良隆も色々な出来事があって、随分と考え方も変わってきたようだ。

良隆が病院に入り、会社の人事と中期経営計画の見なおしも決まり、浩二の身辺にも一応の落ち着きが戻った。

さまざまな紆余曲折を経て事態は新たな局面に到った。そして浩二はやはりこれまでは無意識のうちに良隆会長に頼りきっていたのがわかった。だがこれからは全て自分の責任、判断でこの会社を運営していかねばならない。その責任の重さをひしひしと身に感じた。


多忙な仕事の合間にふと気がつくと、浩二は時々ぼんやりと由紀子のことを思い出していることがある。長い学究生活に別れを告げて主婦の座に戻り、なれない家事と、それ以上に難しい半身不随で言葉もしゃべれない夫の看護がきちんと出来ているだろうか。時々そばに行って、疲れている彼女をじっと抱きしめてやりたいのだけど。

（了）

山崎正和、その哲学の形成

――『劇的なる精神』と『リズムの哲学ノート』を中心として（中）

村井睦男

一　はじめに

山崎正和氏のリズムの哲学は、氏の五十余年に亘る飽くなき思索追求の過程を経て、一昨年『リズムの哲学ノート』の出版でほぼ完成したと考えられる。ほぼ完成といったのは、氏自身がまだ解決していない検討課題が存在していると述べておられることから、今後さらに思索探求の努力が続けられるのだろうと推測していることにある。

このリズムの哲学の形成に至る長いプロセスについて、私自身はそのスターティングポイント（約五十余年前）から大きな関心を抱いていていたということができるだろうか。というより、そのスターティングポイント自体がこの壮大な氏の哲学構想の始まりであったことすら当時は不明であって、現時点でようやくそれが氏の哲学構想の始まりであったのだと理解されるのである。

「あとらす」前号において、そのプロセスの始まりであった氏の著作のうち『劇的なる精神』から始まって『演技する精神』へと、さらに『装飾とデザイン』、ついで『世界文明史の試み』に至る一連の思考過程の記録ともいうべき氏の哲学構想への飽くなき挑戦の軌跡について簡単ながら見てきた。

その過程で山崎氏に思わぬハプニングが起こったことが、この哲学構想の取り組みを急がせる結果に繋がったということに先に触れておいた。その事実とは、氏の体験が次のようなものであったことは驚きである。

二〇一二年の夏に氏がほとんど死の宣告を受けるに近い体験をされたことであった。健康診断を受けられた病院で、癌の徴候を示す指標で常識はずれの高い数値が出たことであった。これは全身が末期癌に侵されていると思われても仕方がない状況を意味していた。開腹手術が望ましいと診断されたが、これには後々の影響が大きいこと、残りの生涯をどれだけ失わせるかわからないことなどが脳裏をよぎり、それまで自分の年齢に無関心だったこと、はたと自分の置かれている状況に気づかされたと語っておられる。幸いにもその後、氏は良き医師のセカンドオピニオンを得て、手術は免れることができたというのが顛末であった。

「われながら全く不可思議な心境だが、突然、長らく書かないで放置してきた大切な主題があったという記憶が蘇った。」と述懐しておられる。それは、ほぼ三十年前に著書『演技する精神』で最初に取り上げあげられて以来、折に触れて言及しつつも正面から書かれることがなかった「リズムの哲学」という主題であった。これはあまりにも大きな課題であり、困難が予想されるテーマであったために無意識のうちに迂回しては先送りしてきたものであったと述べられている。今後に残された体力を気にしながら、かねては漠とした目標設定であったものから今や具体的な哲学形成の思索探求作業が始められたのである。多くの再確認テーマの作業プロセスの中でも、自然科学の方法論の確認のところでは苦労された理由として、準備不足は容赦なくのしかかったし、それに認識論にとりかかったからには自然科学を放置することができなかったからであるとも述懐しておられる。それ故の回り道のために時間を要されたことは避けられなかったとしても、それまで氏が目指された方向が最終目標からほとんど振れていなかったことに強く印象付けられたことは前号でも触れた。

ここでのテーマは氏が到達された「リズムの哲学」であるが、これまで長年に亘って氏がその都度疑問に感じられてきたものを一つずつ確認し解明され、自らの領域を発見・定着させてこられた。それらは同時に「リズムの哲学」が構築される上での基本的な前提となっていた構造であった。

筆者の前号での説明では多数の観点からの言及が多くて、理解が散漫になる嫌いがあった。従って、再度ここで結論的なもののみを簡単にまとめておきたいと考える。それは大きく括るとすれば次の二点に絞られるだろう。

第一には、近代哲学の人間中心主義への批判と身体の機能の重視。第二には、アンビヴァレンツからの解放とリズムが果たしている機能である。

これまで歴史上長い間当然と考えられてきた人間中心主義（すべては「私」が考え、意識し判断しているというあたかも常識的にさえ慣れ親しんで定着してしまっている状況）は果たして正しいのだろうか（以下傍線は筆者による）という疑問からの出発である。人の行動についてこれまで感じ、理解していると思っていたことは実は間違っているのではないかという状況に気づくのである。即ち、「私」が考え、判断し、行動しようと思うのは、すべて頭脳（「私」、理性など）からの支配でそこで考え、身体末端にまで指図するという構造は間違っているのではないかという疑問である。

私にとって身体というものは、「私が持っているもの」であると同時に「私そのものである」というわれわれにとって身体は二つの意味を持つ存在だと考えられる。例えば一つの例として、私は手を持っているので、多くの場合その手を使って何かをしているが、仮にその手がひどく痛みをおぼえた場合、私は手だけではなく私自身全体が病んでいると感じるだろう。私は身体を通して外の世界と接し行動しているが、その時同時に私は直接に身体そのものとして外の世界に対して立っている。同時に私が手を伸ばして外の世界に触れ認識するとき、私は漠然と私自身の指先を感じているのである。

人間中心主義は正しくないのではという思い、「私」の頭脳（理性など）が感じ、判断し、命令することで人は行動するというのは果たして正しいのか。先の例で触れたケースで、身体（例えば手先）が脳より先に反応して行動に繋がっている現象が多々起きるが、それをどのように考えればよいのだろうかという疑問に繋がる。そこから現象をよくよく検討すれば、それは身体そのものの働きが非常に大きく関係していることがわかってきた。身体の機能といわゆる頭脳の機能（悟性、理性、感性、構想力など）との二元論の考え方である。

哲学思想の世界で人間に起こる日常行動の経験について、これまで長年にわたり定着してきた哲学に異をとなえる一部の学者が二十世紀になって出現し始めた。その代表者がフランスの哲学者モーリス・メルロ=ポンティ（一九〇八〜一九六一年）であり、山崎氏にとってはそれ以前に重視されていた哲学者ベルグソンの「純粋持続」からの思索的発展に繋がるものであった。氏は自らが深い思考の過程で到達された領域と相通ずるものがあって、特にメルロ=ポンティから受けられた学思についてはしばしば表明されているところである。

もう一つの課題は、「一元的二項対立」と呼ばれる問題である。氏の演劇論で「アンビヴァレンツ」として実際に体験されるもので、「アンビヴァレンツの思考法」（反対感情対立思考法）とも呼ばれている。神といえば悪魔、善といえば悪、主観といえば客観というように常に対立する概念が出現するのは、なぜなのかと問う。そしてそれは前提としている一元論のせいであり、これはギリシャ哲学の時代、プラトンのイデアの思想に起源するものと説明される。この一元論の弊害を克服する解決策は果たして存在するものかどうかを課題として探求されてきた。そして氏は、この二項対立を解決するのはおそらくリズムであろうと早い時期から予想されていて、このテーマを長らく持ち続けてこられたことは上記に述べたところに繋がる。

山崎氏の若い時期の経験から形成されてきたバックグラウンドとして、氏のギリシャ哲学や演劇活動、さらには室町時代に花開いた文化への造詣などを通してアンビヴァレンツが対応するリズムの機能が果たしている役割が明らかにされていったと考えられる。室町時代の能芸術の真髄に魅せられ、能楽師・演能師、世阿弥元清の『風姿花伝』を始めとする当時の舞台芸術論が氏の哲学構想に大きく貢献していることはいうまでもない。その代表的なものが世阿弥の「序・破・急」というリズムの基本形だったのである。これは自然界における人間の営みにまでカバーされる思想となって展開されていくのであるが、『風姿花伝』は世界で最も先駆的なリズム論であるとされる。ここでリズムについてこれまでに確認された結論的なことは、世界に充満し外界から身体に染み込んでくるリズムの流動が人間の真の姿であり、リズムは万物を乗せて運ぶ運命的なものだと見ることができるとされる。

二　前号で確認した主要テーマ（六点）

これら山崎氏の検討思索プロセスに深く入って、さらに詳しい哲学的思考のステップが明らかにされ説明されてきた。本誌前号で確認されてきた主要テーマ（六点）とそれに関わるポイントに絞って、ここで改めて復習の意味も込めて確認しておきたい。

①　アンビヴァレンツの理論

それはギリシャ悲劇の中に組み込まれている基本構造の発見である。ギリシャ哲学の影響と関連するドラマ・ギリシャ悲劇の徹底した悲劇性の中に存在するアンビヴァレンツの感情が氏に大きな影響を与えていたことは否定できない。プラトンの哲学思想以降「一元的二項対立」が益々拡大し、常識を凌駕するまでになって、やがて人々の理解に当然のごとく定着していった長い歴史的経緯があった。

山崎氏はこの対立が存在するのは一元論の存在が問題であり、これが様々な問題を引き起こしているのではないか、これを解決する方策は何かを検討し続けられた。そしてこれは対立概念ではなく、むしろこの二項があるからこそ相互に機能しあう存在であることを明らかにされた。両者は相互に否定し合う存在ではなく、むしろ両者が相互に影響を与え合い、融和し、各々の存在の意味を高めさえする機能を有しているのだということを明らかにされたのである。それを解くのがおそらくリズムなのであろうということにも漠としながらも到達されたのである。この流れは当初の『劇的な精神』から出発し『演技する精神』に続く思考のプロセスを経てその糸口を獲得されたと考えられる。そして、さらにこれは感情の問題だけではなく観念にも適用可能であることも認められているのである。

②　自由意志の限定的存在、意識は身体を無視してはあり得ない

サルトルの実存主義に対する批判の基本的な考え方について氏の説明は理解しやすい。実存主義は、「投げ出されて、しかも企てるもの」として示され、これが実存主義の基本構造をあらわしていると考えられている。人は自ら意志ではなく生まれこの世に投げ出されるが、自ら行動するに思い切ってそこに身を投げ込んでいく行動の自由が存在していて、自ら次の一歩を選択する自由があると実存主義は主張する。しかし、実際、現実的に考えれば、過去はいつまでも過去ではなく、そのまま現在に繋がっているものであり、それはその先

にある未来とも繋がっているのである。過去の行動はそこで完了しているのではなく現在にそのまま引き継がれているので、行動の意識は過去から現在に継続している。さらに次に来る時間の中へもそのまま繋がっているのである。即ち、現在時点において自らが選択できる余地はきわめて限られた部分しかないのである。（注①）

われわれの行動を裏付けている動機と意識を考えると何かの偶然で動機が芽生え、それが意識となって行動を起こすことになるが、その動機の始まりは曖昧な状況から生みだされているもので、これは頭脳（理性など）が明確に判断して動機と次の意識した行動に繋がっているものではないのだ。行動を開始しようとする現在は、すでに過去の行動の動機からの意識が占めており、新しい現在の次元で新しい行動を決意するための余地はきわめて限定的であって、自由に選択の余地が与えられている状況にはない。現在時点での行動の自由などというものは限定的にしか存在していないのである。

意識は身体を無視しては考えられない。人間の身体は決して生理学的な物体ではなく、意識がそれと気づく前に既に能動的な知覚の主体として働いているのである。われわれの反射的な運動をよく見れば、身体は外界の刺激に対して単に受動的な反応を示すのではなく、あたかもみずから判断するかのように多くの刺激を含む状況の中から一つの刺激を選びとって反応しているのである。

③　意識についてゲシュタルト心理学からの解明

人間の意識を説明する場合、ドイツのゲシュタルト心理学派の考え方が引用される。これは氏がその学恩を受けたとされるメルロ=ポンティの業績からの影響が大きい。本誌前号の拙稿（上）で説明したが、再度ゲシュタルト心理学の例で「ルビンの壺」絵図で説明すれば、人が一見して最初に認識するのは壺の絵図であるが、次によくよく見るとやがてそれは二人が向き合っている絵図であることにも気づくはずである。最初に明確に認識される絵図を「図」と称し、次に認識されるのを「地」と称されている。人の意識はこの二層からなっているとして、これに基づいて意識現象が説明される。明らかに意識がそれを目指している明確なものは意識の「図」と呼ばれているものが表面に出て支配しているように思われるが、その背後には必ず「地」と呼ばれている意識がバックアップしていると考えてよい。「図」と「地」は重層的なものではなくお互いに繋がっているようで繋がっていない関係で、それはまさしく絵図「ルビンの壺」の例で理解されるだろう。身体の状況によっては「図」が後退し、「地」が表面に出るというような状況もあり得るのである。意識の「図」はその周囲に「地」があってこそ浮かび上がるもので、意識の「地」は無意識の暗黒ではなく意識内部にある曖昧な部分であると説明される。

例えば、何かもの忘れをした場合、当初の記憶は意識の

「図」ではなく、「地」の中に記録され存続していると考えられている。「図」は人が何かを忘れていることを気付かせてくれるが、それが何かの拍子に思い出すのは「地」においてである。この意識の「図」と「地」はどこから生じているかといえば、それは身体全体からというほかない。動機や意識を司る機能は頭脳の中のどこかの部位であるという決め付けは全く不可能で、身体全体の機能と考えるほかないのである。

④ 人間中心主義の否定

近代の哲学思想の歴史は古くギリシャ哲学の時代から長きに亘って形成されてきたもので、プラトンのイデアの思想、中世の哲学と自然科学の方法論議論、近代（特に十八世紀を中心とした啓蒙思想の展開）の議論を経てほぼ定着が完成してしまったかに思われた。デカルトの「我思う、故に我あり（cogito ergo sum）」はまさしく人間中心の「私」の実在が高く謳われたものと考えられた。

その後多くの哲学思想家の中でもイマヌエル・カントは人間に備わった能力として「悟性」「理性」「感性」「構想力」などを次々と規定していった。しかし、やがてデカルトの「私」の実在に疑問を抱く哲学思想が現れ始める。デカルトの後継者を自認していた現象学のフッサールはデカルトの主張を疑問視した人物と言われている。即ち、「我思う」という現に体験している意識の流れと、「我あり」というその中で同一性を保つ自我とは全く次元の異なる存在であり、「思う」ことと「ある」ことは別個に考えるべき主体の二つの姿だとされるというのがポイントであった。われわれが決意する場合二つのことをしているのである。また、認識と呼ばれる活動もこのような二重の意識作用の産物だと見ることができるのである。当時明らかにされた「私」が中心の哲学の基本構造はカントの理性中心の秩序づけによって、やがて哲学が上位、常識が下位という近代哲学の基本構造の構築が固められていった。それに対する批判が一九世紀後半から二十世紀初にかけて次々と議論されるようになっていく。

この議論はその後「私」の実在はあるのかという疑問の中で、一九世紀ドイツの心理学者ジークムント・フロイト（一八五六年〜一九三九年）が、「私」が主体でない現象を「エス」という主体を与えたことから「エス」の思想として広く議論されてきた経緯がある。この点は本書『リズムの哲学ノート』の中で取り上げられているので後に触れることとしたい。

⑤ 哲学と常識の関係について

ギリシャ哲学に始まり中世の議論を経て、近代に入ってますます哲学と常識の関係は哲学上位、常識はしもべという関係は変わることがなかった、というより哲学上位が長年前提として定着していたことから、哲学の基本思想が人々にとって常識化してしまったと言っても過言ではない。哲学上位、常識下位の状況は近代に入っても変わらない状況であった。我々が学校教育で教えられる対象はあたかも半ば常識化した近代哲学の基本構造であった。「私」が主体の「理性」「悟性」「感性」「構想力」などといった構造認識が前提であった。

哲学の対極にあるのは「習慣」や「常識」、つまり当たり前の事柄である。哲学はその当たり前の前提や根拠を問い直すものであるはずであった。重要なのは、前提を問い直すことによって、自己の立場を相対化し、必要ならばそれを変える勇気を持つことである、とある学者は述べている。（注②）

悩ましいのは、哲学が常識を縛っている状況は、西洋近代において確立された人権、自由、平等などの諸価値がすべて「私」の実在を前提にして成立していることは明らかな点である。そこまで頑なにあたかもそれが常識であるかのように固着してしまっているものを、真正面からそれは誤りであると宣言してどうなるというのか。それではこの問題をどのように解決すれば良いのかということになる。本書の終章のところでこの問題が論じられているので、この点は後に触れる。

⑥　自然科学の方法論への注目

この問題意識は、前項の哲学と常識の問題と関連した興味深い問題提起である。山崎氏が自然科学の方法論確立のプロセスに高い関心を示されている理由が、まさしく哲学がいわゆる常識をしもべに支配し続けてきた長い経緯が存在しており、哲学の方法論について人々が納得出来るものではないという不満が存在するからである。

自然科学がその方法論において西欧中世の時代に著しい発展をみせたとされている。哲学が従来通り常識を下位に位置付けた状況である一方で、自然科学がその後も素晴らしい発展をさらに続けている状況に鑑み、自然科学の方法論への注目が高まると同時に哲学の方法論への疑問がますます強くなっていった様子がうかがわれる。むしろ、哲学は自然科学が形成してきた方法論に学ぶべきであるとも考えられるからである。山崎氏は、この長年にわたってほぼ固定化してしまっているような哲学「主」、常識「従」の状況を、自然科学が独自の方法論で確実に発展してきた例から、それを参考に新しい哲学の方法論を展開できればとその可能性を模索されてきた。この問題も本書で取り上げられているので後に触れることになる。

以下『リズムの哲学ノート』の章立ての順序に従いその概要を説明していきたい。

第一章　リズムはどこにあるか

リズムはどこにあるかと問われれば、どこにでも存在し、感じられるものであるという答えが返ってくる。より具体的に、大自然の中で日々巡りくる変化、朝が来て、夜が来て、一日が終わる。日々が過ぎて、季節が移り変わり、年が改まるなど、繰り返される中にリズムがある。人が出生から物心がついて後、社会人として勤労し、退職後の引退生活を送り、ついには生涯を終えるのもリズムである。身体で日常感じられる個々多数の動作・現象もリズムに従っていると見ることができるだろう。他方、海の波の動きはリズムとしてしばしば説明される例であるが、沖にある波が海岸にまで遠々移動しているのではない。波動は絶え間無くありながら動きそのものは上下運動に近く周辺の変化に過ぎず、しかし動きそのものは遠くにまで伝わり海岸にまで到達するこの動きの中にリズムは存在している。

次にリズムの具体例として2つの事例を説明するのが適切であろう。これらの例は、氏が好んで引用される典型例である。これらは、いずれも伝統的に古くからわが国に存在し、工夫のプロセスを経て定着してきたものである。一つは、世阿弥元清の芸術論にある演能の際の原理「序・破・急」という考え方で、これはリズムである。即ち、長く緩やかな序の部分で力を蓄え、やがて一瞬の頂点に上り詰めて堰を切ると、後は急速に流れを走らせるという動きのリズムである。序は破によって序としての力を与えられ、破は急によって初めて破としての意味を獲得する。世阿弥はこの動きについて、演能という芸術の営みに限らず、自然現象におよぶ森羅万象のなかにも見出していると氏は指摘されている。この事例説明によってリズムの流動についての理解が進むだろう。

今一つの事例は、日本の古代に形造られたと考えられる単純な仕掛け「鹿おどし」である。これは現在でも日本庭園でよく見かけられるものであるが、元々は、野生動物から農作物被害を守るための「おどし」として工夫されたものであったろう。この「鹿おどし」の構造はこうである。まず竹筒と水受けがあり、竹筒に水が流れ込む。竹筒の中心に支えがあって、水が竹筒の一方に流れ込むと竹筒の先端に近いほど重力がかかり竹筒はやがて重力で下に押し下げられる。水が水受けにこぼれて跳ね上がった竹筒の反対の端が重みで石を打ち付けて音をたてる仕組みである。水の流れが続く限り「鹿おどし」のリズミカルな音は継続する。これは先の世阿弥の「序・破・急」の構造と同様な構造を示していると考えられる。

日常経験をよくよく考えれば、リズム感覚の中枢はたんに諸感覚の中間にあるというのみならず、知識をも含めた人間の総合能力のなかにあるのではないかと考えられるし、身体には理性に先んじて分類や範疇化を行う能力さえあるのではないか、人が一瞬の戦慄のように感じる生命のリズムは、感覚をも知性をも超えて、身体の全体を直接に襲う現象だとさえ考えられるのだと氏は説明される。

先に見た二つの例でもわかるように、それが様々な異質の媒体を一貫して流れて、それが媒体の変質によって途切れることがない。この流動が大きな抵抗を受けて、もはや乗り越え不能に陥ってせき止められると、それは単なる中断や消滅ではなく独特の興味ある現象を見せる。リズムを起こす流動を純粋流動と呼びたいと氏は述べられる。リズムとは純粋流動そのものであるからこれが身体というもう一つの媒体に乗り換え、その内部で共振を起こすと考えることも可能であろうとも主張される。

リズム一般の説明は次の通りである。

> 人間にとって、リズムというものほど広く感じとられる現象は少ないのではないだろうか。文明が違っても、年齢や性別や個性が違っても「リズム」と聞いて、それなりのイメージを抱けない人はいないはずである。……リズムはまた人間の感覚器官の違いを超えていて、俗に五感と呼ばれるすべての感覚を通じて享受することができる。……しかし、リズムを受けとる特定の感覚器官、感性の種類はどこにも存在しないということになる。あえていえばリズムを受けとるのはこれまで知られたどの感覚でもなく、まったく未知の新しい中核だと考えるほかなさそうである。……リズムを感受するのは身体の全体だと考えておくべきかもしれない。(本書9・11頁)

> リズムが一つの流動のかたちであり、随時、随所で人間の身体を揺さぶりながら、ただ流れ去るのではなく、いわば波動を起こす現象だということだろう。リズムは反復する運動の流れであり、断続を繰り返す流動だとみることができる。だがその波動の内部を仔細に眺めると、……リズムは単純な反復運動の流れではなく、より多く往復運動の流れ、往と復という異質な運動の組み合わせの流動として現れる。(本書16~17頁)

ここで今ひとつ重要な懸念されるポイントが指摘されている。近代哲学が陥っている認識論について、改革者フランスの哲学者メルロ=ポンティは認識の主体の地位に身体を置いたうえ、それによって主、客の二元的対立の観念を克服しようとしたことは先にも触れた。しかしメルロ=ポンティの身体はどこまでも能動的に働く身体(運動する身体、働きかける身体)であったのに対して、身体とリズムの関係を考慮に入れるとなると、身体がリズムに対して受動的だという事実から、氏は果たして哲学の整合性が見いだせるかどうか、この段階では不安定な状況に置かれている様子が窺われるのである。

第二章　リズムと持続

ここではルートヴィヒ・クラーゲス(一八七二年~一九五六

年）の『リズムの本質』とアンリ・ベルクソン（一八五九年〜一九四一年）の「純粋持続」について説明される。

クラーゲスはあまり知られていないドイツの哲学者であるが、彼が「拍子」（リズム）ついて述べている数少ない哲学者である点に注目。一方、ベルクソンの純粋持続の思想はよく知られているところである。

クラーゲスは「生の哲学」にくみしている立場（合理主義や科学主義とは反対に非合理な力、分析不可能な生の全体性を重視する）から、「生命」に対する「精神」（理性あるいは意識とほぼ同義語）の産物が「拍子」であり、人が対象を規則的に切り分け、切り分けた要素を再び秩序正しく整理する技術であると主張している。

ベルクソンについては、一八〜一九世紀のフランスを代表する哲学者であり、彼の純粋持続の思想は広く知られていた。氏はベルクソンの純粋持続の思想に早い時期から一部賛同されており、この点については氏の『演技する精神』の中で詳しく論じられており、「あとらす」前号の拙稿（上）で触れているので参照願いたい。

ベルクソンもクラーゲスにとっても、生命は本質的には切れ目のない流れであり、理性による制御も意志による選択も許さず、人を否応なしに乗せて運ぶ一息の飛躍（あたかも「鹿おどし」で水が吐き出されて竹筒が元の位置に戻るときに激しく石台にぶつかり音を発するような）に他ならず、生命の不思議として、個体の死という断絶を含まずには連続しえないというこの逆説こそがリズムの本質であり、二人にとって生命は本質的に切れ目のない流れであり、理性による制御も意志による選択も許さず、人を否応なく乗せて運ぶ一息の飛躍、根源的に切れ目を内在した流動がリズムに他ならないと説明されている。

ベルクソンの純粋持続についての氏は次のように説明される。

> ベルクソンの意識理論のめだった特色は、意識の働きを志向性の矢印構造として捉えないことであり、……彼の意識は向かい側に「何ものか」を指すのではなく、むしろそれ自体が「何ものか」になって行くのであって、従って、それになって行く過程には境界線ではなく、ひとつながりの漸層的な変化だけが認められることになる。……いいかえれば、意識はそれぞれの部分の継起する状態ではなく、分割不能なひとつの純粋な継続状態なのである。……ベルクソンの意識にとっては、たえずみずからが変化することがその働きなのであり、刻々に過ぎ去ろうとする瞬間の孤立化を許さず、遂に身を乗り出してそれと一体化して行くことが、その能動性の意味なのであった。（『演技する精神』127・128頁）

ベルクソンが哲学史上に類をみない革命を果たしたことは確実で決定的な功績は、彼が認識の原点の在りかを一変し、従来誰もが最も直接的な与件としてきた感覚を排除したことである。……認識にとって原点となるより直接的な能力と与件は感覚与件のほかにあると主張したのだった。さらに画期的だったのは、彼がその直接与件を純粋な運動として捉えたことであって、運動する物体や運動の媒体と区別したことであった。純粋な運動が観念の産物ではなく現実に実在すると考えたのは、やはり革命的と言うべきだろう。
（本書64・65頁）

少しわかりにくいと思われるので若干追加説明すれば、リズムにおいては、先に説明したように、例えば「序・破・急」は互いに区分されながら、序は次に破が来ることで序として意味付けられ、破は急が後続した時に初めて破の機能を与えられる。全体は、時間の逆転を起こすことによって序・破・急という持続の単位を結ぶのだと説明されるが、この時間の逆転が純粋持続に繋がっていると考えてはどうだろう。リズムの感触は、その一瞬一瞬の内部にそれとは対立する時間の不在を含み込んでいるのである。

第三章　リズムと身体

身体という場合、二つのことを意味している。即ち、肉体を意味する身体と人間そのものを形作っている全体像としての身体である。身体論を論じる場合、二段階に分けて内容を理解する必要がある。ここでは議論の前提となっている身体論そのものと、それが関連し包含しているリズムとはまず明確に分けて考えておかなければならない。その意味では先ずメルロ＝ポンティの身体論について理解し、その後に、リズムがどのように関わっているかを考えるのが理解しやすいと思われる。

メルロ＝ポンティについてはこれまでも何度か彼の功績である身体論について触れてきた。従来の伝統的な認識論は、経験論であれ観念論であれ、知覚の主体とその客体を峻別し、そのうえで両者のどちらに主導権があるかを問うものであった。そして、メルロ＝ポンティの身体論の特色は、身体を生理的肉体から引き離すところから出発し、むしろ哲学的な意識の働く場所として捉えた点にあって、そのことによって認識論の主体・客体問題に革命をもたらしたと指摘されている。メルロ＝ポンティは当時心理学が注目し始めていたゲシュタルト心理学にいうゲシュタルト現象を取り上げて説明したのであった（本誌前号の拙稿（上）で説明済なので、参照願いたい）。

メルロ＝ポンティは、身体をいわば意識の前面に立て意識と外界を仲介する位置に置いた。今や意識は身体を外界の一部として持つとともに、その身体そのものと一体であるという意味で、両者はいわゆる「両義的」な関係を結ぶことになった。意識は身体として時空のなかに極限される一方、身体は意識の性格を引き継いで志向性を持つことになった。……メルロ=ポンティは身体に志向性があることを明言し、その志向性が身体の運動から生まれてくると主張する。運動とは身体の所作の組み合わせだが、所作が世界に対して一定の意味を持つように組み合わされたとき、その意味が身体の志向性なのだという。(本書75頁)

リズムは世界中の随時、随所に現れる現象であるが、その現れの場所として特記すべき独特の存在が人間の身体である。身体はそれ自体、生のリズムの一単位にほかならないが、個人の身体は他に例を見ない求心力に恵まれ、その単位形成の力は抜群の強さを示すからである。……肉体と身体が同一物ではないのは明らかであって、第一に肉体が誕生と死によって外から統一されているのに対して、身体は習慣の持続力によって内から統一されている。……何よりも決定的な事実はいうまでもなく、肉体の死はそのまま身体の死に直結していることである。にもかかわらず人間が人間であるゆえんは、この現実を越えるところにあり、身体のリズムが肉体のリズムに優越している点にあることは論を俟たない。(本書69頁)

「あとらす」前号で氏の『世界文明史の試み』で論じられた「する身体」と「ある身体」の分類について説明したが、身体をかたちづくるリズムは二つに分けられ、それに応じて身体そのものも二種類に区別された。即ち、人の生涯よりも大きな振幅を持ち、生命史全体のなかから個人の生涯を切り出してくるリズム、これは大きなリズムを生み出す「ある身体」であった。それより小さな振幅を持って個人の生涯の内部で日常生活を支配するもう一つのリズム、即ち小さなリズムが乗せて運ぶ「する身体」であると説明された。この身体を根源的に駆り立てる力は自己を拡張したいという欲望であり、「する身体」を突き動かす力は、自らを空間的、時間的に広げたいという欲望に基づいていると述べられていた。

また、メルロ=ポンティが身体に指向性があることを言明しているという点については、本誌前号で氏の『演技する精神』の中で「動機と意識」のところでも触れて、人は何かを志向する場合、最初の起点がどこにあったかが論じられたが、それは外界の現実ではなく、まして意識ではなく、身体に他ならないということであった。

第四章　リズムと認識

この章では次に示す四点が重要なポイントと考えられることから、これらに絞って説明する。これらはいずれも山崎哲学を形成するための重要な構造基盤であることから、氏の解説や議論も詳しく、それだけ紙幅も多くを占めている。この部分は氏が若かりし頃、既に問題提起されていた基本部分が、ここに至っていよいよ本格的な構造内の位置付けとなっていると考えられる。これらは氏の著書『演技する精神』のなかで議論されていた基本問題でもあった。

四点は次の項目に絞られる。

① ゲシュタルトと身体および意識との関係
② 記憶とリズムの関係を支える身体
③ 観念と事物についての関係
④ 観念と思考の働きの仕組み

ここではまず認識の意味について、事物の認識はゲシュタルトの考え（注③）を用いて説明される。これによって難解な哲学の構造を覆っていた薄紙をはがすように突如理解が可能になるだろう。また、観念と事物との関係については、ユークリッド幾何学の例で説明される。これもまた理解が平易に感じられるのではないだろうか。

① ゲシュタルトと身体および意識との関係

ゲシュタルトが現れる場所は人間の身体である。ゲシュタルトの絵図にあるものが現れるのは内からの意識ではなく、外界の現実でもなく身体である。そしてその身体の位置付けは、外界の現実と意識の中間にあるという。また、人が周囲から最初に気づくのは、特定の感覚器官ではなく「気配」を感じる時のように全身の受容力として感じる。それも生活の中で身体的に感じる場面の全体を気づきの絵柄としてゲシュタルトの図が生み出しているとしている。

次に身体に関わるリズムについての説明である。身体と肉体が別物であり、各々が独自の機能を有しており、各々の中にそれぞれリズムが存在していることも説明されているので、その点も併せ確認しておきたい。

これまでの考察でわかったことは、ゲシュタルトの現れる場所は、人間の身体だということだろう。「ルビンの壺」が現れるのも、自然の光景が一まとまりの絵柄として現れるのも、その場所は外界の現実ではなく、まして内面の意識でもなく、いわば両者の中間にある身体にほかならないことがわかった。ゲシュタルトは内発的、自動的に向こうから現れてくる点で、外界の現実に似ており、他方人が感じないかぎり存在しえないという意味で意識現象に似ていて、じつは同時にその両者のどちらでもあるというほかないのである。……なにごとであれ、人はまず気づいたものを見たり聞いたりするのだが、その最初の気づきは、目や耳という特定の感覚器官ではなく、いわゆる「気配」を含めた全身の受容力のうえに起こる。しかもその気配は身体に対してどこからともなく訪れ、漠然としながらも抗しがたい誘引力を帯びた「図」となって迫ってくる。……意識こそゲシュタルト形成の結果であり、副産物であると考えられる。（本書99・100頁）

② 記憶とリズムの関係を支える身体

記憶とリズムの関係を支えるのが身体である。自転車に突然乗れるようになる例や学習中に問題を解いている時突然「わかった」とひらめく経験などは、練習や同じ動作の積み重ねによる記憶がベースにあって、それらがリズム効果によるいわゆる「鹿おどし」行動で突如起ると考えられるのである。リズムは記憶のことと同義といってもよいが、またその記憶が反対にリズムに根ざし、リズムに支えられているのである。

記憶とリズムの相捉関係を支えるものが身体であろうことは推察できる。意識にとって記憶は動かない現象であり、自由につくることも消すこともできない現象である。練習は成立したリズムが「素描」のかたちで身体に記憶され、かなりの時を隔てても再現されうる状態が習慣と呼ばれるのである。練習の成功は習慣と記憶の関係も復活させ、リズムの流動性と分節性の均衡も取り戻すといえる。練習とは身体から意識の関与を排除し、それをリズムの支配に委ねるための行動だといえる。（本書108・110頁）

自転車に乗れるようになる瞬間や、学習中の「わかった」というひらめきは、脳内に受動的に浮かび上がる。この能動性と受動性が両義的な一致を見せ、それが「鹿おどし」構造をもって現れるというリズムの性質は、むしろ脳内活動にこそ顕著に現れるのだと説明される。

③ 観念と事物についての関係

山崎氏はここできわめて重要な関心事であった観念と事物の関係について詳しく論じられる。これは氏が常に批判的であった哲学の古くから知られている例えば観念と身体（事物）といった二項対立の典型例についてである。このテーマでは、ユークリッド幾何学の例を取り上げて説明されているのは非常に理解しやすく事例に適していると考える。

ユークリッド幾何学では点とは大きさのない位置、線とは幅のない長さ、面とは厚みのない広がりであるというもので、図形の観念が純粋に思考の対象であって、純粋な思考のためには身体は排除されなければならないと教えられる。人はその純粋な観念を学習するためにも、現実には身体の感知する非観念的な対象に頼らざるを得ないことを経験するのである。即ち、人は紙や黒板の点に幅のある線を手で引いて考えている。それは人が手で描かないかぎり出現せず、手を使って消さない限り消滅しない。観念を思い浮かべれば直ちに脳裏に出現し、思いを変えればたちまち消失するのと比べて、手の描く線は存在のしかたそのものも異なっているといえる。（本書120頁）

同じ対象が観点によって違って見えるのが事物であり、対象ごとに唯一の観点しか許さないのが観念だといえる。そして観念と事物を繋ぐ一本の軸、両者の程度の差をつくる何ものかとはすなわち人間の記憶にほかならないと思われる。これまで異質の存在とされてきた観念と事物がじつはある意味で漸層的に繋がった存在であることがわかった。観念と事物はたしかに一本の軸の両端に位置している。（本書122頁）

④　観念と思考の働きの仕組み

この観点は複雑に込み入っているので明確に整理して臨む必要がある。観念は言葉で記述されるが、それを読んで思い浮かぶ観念そのものは浮かんですぐに消えてしまう。従って人は観念を止めおくために近似的な事物に頼るほかないというのは、先に見たユークリッド幾何学の例でも明らかであった。それで、問題が起こらないのは観念と事物が一本の軸上にあるからというのは理解出来る。

例えば直線や円などという幾何学的な図形を思い浮かべ、それを言語的な定義ではなく、図形そのものとして意識し続けることはほとんど不可能に近い。人の意識はたちまち疲れて、気がつけばいつのまにか、人は鉛筆や白墨で描かれた図形を思い浮かべているはずである。その証拠となるのが幾何学の証明の例であって、純粋に観念的な図形問題を証明するためにも、人は鉛筆や白墨の線を手で描きながら考えるのであった。純粋な意識が捉える純粋な観念は確かに存在するが、それは一瞬現れては消え去る存在である。（本書126頁）

過去が、区切りとるべき現在があっての過去であるように、観念もまた区切るべき事物があって初めて成立しうる存在である。この相互依存性こそ二組の対立がそれぞれリズムの関係にあることを物語り、当然そのリズムが習慣の連鎖をかたちづくることを示唆している。複数の過去、複数の観念の相互の繋がり方にはリズミカルな関係があって、それを繋いでいるのが習慣だということは多くの実例が示している。（本書128・129頁）

生活のリズムをつくるうえで習慣が果たす機能は大きい。観念を組み合わせて考えるという世界でも習慣の重要性は変わらない。考えるというのは複数の観念を積み上げる仕事であるが、それは事物を幾つかの単位に区切り、それらを一連のリズムへとつなぐ機能であるから、リズムの流動を実現するためには観念は事物を十分に分解・分節している必要があるのだと主張される。

ここまでで結論的に「二項対立」解消の解決策がリズムによると考えられるのは、次のように説明できるのではないだろうか。対立する二極を観念と事物の例でみたように、実はそれらは対立する関係ではなく、ある意味で漸層的に繋がっている存在であるということが理解された。考えるということは、複数の観念を積み上げる仕事であるが、事物（身体）はリズムに満ちているから、それは事物を幾つかの単位に区切り、それを一連のリズムへと繋ぐ機能となる。そして二極の相互依存性こそが二極の対立がそれぞれリズムの関係にあることを意味している。また、リズムの基本構造が「序・破・急」や「鹿おどし」の構造を有しており、その力は大宇宙や大自然環境のもとで日々暮らす人々の生命にリズムとして深く浸透している。そこでは、「一元二項対立」の世界はおのずから解消されていると考えられるのである。

第五章　リズムと自然科学

……近代科学が哲学に教えるもの

山崎氏はかねてから哲学と自然科学のそれぞれの発展過程についていかに位置付けられ、いかに発展形成されてきたかに大きな関心を抱き続けてこられた。とりわけ今日に至る自然科学の驚異的な発展と、それに対照的な哲学の停滞の理由に対してである。

近代科学以前の哲学者にとって現象をただ現象としてのみ捉えることで、それらの究極の全体的な関係までを考察するところまで至っていなかった。知識人としての責務放棄だったのである。哲学と自然科学の方法論の違いについて以前から関心を抱かれていた。なかでももっとも印象的な事例は、世界像の統一を試みたイマヌエル・カントであるとして、氏はこの歴史的な結果を厳しく批判されているのである。

> カントの中心課題は、科学を認識の一つのかたちとして位置づけることにあり、科学が成り立つためには、認識はどういう構造を持たなければならないかという考察にあった。『純粋理性批判』の主眼は、世界構造の構築にはなく、科学的認識を支える精神の側の構造、感性、構想力、悟性、理性の協力関係の分析にあった。科学が何を言おうとその内容は感性的刺激を構想力がかたちにまとめ、悟性が概念という名前を与えたうえで、理性の統一的な地図のうえに配置したものにすぎない。
>
> 基本的にカントは世界に関する直接の説明はすべて科学に任せ、しかしそのうえで科学が結局は認識の働きに帰せられることを示して、それによって哲学の優位を証明しようとしたといえるだろう。……この二項対立に囚われるかぎ

り、科学は自然という実在の模写なのか、それとも人間の理性の構築物なのかという、近代哲学の不毛な葛藤を免れ得ないだろう。（本書146・152頁）

この認識論は不毛であったが、科学の実践はこうであった。科学は現象を把握しようとするが、研究の過程では現象と真実在はとりたてて区別されず、現象が実態なのか仮象なのかという相違は問題にされない。科学上の一定の真実は法則や原理のかたちで提示されるが、その真実はあくまでも現象相互の関係の整合性に帰せられ、それ以上の実証は要求されない。現象の記述は反証可能なかたちで提示され、しかも現に反証されていなければ真実なのである。（本書170頁）

この自然科学の方法については、宇宙物理学者（大栗博司氏）と山崎氏との対談で大栗氏から批判的にコメントがなされている。（注④）上記の自然科学の方法論「反証されなければ真実である」（反証可能性）と主張したカール・ポパー（1902年～1994年）の考えが定着していたと考えられるが、現在では必ずしもそうではなく、科学技術のほとんどが量子力学の原理でできていることから様々な方法で検証がなされていること。科学技術というのは近似的理解なのだと大栗氏によって説明されている。

第六章　リズムと「私」

この章のテーマは山崎哲学が解く根本にある核の一つである。「私」は伝統的な近代哲学の中心に据えられてきたものであったが、この「私」自体が極めて重要な問題であった。従来の哲学が認めてきたのは次のような「私」であった。近代において主張されている異例の資格・特権的な地位は、どこからどうして獲得されてきたものなのだろうか。

「私」という現象の独特の感触、実在感の強さは長く広く認められていて、近代哲学の重要な観念を生んだほどであった。「自我」や「主観」などと呼び変えられて、哲学の流派によっては世界の根底を説明する基本的な観念とされた。……自我や主観と名づけられた「私」は、極度に硬直的な存在として、世界に対峙する普遍、不動の存在として捉えられ、世界全体の根底を支える強靭な礎石と見なされたのだった。（本書176頁）

じっさい私の身体が感じているものを精査しても、それが身体の内なる現象か外なる現象なのかを見分けるのは難しい。私の身体は刺激に反射的に反応するのであって、それらについて判断したり評価するなどの営みは起こっていない。……純粋に反射的な反応と若干の知的な工夫を加えた動作を区別するのは容易ではない。（本書177頁）

また、「私」の自由意志について論じられているが、結論的にいえば、「私」の自由意志などというのは、その発端がいずれにあってどのように顕れたのか必ずしも明確にできないということである。近代哲学がいう自由意志論には決定的な欠陥が潜んでいるとこれまでも厳しく批判されてきた。

人間の意志は随時・随所に芽生えるほかないものであって、そうであるかぎりそれを特定の時と場所に芽生えさせる別の力を探さなければならないからである。かりに私が全く自由に旅に出ることを決意したとしても、私はその決意をいつどこでしたかを自由に選びとったわけではない。万一、その決意と場所を自由に選べたとしても、今度はその先行する決意の瞬間と場所を選ぶ自由が問われることになって、自由意志の最初の発動の時点は無限遡行するほかない。これを遡っていたとしても、その時点は私の知りえないこの神秘的な意志だということになる。（本書184頁）

日本語に「意欲」という便利な言葉があるが、これは「意」と「欲」からなっており、「欲」は「欲望」であり「意」は「意欲」、「意志」を意味している。これらが欲望↓意欲↓意志 へと移行する方向は一連の連続的、漸次的な変化を示しているとみられる。まず欲望は散漫で多義的な気分として芽生えてくるが、この欲望が次いで意欲へと高まると、気分は行動に向けて限定された方向を指し示す。これが一層の集約の度を強めて意志に変わり明確な具体的計画が練られることになると説明される。

氏はここでも「私」とリズムの関係についても触れられている。「私」を貫くリズムは他のリズムよりも直接的に絶え間なく私を揺さぶってくるものである。例えば意欲と満足、睡眠と覚醒、興奮と沈静などのリズムは毎日を生きる私に実感されている。また欲望から意欲、意欲から意志へと移行の方向は一連の連続的、漸次的な変化を示しており、この移行関係は実はそのままリズミカルな運動をかたちづくり、みごとな「鹿おどし」構造を見せているとしている。

この章の関連テーマとして、ここで氏は二つの基本構造に関する重要な問題提起を行い、同時に確認されている。それは（一）近代哲学の基本に据えられた、考える「私」の問題と、（二）主体が「私」ではない「エス」の問題についてである。

（一）前者の問題は、デカルトの「cogito ergo sum（我思う、故に我あり)」以来「私」が考える主体として誕生したことであった。これに対して山崎氏は次のように明確に否定される。「意識する私」と「存在する私」は全く別次元のものであるが、デカルトがこれら二つを同一視したのは誤りであった。また、近代哲学において二十世紀初頭デカルトの系統を受け継いだ現象学の哲学者フッサールがデカルトの「私がある」の論証を厳しく否定する状況などが相次いだ。

(二)二十世紀に入ってドイツの心理学者ジークムント・フロイトが「私でない思考の主体」に「エス」という名前を与えて、近代哲学の大前提であった「私」の主体を否定し、「エス」の存在を想定したのであった。「私」が考えるのではなく、ある「ひらめき」が起こったことから始まる展開を「エス」が考えるということも可能ということになる。例えば、英語でIt rains. という場合文法上主語はitであるが具体的な主語ではない。rain(雨)が主語と想定されるだろう。ドイツ語でEs gibt. というのは「……が在る」という意味でここにも文法上の主語(Es)はあるが、本来の主語はない。フロイトはドイツ語の主語「エス」を「私」ではなくそれに代わるものとして用いたのである。

常識(この常識化されてしまった決めつけ……筆者注)がまったくの錯覚であることは、「私」自身の「内面」の体験をのぞいてみただけでもただちにわかる。……私がものを考え始める瞬間を見れば、そのとき私は「思いつく」、「ひらめく」、「アイデアが浮かぶ」といった意外さの感じ、明らかに受動的で身体的な感覚に襲われているはずである。即ち、思考が不意に始まるように見えることそれ自体、逆に私が真の創始者ではないという事実を示唆しているのである。(本書195頁)

ここで氏は非常に興味深い事例を紹介されている。人はここにいう「思いつく」、「ひらめく」、「アイデアが浮かぶ」といったことが不意に始まるような経験をしているはずである。これに関して氏が興味深い昔からの人々の経験を語っているのは納得がいくものであろう。人に妙案が「ひらめく」場所は三つあると言われてきた。古くから「厠上、枕上、鞍上」の三上というのがあった。トイレに入っている時、ベッドに横たわっている時、馬に乗っている時に「ひらめく」のである。興味深いことに英語にも同様の言い伝えがあって、それは「3b」と呼ばれているもので bathroom、bedroom、bus を指している。哲学的に考察すれば、これらはきわめて意義深いものと考えられよう。これは難解な理論の理解を助ける材料となるだろう。

第七章　リズムと自由（あるいは哲学と常識）
――おわりにかえて

この書『リズムの哲学ノート』の哲学の面から考察された枠組みや基礎的構造についての説明は、前章でほぼ完結しているように理解されるが、山崎氏はこの長年の哲学的思索の結果を踏まえ、ここまでで終結することは短絡な主張に終わってしまうと受け止められる可能性ありと懸念されたのであろうか。敢えてこの一章を追加し、氏の長年の考察のプロセスから紡ぎ出された新しい発見の確認などを踏まえて、現在の世界の社会的、政治的、文化的秩序、人々の常識的な行動、自然科学の現状などに向けて想いを馳せ、この時点で自身がどのような立ち位置でそれらに対すべきか明確に意見を表明しおく必要性があると判断されたのであろう。従って、ここでの氏の主張はこれらすべてのまとめになると思われるので、この書のまとめとしたい。

ここで最も強く強調されているのは、近代哲学批判であり、これが最大のテーマとして貫かれている。哲学の長い歴史のなかで「私」が登場し、定着していった後に、この「私」から「理性」ほかを最高位に置いて、その下に認識能力を配置してきた。しかし、「理性」を「私」と呼び換えることは破天荒な行為であったし、これは近代哲学の根本を揺るがすことでもあった。山崎氏は近代哲学に対して少なくともその根拠に決定的な疑いを投げかけられたのである。

この主題下にあって指摘されているいくつかの問題意識は、この大テーマのもとでわれわれが次に示すような重要課題として、肝に命じ、注視していかなければならない課題の根本にある問題性である。以下四点について説明しておきたい。

一つは、哲学と常識の新しい関係についてである。現在世の中を見渡せば、今や常識的に定着してしまった「私」の観念、自分や主体の観念は依然として社会に根強くはびこっており、近年それを擁護する思想すら広がっている。自由意志を絶対視する社会思想は権利として「私」を自明の存在と見る思潮であるが、自由意志などというものは既に見てきたようにきわめて曖昧な存在なのであった。課題は現代における常識と哲学との新しい関係を探るということになると氏は述べられている。本来の常識を覆して世界観を基礎付けなおしてきた長い歴史を有する哲学にとって、それはまさに画期的な立ち位置を探り出す仕事になるだろうとも述べられている。

一つは、自然科学の発達、社会思想の進展の中で、哲学の姿勢も考えるべきである。自然科学は現象を把握しようとするが、現象と真実在は特に区別されず、現象が実態なのか仮象なのかの相違は問題にされない。それ以上の実証は要求されず、現象の記述は反証可能なかたちで提示され、しかも反証されていなければ真実なのである。一方、社会思想はいつしか哲学と袂を分かち、自由意志を絶対視しており権利としての「私」を自明の存在とする主張に氏は厳しい批判の目を向けられている。解決策は近代思想を哲学の立場から批判したり、基礎づけなおしたりすることではなく、やはり現代における本来の常識と哲学との新しい関係を探ることではないかと主張されている。氏は哲学も自然科学の方法論に学びたいとも述べられている。

一つは、近代思想として現代のソフィスト（注⑤）や啓蒙思想家への批判である。氏が近代の思想や近代哲学にたいして鋭い批判を投げかけられるのは、純粋な哲学が構造的に不安定な要因をはらみながら反省もなく、ますます制度化を強める一方、哲学者とも非哲学者ともつかない社会思想家（いわばかつてのソフィスト）が氾濫しているのを嘆かれる。十八世紀の啓蒙思想家と呼ばれた知識人の大半がそうであるし、二十世紀以降の社会科学、人文科学、ジャーナリストのほとんどもソフィストとみなすことができるときわめて厳しい批判を向けられている。今日人権という概念が何の哲学的な根拠を持っていないこと、自由と平等の観念の中に矛盾を含んでおり哲学的な基礎づけを持たない現実に憂慮もしない社会科学者は多く、それを自覚している思想家も少ないと嘆かれている。

一つは、リズムの輻輳としての「私」について。山崎氏は本書において、意志の自由を否定し、権利としての自我の存在を排除することで、少なくとも哲学的に決定的な疑いを投げかけられたのであった。そこにそれらを統括して支えるものがほかならぬリズムのはたらきであった。認識の主体が丸ごと身体であるということは、理性と感覚の対立が起こりそれらが相互に自由を妨げるといった恐れは全くなくなる。そして哲学はこの世界の根源的な原理であるリズムを感じ取り、リズムとともに生きることによって如実にその働きを知ることができると説明される。リズムは常識社会に暮らす普通の人々にも感知されるもので、それは機械的な必然性、硬直した規則性から人々を解き放ち、さらにカント的な自由意志の桎梏（社会的な相互抑圧の原因となるもの）からも開放していくことも強調される。そしてこれを自然現象についていえば、朝夕の変化、季節の移り変わりに運ばれて、みずからが現在を生きていることを実感することができるのだと。

繰り返しになるが、本誌前号の拙稿（上）の最後に掲げたマルティン・ルターの言葉「明日、地球が滅びるとしても、今日、林檎の樹を植える」に対して氏は次のように述べられていた。「林檎の樹を植えるという毎日の実用的な作業でさえ、もしそれをリズミカルな手順を踏んで淀みなく成就し、今日一日を一日として完結させせることができれば、明日があるかないかはさしあたり問題ではないだろう」と。大自然のなかで、自然のリズムと身体のリズムを感じながら日々の生活を送る一日、林檎の樹を植えることでそれらのリズムに浸って静謐な幸福感のなかに自分が置かれているのを感じているという意味と理解する。

本書の「あとがき」において山崎氏は一つのことわりを表明されていることに筆者は氏の真摯な対応に痛く感動させられた。近代哲学が辿ってきた道を氏は厳しく批判し、それを基礎に新たな哲学を構築されてきた。氏はかつて著書『近代の擁護』（注⑥）のなかで次のように述べておられた。「近代性は20世紀末に小さからぬ変容を見せながらも、その本質的な部分はまだ変わっていないし、変える必要もないというのが私の認識であり主張である」と。世界が繁栄、拡大してきた近代以降の世界の仕組みに対して、近代そのものを全面否定するものではないことを明確に表明されているのである。近代化の哲学的根拠を否定しながら、他方で近代化を肯定されていることについて釈明されているのである。即ち、氏は近代の擁護を目指しながら、同時にそれをかつての神の座から引き下ろすことを試みた、留保付きの近代主義者であることを表明し、本書は近代の擁護者が書いたいわば「ポスト・モダン」の哲学だと明確に表現されていることである。

（中の部）了

注① 最近日本で翻訳出版が相次いでいるドイツの新鋭哲学者マルクス・ガブリエルの『新実存主義』（二〇二〇年一月 岩波新書）の中で、彼は次のように述べている。「実存主義の伝統に連なる思想家として、カント、ヘーゲル、ニーチェ、キエルケゴール、ハイデガー、サルトルがいる。彼らが共有する最小限の前提は、精神、つまり人間の心に制度をつくる能力があるという信念である。人とのまじわりのなかで、行為やそれについての説明が大きな文脈の中にどう収まるかをイメージし、そのイメージに照らしあわせて制度を構築する能力だ。」

注② 東北大学名誉教授 野家啓一氏のある書評のなかでの発言（二〇一九年一二月一四日 日本経済新聞）

注③ ゲシュタルト心理学における意識の「図」と「地」及び「ルビンの壺」絵図に関する説明は「あとらす」四一号の拙稿（上）を参照。

注④ 山崎正和氏と宇宙物理学者 大栗博司氏の対談（司会 三浦雅士氏）「自然科学と哲学の対話」アスティオン八三号 二〇一五年十一月

注⑤ ソフィストと呼ばれた人々は、紀元前五、四世紀ごろ法廷や政治集会で争う市民に弁論の技術を教え、それにたいして報酬を受ける職業的弁論術師だったと説明されるが、本来の政党哲学者とは立場を異にしていた。

注⑥ 山崎正和『近代の擁護』 ＰＨＰ研究所、一九九五年

ホイス大統領とユダヤ人たち（三）
――公私のメッセージ、評論、故人の追想、ほか――

〔編訳〕秋間　実

9

『ヒトラーの道』からの抜粋
――『国民社会主義〔ナチズム〕についての歴史的＝政治的研究』（シュトゥットガルト、一九三二年）の一部――

人種研究と人類学とは、確かに非常に興味ぶかい学問である。ここでは、矛盾をたっぷりかかえこんでいる専門諸研究にたいして、方法・やりかたと手の届くほどの諸結果とについて判断をくだす、そういう権利を主張するわけにはいかない。学者たちは、手がたく仕事をすればするほど自分たちの出す結論において注意ぶかくなっていく。なぜかと言うと、どの主張もその妥当性を疑問視する変種を予想しなければならないからである。もろもろの混合形態と下位区分とにあっては、命名（Benennungen）の気ままに終わりが打たれていない。ひょっとすると結局のところ全般的な一致においては個々の諸人種に認定されることになるのかもしれないいく百もの身体的な目じるしをもとに一つの理想型をつくり出して、道徳的で精神的な値ぶみを押し出しながら経験的描出の境界をまたいで越えるなら、そのときには、だれでもつまずく瞬間がやってきたのである。なぜかと言うと、いまだれかが個人的な周辺においてだけでも諸認識と折り合いを付けようとしても、突然、万事つじつまが合わなくなってしまっているのだからである。

これはもちろん訓練と勘（Instinkt）との欠如である、と〔ハンス・フリードリヒ・カール・〕ギュンター（Günther, Hans Friedrich Karl, 1891–1968）[注1]は言う。われわれが最初に両眼を使う訓練をされていたら、一気に多数の事柄が明らかになるであろう、と。

（注1）　フライブルク生まれの社会人類学者で、ナチ党の純血主義（人種差別主義）の指導的イデオローグ。『ドイツ民族の人種学』(*Kleine Rassenkunde des deutschen Volkes, 1922*) をはじめとする著書――一九二九年から一九四三年にかけて広く普及した――のなかで、北方（北欧）アーリア人という人種純血主義の理想型（金髪碧眼長身の白人）を打ち出して、これを人類史の偉大な創造的原動力と見なし、他人種とりわけユダヤ民族との混血を人類文化の将来を脅やかす要因であるとした。一九三〇年にイ

エーナ大学の、三四年にベルリーン大学の、三九年にフライブルク大学の、人種学教授となった。——敗戦後もまったく反省悔悟することなく政治記者また民族学者（Ethnologe）として文筆活動を続けた。——以上、ロバート・ウィストリチ『第三帝国人物事典』（Robert Wistrich, *Wer war wer im Dritten Reich*, Harnack Verlag 1983）によりました。

冗談でなく、なにが手にはいっているのか？　ギュンターと友人たち自身、ドイツの、それどころかほとんど全ヨーロッパの、住民が、もろもろの類型と構成分子とを家族と地方とを通して渦巻きながら、混合生産物をなしている、と言っているのである。わたしは、自分の兄弟が、母が、もう一つ別の人種カタログに合致しているのを見るのか？　そしてページをめくってそのカタログに記載されているものを見るのか？　これはなんとも子どもじみたばかげたやりかたではないか。国民に〔ほかの人種とくらべての〕人種上の差異点を意識させることがやる気を起こさせるのだとでも言うのなら——われわれがつまりひとたび北方的なもの・東方的なもの（das Ostische）・ディナル地方的なもの（das Dinarische）〔不詳〕を想定するようなことをしたら——、まったくちがった事柄—ふるさと・言語・方言・共通した慣わしと歴史と—にもとづいている民族感情は、傷つけられてしまおう。われわれは、混合により遍歴により入植によって特定の精神的類型を得た諸種族が、最後の出身地しだいで分裂することのないよう、ずっと気をつけていよう。

ギュンターが人間の「遺伝的に受けついだ血」が「この上なく宿命的な（schicksaligster）所有物」であると書くとき、これはおそろしいドイツ語であるばかりか、運命概念の気の抜けたロマン主義化であり狭隘化である。

ナチ党員たち——ドイツ民族の個々の構成要素にとっての有徳料金（Tugendtarif）を用いるこの種の人種値ぶみが自分にとって愚かしく思われる、ナチ党員たち——がいる。そう、かれらは、原理墨守・首尾一貫性妄想が反ユダヤ主義の姿勢を弱めかねない、と懸念しているのである。この姿勢を見捨てようとは思わないのである。フォン・レーアス博士（Dr. von Leers〔不詳〕）は、一九二九年の『ナチズム書簡』のなかでこれについていくつか警告することばを書きしるした。（ひょっとすると、ナチ党のこのつぎの帝国議会議員団がどのように構成されるのか、これにかんする予感がかれを動かしたのかもしれない。ここでは、ギュンターの見本帳を手にトップクラスの面々の割り振りをやってみるという冗談は、あきらめることにしよう——「地中海」類型があることは幸運である、地中海は広い、スペインからパレスティナにまで達している。）

運動の戦術家たちが血液教義をきわめて狭く取ることを余計なこと・ひょっとすると危険かもしれないことと見る（こ

こでも、社会民主主義の政治的修正主義との平行線が感じられる）のにたいして、理論家たちはもっと頑固である。ヒトラー自身は、ここでは、控え目である。経済綱領の作製をゴットフリート・フェーダー（Gottfried Feder, 1883–1941）〔経済分野の初期の有力なイデオローグ〕に委ねるように、〔人種論にかかわる〕この領域では、アルフレート・ローゼンベルク（Alfred Rosenberg, 1893–1946）が売り場主任である。部分的にはまったくいつもながらの反ユダヤ主義の闘争文献の枠内に収まっている一連の小冊子を公刊したあとでローゼンベルクは、〔一九二七／二八年に書いた大著〕『二十世紀の神話』（*Mythos des zwanzigsten Jahrhunderts*）のなかで、広範囲にわたる諸問題全体の原則的な取り扱いをめざして、人種をその国家形成的作用においてばかりかその文化創造的作用において示す、ということを企てた。この書は、疑いもなく、ナチズム文献のなかでいちばん勤勉で本気な労作である。どんな結論が出てきてもあとずさりしない。〔たとえば、〕飼育のために一夫一妻制の意味を危険にさらすこの上なく思い切った結論についても、あとずさりしない。武装解除する安全保障とともに、すべての国民にそれぞれに特有な責任を果たさせるためにその政治行動のための使用説明書を手渡すという、この上なく陳腐な結論についても、あとずさりしないのである。

この作品は、その結婚観のゆえにだけではなくカトリック教会の教えと組織とに反対するその粗野なときどきは素朴な争いのゆえに、ナチ党員たちに多種多様な不都合をもたらした。「党公認のスタンプ」を押されていず、それゆえにもろもろの正典の一冊ではなくて、党の共同責任なしの「個人的な仕事」である。しかし、特定の知的な階層を獲得するための物の考えかたと立論とを提供している。自分の党務上の日刊ジャーナリズムでは、ローゼンベルクは、内容を部分的に変えている、――そのさいショーペンハウアーとマイスター・エックハルトとには手をつけずにおいたが。

なにかを証明しようとするどの歴史叙述にも、証明は成功する。歴史叙述についても、〔マクス・〕リーベルマン（Max Liebermann, 1847–1935）〔当時の代表的な画家・版画家〕の「これは省略する技法である」という作図についてのことばが当てはまる。すなわち、或るテーゼを孤立させる、或る方法を極度に尖鋭にする、そうすれば結果について思い惑うには及ばない、手もとの認識材料がではなくて精査する眼が、歴史上の像を規定するのである。そしてこのとき、この像のほうが、目を向けている人と物を書いている人とにとってよりも、この人の気質と精神的本質とにとってよりも、この人が立っている時代的環境にとってよりも、この人が描き出そうとやってみている・ないし・解釈すると申し立てる諸過去にとってよりも、有益かもしれない。「中世」の「評価」において くりかえされる変化は、中世自身にとっては非常に些細なことであるが、最後の一五〇年の精神史的なまた材料批判上の諸変動については有益である。古典古代の同時代の運命について事情は似ている。古典古代が「直覚的に」立てられたものであるかもしれない或る堅固なテーゼに服属するそのようなやりかたは、もちろん、科学にとっても有効でありえる。これには、なにかを見つけようと思う「発見原理」が続き、そしてこれに結びつけられる探しは、諸価格を発見し、これまではひょっとすると片隅で薄明かりのなかにいたのかもしれない諸連関を、或る一般的な材料集め（Stoffhuberei）の注意を払われないメモのままであった諸連関を、照らすことができる。

しかし、そのテーゼが或る目下焦眉のルサンチマン〔恨み・ねたみ・反感など〕の子であるときには、この探しは、不吉な結果をもたらすものになろう。なにかちゃんとしたものはけっして出てこない。平和主義者は、フリードリヒⅡ世またはナポーレオンの伝記作者になろうとしてはいけない。マルクス主義者には、聖アウグスティーヌスにたいして〔マルティーン・〕ルターにたいしてと同じ距離をとらせよう。

ローゼンベルクは、最初から、諸人種が互いに入り乱れてからみあって混雑の度を増していく状況のなかでギュンターが命名にかんして見当をつけようと思っている、そのペダンティックな文献学のもとにとどまろうとはしない。国家形成と文化創造とにとっての北方人たちの独占という、単純化されたテーゼを立てる。国家生活が開花したり芸術的諸価値が生育したりしたところでは、どこでも北の人間が仕事をしていた、というのである。〔北欧諸国に住んでいる〕北方人の活動を立証することが決定的に重要なことなのではなくて、——ローゼンベルクが古典古代の文学のなかにブロンドの髪の毛を見つけるのにすこし男の子っぽく努力しており、そしてすべてのこの種の発見について非常に満足しているにもかかわらず、——重要なこと、われわれがこんにちさらに言わなければならない偉大なことは、北方人がやってきた、という証明なのである。かれはオリエントへやってきた、エジプトへやってきた、ヘラス〔＝ギリシア全域〕を十分にこねた。かれなしにはローマ〔帝国〕とイターリアとはなにであったろうか？

こういうのはなんとルートヴィヒ・ヴォルトマン（Ludwig Woltmann）〔不詳〕が、〈イターリアの中世末期の文化は、ルネサンスは、イターリアの民族土地のなかへにじりこまされたドイツの血の製品である〉、と証明しようと努めたときに始めた手口だったのである。こうしたやりかたが不届きであることは明白である。民族大移動の数世紀に、皇帝進軍のあいだに、ゲルマン的民族性がさまざまな種族からたっぷりイターリアの地にはいってそこにくっついて離れないままであったこと、その土地の民族性のなかへはいっていたことは、まったく確実である。こうした要素そしてまさしくこうした要素が揺れ動いて芽を吹き花を咲かせて実を結ぶ一時代がきた、という秘密を、どう説明したらよいのか？　それは北方の幹イコール種族から得られた果実であるのか？

ダンテ・アリギエリ（Dante Alighieri）（アリガー（Aliger）という名であった）は？　ラファエール（Raffael）は？　レオナルド（Leonardo）は？　かれらすべてを北方の血のために強奪するのは、けっこうな無遠慮である。やる気がある人は、この人たち全員に北の放浪者たちからの生まれを容認して数世紀における無数の混合の確からしさを抹消するところまで行くがよい、――まさしくこのときに、結果がテーゼに反対することになるのである。なぜかと言うと、この人たちすべてが北方的でなく、ゴシックでなく、かれらの人間的また芸術家的偉大さがかれらを絶対的なもの――それの前では人種と現在地とによる名づけは消え沈む――に近づけないかぎりにおいて、基準と情熱とにおいて南方的だからである。

　まさしくダンテこそ、自分がことばを与えたイターリア人らしさの創造者ではないのか？　形式・分類・敬虔さにおいてゲルマン的なものとの・北方的なものとの諸対立を集めるように見える或る本質の、すばらしい代表者ではないのか？

　イターリア人たちが、〔北部の工業都市〕トレントでダンテに記念碑を建てたのは、一つの象徴的な行為であった。この碑は、北にたいする精神的な保護者を、自身の創造的な血の誇りを、表わすことにきめられていたのである。

　よその諸民族のドイツ人の血にたいしての偉大さの承認を尋かれてもいないのに要求するこのやりかたは、〔ドイツ人の血の優秀さを確信している〕あの人たちから嘲笑される。腹を立てる人たちもなん人もいるかもしれない。一種のどろぼうだと感じられるのである。ドイツ人の学問にほとんど尊敬を調達しなかったというわけである。そのような敬意をあらかじめ見積ろうと思うのは、ひょっとすると国際主義の弱まりを疑わせることかもしれない。しかし、だれか外部の人がドイツ精神史を―ユダヤ的要素を注意ぶかく避けながら―人種地図を手に歩きまわることを思いつく、ということもありえよう。――〔敵国の〕戦時の宣伝がどのようにドイツ人たちを外部の精神的財産のどろぼう・利用者・非創造的な模倣者として記述する貧相なスポーツを展開したか、思い出される。この意味でもドイツ人は毎日同じことを読むことができるユダヤ人の運命仲間なのである。

　北方人を探し求めようなどとすれば、ドイツ人の生活の多数の頂きをまわり道しなければなるまい、――ルター、ベートホーフェン、シューベルト、リスト、ショーペンハウアー、ニーチェ、メンツェルを。周知のとおり、ゲーテも丸い頭の人ビスマルクも、北方系とするのには疑問がある。「大長老」アードルフ・バルテルスは、もう数十年も前にシラーにたいするその成績評価にさいして「ケルト人の血の添加」に異議を唱えた。ギュンターは、たぶんすでに、自分の北方的にブロンドで碧眼の人間たちが統計にいちばん歩み寄ってくるドイツの区域が――そのほかの点では争いの余地のない卓越性を示しているにもかかわらず――ドイツを代表するもろもろの思想的・文学的・芸術的業績のなかでは頂点に立っていないことに、すべての人種区割りに最大の困難をもたらすテューリンゲン＝ザクセン地域そしてなによりもまずシュヴァーベン地域が、人間と行為とによって「北方的なもの」の創造的優位という教説を嘲けることに、注意を喚起させられていたであろう。

　さて、こうしたことはすべて、政治的なものへの転回がなかったら、学問上の論争もしくは遊びであったろう。転回は二つの軌道をたどる。一つは、すぐさま古い小道（それともこれは幅の広い街路か？）に流れ込む、ユダヤ人たちに反対して。もう一つは、新しい。こんにちドイツ民族のなかで「人間らしからぬ野獣性」（*Untermenschentum*）が育っている、そうだ、将来がそれの略奪品になってしまうであろうほど大いに育っている、――もしその危険への洞察が分別と折り返しとをもたらさなければ、という確認にいたる。「人間らしからぬ野獣性」という概念――これはローゼンベルクがジャーナリストとしてとくによろこんで取り上げていたが、すでに集会弁士に出会ってもいる――は、ドイツ民族の大衆にたいする粗暴として現れている。この概念は、この語を用いる人のパリサイ派の人びとのような高慢をこっそり教えるばかりか、破壊的な悪意の表現である。これには他の人びとが手にしている支配権が含まれている。このテーゼを受け容れる人はだれでも、これによって自分が他の人たちの一員であることをいつでもよろこんで承認するであろう。碧眼で金髪であることが、支配権要求の証明書である。それどころか、支配義務の叫び声でさえある。われわれが課題として立てられた「北方化」（Aufnordung）という語を持っているのは、碧眼金髪性のおかげなのである。

　生活諸条件の非合理は、種馬（たねうま）牧場の規則の近くへ持ち込まれる。子どもたち・孫たちは、自分たちの団体の支配参加のチャンスが、創造的文化力が、だめになったとき、両親と先祖とを口ぎたなくののしることを強（し）いられている。これは、優生学（Eugenik）の、健全な民族維持の配慮の、まったく思慮ぶかい諸問題を価値評価のよそものの諸基準で押し通すものだから、自然主義的思考の過剰である。民族政策がその大ざっぱな諸推論を断念して「北方的な」価値評価へのただの告白への権利要求に昇華されるところでは、しかし、それはただちに、劣等感がくりかえし補助地位として利用する安易なロマン主義にほかならなくなるのである。

　われわれは右に、ナチ党員がすべてもろもろの最終結論に公然と肩を持っているわけではない、と認めた。指導部にはあまりにも大ぜいチェコ人的およびロマン人的な類型が潜んでいるのである。かれらは本質的にはただ「アーリア人の」連帯がセム族の人たちにたいして救われていることを知ろうと思っているだけである。ユダヤ人には共通して関心を持っている、——あらかじめ宣伝活動のなかで、社会理論のなかで、将来を立法で書きかえようとやってみるなかで。反セム人主義〔反ユダヤ主義〕の文献を読むことは、たいてい、一つの刑罰であるが、反論書も楽しみであるのはまれである。ここで絶えず交わされるゲリラ戦——告発と弁護、偽造と訂正、交互の前科一覧表、きちんと整えられた統計、をもって行なわれるゲリラ戦——は、品位を落としている。ユダヤ人たちが抵抗するのは自明である。かれらの代弁者たちがこの仕事をいつもうまく果たしている、と言うことはできない。代弁者たちのなん人かは、冷静もしくは沈黙のほうが敏感に反証することよりも効果的であろうのに、不必要に戦争の水準を論敵から押しつけられている。ユダヤ人たちの内部における論争（シオニズム！）は、このばあい、かれらの状況を簡単にはしていない。

反ユダヤ主義者たちにあっては、ユダヤ人種についての全員一致の見解はない。ユダヤ人種は、純粋な状態を保つことにおいて基本的に自身の人種に向ける諸要求に対応しているのか？　まさしくこの人種こそ、血の法則に従っているゆえに模範的で、嫌悪のただなかで承認称賛に値するのか？　それとも、その数千年に及ぶ一風かわった道中で完全に雑種になっていて、言語に絶する混合物になっていて、まさにこの混合過程こそ、ユダヤ人たちを軽蔑にさらすすべての悪い性質の原因なのか？　一回は手本として、もう一回は反対例として、役立てられる。

これをしかしユダヤ人の少なくはない卑しさのうちの第一のものとしよう、すなわち、ユダヤ人たちが宗教団体として信仰結社として現れ、こうしてその人種性を否認し、そうだ、ひょっとして法律上の分離によって洗礼によってそれをのがれることができるかもしれない、と信じることを、である。ときどきは、なるほど宗教こそ、その情け容赦のない適法性とともに、ユダヤ人がばらばらでいたなかでグループとして守ってきたもろもろの祭式の形であるばかりか市民的な慣習の形でもあったことが、人びとにわかりかけてきてはいる。しかし、現在を観察すればそれは、宗派にかんして画一的でない国家が宗教諸団体ないしその成員たちに保障しなければならない法的要件、これにあずかるためにかぶらされた仮面である、と認識されるのである。もちろん、物事の根底までいく人はだれでも、たとえばユダヤ人にたいする作戦行動から一つの職業をつくり出した「先駆者」フリッチュ〔ハンス・フリッチェ（Hans Fritsche, 1900–53）の誤記ではないでしょうか?〕のような人ならだれでも、この宗教がその成員たちに詐欺のための使用説明書・偽りの宣誓の意図・殺人のための諸規則を自由に使わせることを発見する。学者たちはしかし、そのような恐ろしい狼籍を世の中から取り除くために、これに反対して運動させられる――無駄である。

ところで、諸困難が宗教的な領域でも生じることがありえることは明白である。なるほどユダヤ人たちは、ヒトラー自身が理論的貢献として供給した人種評価によるとただ「文化破壊的な」諸特性を持っているだけであるが、ユダヤ教はキリスト教の母胎となった。ここをどう切り抜けるのか？ 特定の反ユダヤ主義者たちは、ここから、〈キリスト教自身ユダヤ教の〔本流から〕分離した宗派として立て直されたものであり、ゲルマン人の本性の諸力を破壊した、生まれながらのユダヤ教の芽ばえに従って破壊しないわけにはいかなかったのだ〉、という結論を引き出した。そのようなものの見かたから、古（いにしえ）の北方的な神がみ観念の刷新という一心不乱の企てが生まれ育ったのである。

さてヒトラーは、このことを重要とは思っていない。あまりも強力な政治的な・なによりもまず宣伝上の・センスを持っているので、そのような企ての危険と愚かしさとを感じることができないのである。かれ自身はまた、もろもろの奇抜な努力――イェーズスをゲルマン人にして、それをもとにユダヤ教の正統信仰とのかれの葛藤を説明することによってかれを人種図式に従って救出する、奇抜な諸努力――にも加わらない。結局のところ神学者たちを互いに争わせ決着をつけさせている。もともと教室で旧約聖書について預言者たちについてどうしたらよいのか、という問いも、かれをそれほどせきたてはしない。このことについてかれの信奉者たちがときどき争っている、――ヨセフ、モーセ、ダヴィデにかかりあうことをドイツの子どもたちに期待してよいのか？ この話を学校から放り出す時がきているのではないか？ ――ローゼンベルクは、「〔売春婦の〕ひもと家畜商人との話」を話題にしている。ヒトラー自身は、宗教上の問題提起をじかに感じていなくて、そこから政治的なものの妨害がはいるのをおそれているので、どちらかと言うと逃げている。（注2）

（注2） ホイスが一九三二年のこの書のなかでこれまでにくりかえし名指してきたアルフレート・ローゼンベルクは、のちにナチ党またヒトラー政権の主要メンバーの一人となりました。第二次世界大戦中のそのもろもろの行為にかんして戦後の国際軍事裁判（いわゆるニュルンベルク裁判）で有罪の判決を受け、一九四六年十月十六日にほかの九人とともに同地で絞首刑に処せられました。

近年、この男の新しい評伝が刊行されて、いま老生の手もとにあります、――Volker Koop, *Alfred Rosenberg: Der Wegbereiter des Holocaust*, Böhler Verlag 2016（フォルカー・コープ著『アルフレート・ローゼンベルク――ホロコーストの道を切りひらいた男――』ベーラー書店、二〇一六年）です。かれが一九三八年にヒトラーと並んで微笑んでいる写真をカヴァーに使っています。

内容をすこしご紹介しましょう――

まず、主著の表題が副題と併せて *Der Mythus des 20. Jahrhunderts: Eine Wertung der seelisch–geistigen Gestaltenkämpfe unserer Zeit*『二十世紀の神話――現代のもろもろの心的=精神的形成闘争の一査定――』であることがわかりました（59ページ）。

叙述からは、かれが自信過剰で日記のなかでもこれでもかこれでもかと自分をほめあげていること、自分を党の随一の（ただ一人の）哲学者=イデオローグであると位置づけようとして競争相手ヨーゼフ・ゲッベルス宣伝相と激しくやりあっていること、依怙地な人柄ゆえに味方が少なかったこと、生涯の最後の瞬間まで徹底した反ユダヤ主義者であったこと、などが読みとれます。最後に、302ページには、法廷でのかれの最終陳述およびかれにくだされた判決の主要部分が掲げられています。興味ぶかい。

フォルカー·コープ『アルフレート·ローゼンベルク―ホロコーストの道を切りひらいた男』（2016年刊）

かれ〔=ヒトラー〕の書物のユダヤ人を扱っている章は、その他の点では、ユダヤ人たちの歴史上の経済作用の特徴づけにおいて歪められており専門知識が欠けている。ユダヤ人の登場はいつでも経営者たちをゆっくり死なせていった――つまり、かれらはすべて死滅した――のである。この音域において―ほかに言いようがない―低級であり粗暴である。かれ自身はこのメロディをこんにちもう演じることはない。それはかれのミュンヒェンの登り道のリズムであった。〔クルト・〕アイスナーと〔エルンスト・〕トラーとがまだ大衆の調子の狂った記憶のなかに坐っていた。この大衆は当時自分自身の行動を理由づけるためによろこんでユダヤ人たちを攻撃していた。そして、歴史のなかでのユダヤ人の役割が粗野に法外に記述されればされるほど、それだけいっそう自身の「失敗」が許されるのであった。これは、ヒトラーが自分の国民に目を開いたあとで最後のものになるはずの失敗であった。

ユダヤ人問題についての政治的討論は、ほとんど見込みのない企てである。すなわち、もろもろの理由もしくは知らせが評価されず、お互い言いっぱなしである。ユダヤ人にたいするどの攻撃も、一般化され、これをもとに連帯的な姿勢を呼びおこす。この姿勢は、非常にもっともなものではあるが、いつでも思慮分別があるわけではない。ユダヤ人たちは、その非創造的な天分というばかげたテーゼを向こうにまわして、学問上芸術上の名まえの輝かしい諸統計を与える。しかし、だれの手にこの材料を与えるのか？　こうした名まえはどれも、連中がこれを名簿に載せることを理解しているかぎりでは、連中にとって、〈ユダヤ人的「寄生生物」が自分にはまったく関係のない諸事物のなかへ混入する〉ということを証明するものにほかならない。ユダヤ人であることは、考察のそのようなしかたにとって、ユダヤ人をはじめから事実である業績の評価のそと側に置いてしまう。そのような姿勢がしばらくのあいだアカデミックな領域で専門家流儀であったということ、それが、こんにち再びそうあるようにさせられているということは、きわめてゆゆしい（schlimm）ことである。

　われわれはこうした討論に参加しようとは思わない。それは、なん人ものユダヤ人たちにとって悲劇的であり敏感な感じやすさの種（たね）であり、ユダヤの人たちにとってその青春の無邪気をだいなしにする、わたしども他人にとっては恥ずかしさのきっかけになるにちがいなかろう。同情のある感傷性をもとにしてではなく、〔正義にもとづいた対処が行なわれなければなるまい〕。そのような感情を確かに期待してよいユダヤ人がおり、まったくそれができないユダヤ人がいる。ユダヤ人問題よりもドイツ人全体にかかわる問題のほうがはるかにかんじんである。〔第一次〕世界大戦のユダヤ人戦没者についての目的統計は、ユダヤ人たちにとって確かに痛みであり、ひょっとすると名誉かもしれないが、非ユダヤ的ドイツ人にとってはばつがわるいことである。ユダヤ人墓地の破壊は、共同社会――そのなかでは、ユダヤ人の個人主義的な解決力についてのすべてのくだらぬおしゃべりと矛盾して、家族が過去においても生きいきした結びつきを意味している、共同社会――を深く傷つけずにはすまない。この破壊は、われわれ全員をよごす。われわれは、ドイツで卑劣で畏敬の念を欠いたそのような行為が可能になってからこのかた、一つの汚点を身につけてあちこち持ち運んでいるのである。

　論争のなかでは、「新聞のユダヤ化」が特別な役割を演じている。これは、非常に大きな問題であり非常に危険であると見なされるので、〔ヒトラーが読みあげて聴衆の賛同を得た〕二十五箇条がそれに特別な章を献げているほどである。曰く（いわく）〈ユダヤ人は、第三帝国では、ドイツ語の新聞で主筆であっても協力者であってもいけない、新聞企業へのどんな財政上の関与も影響力行使も拒まれる、違反したばあいには、ただちに追放される危険を冒すことになる〉、と。これによってはじめて「ドイツの新聞」が可能になるのである。この章は、非常によろこんで論究される。いくつかの大きな新聞企業――ユダヤ人たちが創設したものであり一部は非常に成功した新聞を発行しているが、数字の上では、部数と普及という点では、報道界の内部でそれでもまったく狭い分野をなしているにすぎない、新聞企業――に視線が集中されている。ナチ党がその政策と精神的姿勢とが自分の気に入らないこうした新聞と全力をあげて戦うとき、これに反対して言うことはなにもない。しかし、自分でこの戦いを法律上の禁止をもって閉じようと思っているということは、それだけで、ものすごく劣等感と紙一重である。

しかし、このことは党対立によって説明されるのではなくて、或る内政上の（volkspolitisch な）浄化必要をもとに説明されるのである。なぜかと言うと、ユダヤ人がもうドイツの新聞でものを書いてはいけなくなってはじめてドイツ国民は、そもそもユダヤ人たちが居合わせていることによって自分がさらされている政治的・道徳的汚染にたいして守られていることになるのだから。自身の徳とよそ者たちの悪徳とのあの終わりのないカタログが始まる。これは、依然としてまたいたるところで、弱まりと不確かさとのスポーツであった。〔第一次〕世界戦争中は周知のとおりすべての国民がこのカタログのとりこになっていた。そして、しばしば見てとれたのは、ドイツの反ユダヤ主義者たちがユダヤ人たちにかぶせるほとんど同じ語彙が、世界でドイツ人を特徴づけるのにだしに使われずにはすまなかった、ということである。

アードルフ・ヒトラーにおいて民間童話として読めるのは、どのようにユダヤ人がヨーロッパへやってきて、「まだ頼りなげながら限りなく正直な」アーリア人たちにたいして自分のほうが優れていることを明らかにしてアーリア人たちを隷属させ始めるのか、まず第一に、金もうけへの献身によって、のちには、折伏運動によって、ということである。ユダヤ人たちに、経営者たちの性格を危険にさらすこと・ひょっとすると破滅させるかもしれないことが、うまくいかないはずはなかった。ドイツ民族をかれらは不幸に突き落としたのである。

或るかわいい逸話がこの非常に簡略化された歴史像を―必要と思われるかぎりで―ひっくり返すかもしれない。いつかなん年か前に〔いまは存在しない〕リッペ州で一人のナチ党の弁士が〈忠誠がドイツ人たちの本質であり、不誠実と裏切りとがしかしユダヤ人の習慣である〉という話をしたとき、集会の報告者ゲスラー博士がこう答えた、――「まさにこの地域ではこのことは言わないでください。ケルスキー人（Cherusker）ヘルマンの運命〔不明〕を思い出してください。当時われわれはまだまったく仲間同士だったのです」、と。これは気のきいたあしらいであった。その背後にはしかしもう一つ別なものがあった。

反ユダヤ主義は、釣りあいの取れていないしかたで二つの極のあいだをあっちこっち動いている。それによると、アーリア人は、創造の王冠として現れるばかりではなくて、文化の担い手であり、整理する諸性質の管理者であり、兵士であり、国家創建者であり、生まれつきの主人である――力づよいものはすべてアーリア人から出ており、優れた知恵はすべてかれの持ち物であって、最後に、本当に重要な諸発明も全世界にまたがる経済的性質の基礎工事もすべてかれの業績である、という。と同時にかれは、自分を粗暴にさせ自分を意のままにする臆病で非創造的な一握りの人間たち〔つまり、ユダヤ人たち〕の犠牲になる、というのである。

このようなスケッチでは、なにかが事実に合っていないにちがいない。と言うわけは、そうであれば、権力思想の信奉者が、〈この関係は内的必然性をもって生じた、あの抜群の諸性質は名ざしによって不足を覆い隠すためにだけ選ばれたのだ〉、という意見でなければならないのだからである。

もちろんそうではない。この歴史像は、粗雑すぎ単純すぎる諸概念を使って希望的観測と嫌悪感とを使って構築されているから、「この上なく宿命的な所有物」＝血についてのその基本テーゼが政治を構成するもろもろの勢力にとってふさわしくならないから、誤りである。こうした勢力は、言語と入植空間とのなかでじっとしている、それにもまして、共通に体験されて魂を形づくる歴史のなかでじっとしている。このことは、なんと言ってもドイツ民族が、「北方人種」が、この上なくはっきり経験しなければならなかった。この人種は、たくさんの「血」をよその国家存在（Staatenwesen）のなかへ与え、民族性をも与えてきて、言語と土地とが固有の生活空間を保持しなかったところでは完全によその人たちと交じりあったのである。同じ法則に従ってユダヤ人たちは、分散のなかで、自分たちの強制移住が途切れれば途切れるほどますます強くその周囲世界の民族史・国家史から迎えられてそこに編入されたのである。

この論述は、綱領的性質をもった最後の必要な叙述へ行き着かなければならないという理由によって、なされなければならない。〈ユダヤ人と国家〉という問題をわずかばかりの例（ディズレーリ、ガンベッタ、ソニーノ）において解説するのは、たぶん見込みのないことであろう。と言うわけは、非常に「国民意識をもった」イングランドの貴族階級――これも一つの「人種類型」を示している――が一人のヴェネチアのユダヤ人の子孫のなかに自分たちの諸理想の実現を見たということに、反ユダヤ主義者たちのところでよろこんで注意を向けられることがないからである。かれらには、なんと、わが国で一人のユダヤ人に国政上の活動のチャンスが与えられることだけでも、屈辱に見えるのである。〔たとえば〕満足ぬきにではなく大学教授J・シュタルクが〔ヴァルター・〕ラーテナウ〔外相〕が「射落とされた」ことについて書く始末である。しかし、ナチ党がそれを使ってユダヤ人問題を「解決」しようともくろんでいる綱領上のいくつかの文章について言われなければならない。追放が技術的手段として問題になることについては、さきに見た。ドイツで食品不足がひろがっているときに非ドイツ人が追放されることがありえるところでは、もういちどそれに言及される、——〔第一次世界大〕戦後の凶作の年どしからの時代順の表出で、こんにち農業生産〔物〕が売れ行き不振になっているところでは「変更不能な」綱領のなかでこっけいな印象を与えるが。ともかくもユダヤ人たちを全員追放しようと議決されることはなかった。もろもろの経済措置によってかれらを支配下に置くことができる、と心得ているのであろう。しかし、かれらから市民としての諸権利が奪われる。かれらには選挙することも公職に就くことも許されない。すなわち、「国民でありえるのは「民族同胞」(Volksgenosse) である者だけであり、民族同胞でありえるのはドイツの血を受けついでいる者だけであって、宗派はかかわりない。ユダヤ人はだから民族同胞ではありえないわけである」。公民としての諸権利は、このように書きかえられた国民に留保されている。すなわち、「公民でない者はみな、ただ客としてだけドイツで生活できることとされているのであって、外国人向け立法に従わなければならない」。

　見たところ「ドイツの血」概念にいくつかの難点があるらしい。それゆえにこの概念をもっと詳しく書きかえることは断念された。しかし、とことん聞きとれるかぎりの声を排除する性質を持ったそういう結論を引き出すことに価値が置かれた。そのさいまさしく「国民」(Staatsbürger) という語をその包括的な意味において取りのけておいたのは、或る言語上の悪用である。しかし問題はそこにはない。法的種類のどのような無意味な帰結に「ドイツの血」の解釈が行き着かなければならないのかも、論究されなくてよい。重要なのは、国民のこの解釈がドイツ「民族同胞」をほとんどユダヤ人以上に危険にさらす、という観点が取り出されなければならない、ということである。

　ナチ党綱領がみずから推薦しているように一つの新しい国家観の見取り図であるならば、そのときにはこの綱領は、その思想保持とともに、非ドイツ的な諸国家の世界に、よその国家連盟 (Staatsverband) に住むドイツ人たちから国民としての諸権利を奪う正当性を与えてしまう。ドイツに三五万から四〇万までのユダヤ人の選挙民がいるとしよう。ほぼ五〇万人あまりに「外国人法」(Fremdenrecht) が行使されることになっているであろう。綱領の筆者たちは、ドイツの全住民の百分の一にも満たずパーセンテージが低下しているこの人間グループを狭い視野のなかで見やりながら、「血」に続く国民理論の引き受けが、数百万人のドイツ人に——東ヨーロッパ全体に住んでいる、しかしまたラテンアメーリカのスペイン=ポルトガル的に染められていることがありえるナショナリズムのもとで暮らしている、数百万人のドイツ人に——公民権剥奪という点でなにをもたらさずにすまないかについて、釈明を与えてこなかったのである。

綱領の筆者たちにこの道を終点まで考えきる気があるのか？　南チロール——その民族性は「イターリアの血」によるものではない——のばあいには、かれらは、外交政策上また精神的共感をもとに、帰結を引き出した。ムッソリーニは、二五箇条の援用が自分に許すであろうところまでは行かなかった。ルーマニアとユーゴスラヴィアとで、ポーランドとバルト諸国とで、狂信的な愛国主義が、アードルフ・ヒトラーによりどころを求めて、当地のドイツ少数民族から公民としての諸権利を奪おうとしたら、どんなことが起こるであろうか？　疑いもなく〔ナチ党機関紙〕『フェルキシャー・ベオーバハター』は憤慨していよう。同紙はひょっとすると国際連盟の介入をさえ求めるかもしれない。しかしそれは人工的な憤慨であろう。ドイツ民族の全ヨーロッパにわたる移住の歴史は、「血本位の（bluthaft な）」ナチズムの国家理論が、ドイツ人たちのために民族性として概念化されていて、ドイツ民族にとってユダヤ人にとってよりも危険であり破壊的であるほかはない、ということをもたらしたのである。

10

カール・マルクス

——五〇回目の命日（一九三三年三月十四日）にあたって——

「マルクス主義」は、かなり前から政治横町の最も売れ行きのよいスローガンになった。〈日ごとに前面に出てくるマルクス主義のたいていの批判者たちは、カール・マルクスについてなにか読んだためしがない〉、という推測を口に出して言ってさしつかえない。この概念はその流行的な使用よりも古いのである。それは以前に一つの歴史哲学的および社会経済的な思考体系を書き換えた。これは一つの政治組織とその戦略との「科学的」基礎を意味していたのである。人びとは、もろもろの認識方法とその諸結果から引き出すことのできるもろもろの結論とをめぐって、この両者をめぐって、争った。「ブルジョア的な」陣営のなかで、それにもまして「マルクス主義者たち」自身——それの内的歴史が、時代とグループ形成との入れ代わりのなかでのマルクスへの告別とマルクスへの回帰とを描き出している、マルクス主義者たち自身——の戦列のなかで、争った。これはほとんど一つの消え去った伝説であって、そこでは「正しい」マルクスをめぐって戦われ分厚い書物が書かれたのである。こんにちこうしたことすべてがずっと粗野に行なわれている。マルクス主義は、もはや社会経済上のもしくはそれどころか哲学上の問題を意味してはいなくて、ののしりことばを意味しているのである。

〔マルクス主義〕概念のこの奇異な時局化——これは、精神史にはいっていなければならないことでは確実にない、ひょっとすると言語史にかもしれない——、これこそ、マルクスの歴史的業績を公正な認識へ組み込む可能性を困難にし混乱させているものなのである。現下の日々の論争の焦点が、五〇年まえに苦労が多くもあれば誇り高くもあった生涯を終えた一人の男に合わせられている、ということは、社会民主主義をせきたてて、あらためて報いられること多い信奉者として発言したいという欲求をかきたてた。これはいくらか効果をあてこんだ不自然な事態である。と言うわけは、社会民主主義においてはやっていることが、〈政治的行動のもろもろの動機づけと理由づけとをマルクスの思考習慣のなかに探し求めないことに慣れさせられてきていた〉、ということだからである。だれでもマルクスの思考習慣から解放されていて、それを歴史的と名づけて値ぶみすることをおぼえていたのである。

カール・マルクスは、いくらかどぎつく表現すると、よい部屋に置かれた青銅色の石膏胸像であって、その前で折にふれて感謝と崇拝との儀式がとり行なわれることもあるが、その他の点では歳月のかなり多くのちりほこりがその上へ集められていたのである。いまではむろんこの像はせっせと磨かれてきれいにされている。

*

カール・マルクスが十九世紀の最も感銘ぶかい人物たちの一人であったことは、明白である。かれから放射される・人を魅きつけるカリスマ的な力は、政治的なおよび学問的な二重の性質のものである、——かれ自身が二重性質でありヤーヌスの頭（Janushaupt）を載せていたように。すなわち、一つには、短気な革命家であって、ほとんど神経過敏な緊張と情熱とをもって、自分の時代に聴き耳を立て、いつでもどこでも力を出して、社会秩序を変えるために出撃する、用意ができていた。もう一つには、苦労して寄せ集めた資料を使って、論理的な不必要に形式ばった念入りと比較考量する綿密さとをもって、すべてのできごとの自然必然的な動きを叙述しよう、と思った、——諸認識をもとにした予言を組み立てながら。

かれの独自の人間性のこの二重特性は、政治的遺産を受けついだ運動のなかに表れている。人を鞭打って起こす政治活動の言語と、〈物事は、生まれつきの法則性から、マルクスがその道を記述したようにならずにはおかないのだ〉という、ときとして静寂主義的な自信とが、相並んでいるのである。〔第一次世界大〕戦前の議論——「科学」を所有している弁士が論敵のもとに寛大に「ブルジョア的」偏見を確認した、そのような議論——のなかではまだ出会ったこの類いは、こんにちほとんど消えた。まさしく科学を盲目的に信仰するドイツの労働者にとってあれほど特徴的で、感動的な諸特色を生んだ、科学とのこうした同盟は、ドイツの社会主義運動をながらく際立たせてきた。運動の年長の代表者たちのなかでは、こんにちまだ生きている。

このマルクスの科学は、奇抜なつくりものである。或る政治的な目的に従属している、――政治的なものはそれほど自己特定的な目標ではなくてむしろ単純な帰結である、と称してはいても。真の科学にかんしてはマルクスに謙遜が欠けている。かれは横柄な人間であって、かれのやりかたは、諸認識を孤立させてそのご暴力によって度を越えて高める、というものである。こうしてもろもろの連関をないがしろにするほかなくなってしまう。かれの体系づくりの厳密な論理主義は、――かれが、社会的存在の全領域をそれぞれの重さにおいて認識するのではなくて、技術的=経済的な張りつめた状態を取り去られた派生的な状態であるとしか把握しない、という理由で、――素朴な自己欺瞞である。かれは民族と民族性とにたいしてほとんど色盲であり、国家とその歴史的な管理技術的な軍事的な特別規定態と向き合っては、すくなくとも非常に近視眼的であり、宗教にかんしてはまったく非音楽的である〔=聴く耳を持っていない〕。かれの用意周到におけるこうしたもろもろの欠陥は、かれの「唯物論的」歴史解釈においても政治的なものの領域における重量配分においても、単に「社会的なもの」の、社会経済の、発育不全(Hypertrophie)にいたっている。

このことはかれにいくつかの通俗的な誤解をもたらしたが、これはまた、そのかたわらで〔視界の〕狭隘化という命取りになるような諸結果もあった。言うまでもなくマルクスも時代にしばりつけられている。すなわち、〔アダム・〕スミス〔一七二三―九〇〕と〔デイヴィッド・〕リカード〔一七七二―一八二三〕となしには考えられなくて、かれは、両人をその思考軌道を本質的にはそこから離れることなく訂正するのだと思っていた。かれにとってはまた経済人(ホモ・エコノミクス)というフィクションも、それなしにはすませない精神的な実験モデルである。かれはいつまでも〔オーギュスト・〕コント〔一七九八―一八五七〕の実証主義の精神的空気のなかへ浸されたままであって、この実証主義は、マルクスが仮借のない簡略家であるにもかかわらず、その歴史像にとって実りをもたらすものになるのである。マルクスは、〔ゲオルク・ヴィルヘルム・フリードリヒ・〕ヘーゲル〔一七七〇―一八三一〕の弁証法学派にはいり、この弁証法は、かれ自身の体系づくりにリズムをつける作業にとって非常に生産的になったのである。ひょっとするとヘーゲルの影響はときどき過大に評価されているかもしれず、ひょっとすると〈マルクスはドイツ観念論の偉大な異端(Häresie)を意味した〉と言えるのかもしれない。もろもろの異端はしかしいつまでもその原=土地(Urboden)と結びついたままなのである。「唯物論」への方向転換を行なっているあいだにかれに見えているのは、決別と言うよりも発展である。この転換が平凡化（Banalisierung）であることは、かれは容認しないであろう。こんにちならひょっとすると「魔法からの解放（Entzauberung）」だったと言うかもしれない。

「唯物論的」世界観に基づいてその後なにか「道徳的」非難のようなことを〔かれについて〕行なうことができると信じられたのは、愚かさであり不正であったし、いつまでもそうである。なぜかと言うと、かれ自身、生活態度と生活維持とにおいて「理想主義者〔観念論者〕」と言われる者であり、数百万回もの実践的理想主義〔観念論〕を生んできたからである。〔右のような〕そうした目標設定を誤っている・狭すぎると思い、いくつかの随伴現象に腹立ちを覚える人も、いるかもしれない、――諸動機に疑いをかけることはできない。マルクスはその人間的諸特徴において断じて好感を持てる人物ではない、――フリードリヒ・エンゲルス（一八二〇-九五）との文通は、つっけんどんで公正でない判断でいっぱいであり、かれの自己感情は高度に怒りっぽくて、だれでもときとしてかれを悪意あり（hamisch）と名づけたいところである、たとえば〔フェルディナント・〕ラッサール（一八二五-六四）との関係において。こうしたことどもは、かれを行動を妨げられた行為者に定めた運命――現金不足にのどを絞められる亡命者にした運命、日々の政治のできごとにかんしてただ格言詩を供給することしかできずすべての不穏な期待を将来の歴史像のなかへ押しこめずにはすまない亡命者にした運命――の反映である。

マルクスは、だれか自分の体系を利用しようと思う人がいれば、それを使って絶対的妥当性をというその人の要求を無価値にする道具を自身で供給した。「観念」（Ideen）を社会経済的「下部構造」（Unterbau）の頭上の「上部構造」（Überbau）であると解釈することによって、自分の観念体系を自分自身が向かい合っていた経済的状況の反射であるとつかめ、という指示を、みずから与えるのである。

それは、蒸気機関の発明に続いた資本主義的また技術的発展の時代である。マルクスは技術を肯定した、つまり当時の「合理化過程」（Rationalisierungsprozeß.この語はまだ発明されていなかった）を。――まさにこの点でかれは論理的にもしくはセンチメンタルに規定された社会主義的根本感情――機械のなかに人間的労働力の敵を見るゆえに自分にとって小ブルジョア的に見えた根本感情――と訣別したのである。かれは企業家という類型を「進歩」の一要素として肯定した。企業家をそのとき「ブルジョア」と記述したことによって、愛憎の定まらぬ思い（Haßliebe）の一つの像を形成した。これはゆっくり硬直して仮面になったのである。かれには、技術的合理性に基づいて、エネルギー「集積」に基づいて、工業的大形態の集中が必然性としてやってくる――自由な市場競争によってさらに本質的に駆りたてられて、しかしそれでも独占資本的形成へ向かう傾向とともにやってくる――のが見えたのである。

農業においてもかれは大経営的形態の優越を見た。こんにち、現代の「農業革命」が二つの類型を並べて同じ強度をもって追求しているのを見れば、非常におどろいていよう。すなわち、〔ソビエト〕ロシアにおける並はずれた大形態の形成と、もろもろの周辺国家・後継国家における大土地所有の粉砕とを、である。農業の考察は、〔カール・〕カウツキー〔一八五四－一九三八〕がマルクスの見解をフォルマーおよびダーフィットとに反対して擁護しようと努めたので、理論的マルクス主義の内部で最初の深められた討論をもたらした。議論は、実践的政治にとってダーフィットが勝者でありつづけたあと、ドイツの社会主義者たちのもとではかなり弱まりながら消えていった。

商工業の領域では、状況はそれほどはっきりしていない。ここではマルクスは、数十年にわたって、小経営の萎縮過程において確証されているように見え、そしてかれの諸テーゼは、半＝宿命論とともにいわゆる「ブルジョア科学」のなかでも承認賞賛された（ただし、「ブルジョア科学」とは、慣習法が時効によって取得した不愉快な概念ではある）。こんにち事柄はたぶんもはやそれほど簡単だと見られてはなるまい。たしかに金融資本は、時として、急速に成長する数百万民族を扶養しなければならないという大きな課題に影響されて、マルクスがそのような意味では目にしなかった地位を達成しはした。しかし技術的諸前提は多数の点で位置をずらされた。ひょっとすると、〈集積理論は蒸気機関の時代についてのイデオロギー的上部構造である〉、と言うことができるかもしれない。下部構造がしかし、電力の転送と小型モーターとが発明されたとき、変化した。こうしたものが単純なテーゼを入れ替えた。

もう一つ別な本質的に非常に重要な点で、現実はマルクスの告知を見殺しにした。そして、正しいのはいったいだれか、「科学」かそれとも現実か、という古い争いがよみがえってきそうになった。『共産主義宣言』が歴史をもろもろの階級闘争の歴史と名づけたとき、単純化という当面の政治の必要がもろもろの過去へ投射された。この大胆な企てが、もろもろの特定の歴史的運動をその社会経済的に強調された特徴にかんして調査研究する刺激を与えることによって、いわゆる「発見的原理」としてかならずしも非生産的ではなかった、ということは、まったく確かであるし、認識の備蓄は、人生の片隅と深みとをこうして灯火で照らして点検することから、いくつかの利益を得た。しかし、やはりただいくつかの利益にすぎない。或る一定のまさに新しい感情世界を積み込まれた完全に現代的な一概念が、完全に別ものの内的および精神的秩序を持ったもろもろの歴史空間のなかへ担ぎ込まれて、その概念が役に立たず、こうした歴史空間に暴力を加えた、ということによって、損害も生まれた。階級闘争の概念は、若い工業「プロレタリアート」にその歴史上の位置を解明するためにつくり出されたのであった。すなわち、もし大衆が自分自身を意識するようになり私的資本主義体制における自分の同様にしつらえられた希望のなさを意識するようになったりしたら、この意識過程と戦いにふさわしいその諸帰結とから、社会における権力獲得と人間的正義の「階級のない」状態への社会の改造とが続くのであろう。

この「展示（ショー）」が最高の政治的影響力を持っていてこうして一つの現実になったということは、まったく確実である。しかし、それは、そのフィクションにおいて現実にたいして決定的に重要なものを負債として持ちつづけることになった。ホモ・エコノミクスというあの抽象物のせいで、マルクスは、自分が目にしたこのプロレタリアートがいまや「無所有」層の内部でまったく一体ではないことを見誤ったのである。プロレタリアートのなかでもろもろの素性と伝統とが生きつづけており、もろもろの宗教的風潮や信仰上の手持ち残高が一体性を妨げていたばかりではなく、いつも職業上の専門のそれどころか「身分上の」区分が永久に改造され新しく形成されなければならない要素でありつづけた。マルクスがもろもろの労働組合（Trade Unions）にたいして不信感を持っていて、その内的承認を得ようときちんと決心しえたためしがなかったのは、偶然ではない。もろもろの組合を労働運動の中心において見るというのではなしにどちらかと言うとこれと折り合いをつけていたのである。しかもそれは、諸組合のなかで身分的に分けられていたものが階級的に結ばれたものにたいして一つの生命形態を保持しえていたゆえに、でもあった。かれはまた、経済に関心をいだいているあの新しい見地のせいで、国民的なもの（das Nationale）という等級（Rang）を認識することもできなかった。かれの「国際性」は、一つの統一的な市場イメージにとっての論理的=合理的な体系であって、そこからはしかし、国民的なものをたしかに存在していると承認はしてもその原初のメタ論理的な諸価値は些事に見せかけたり概念把握しなかったりする、あの誤った推論も結果として生じたのである。

これは〔第一次世界〕戦争まえの一〇年間における「マルクス主義」運動の運命であったし、そして戦後にはそれは、なるほどマルクスの語彙をまだ使用してはいたが、その考えられた諸内容からは一歩また一歩そして必然的に遠ざかっていくばかりであった。

この過程はまだ完了していない。それの明確な展開は、こんにち再び以前よりもつよく危機にさらされており、それの内的強制は混乱させられていると言えよう。マルクスの五〇回目の命日は、歴史上の評価があまり定まっていない時期に、時代がみずから歴史をつくる仕事に過度にたずさわっている時期に、あたっている。この時点に起こっていることは、この男の思考体系ともろもろの予言とにうまく合わない。しかし、いったい、こんにち「粉ごなに打ち砕かれる」ことになっているものが、かれにふさわしいのか？　ことばは、まだ強いパンチ力を持っているかもしれないが、現実の色とりどりの多様さで測れば、貧弱である。日々の闘争のなかで攻撃と防御とにとっての合いことばとして用いられるあの「マルクス主義」は、一つの目の粗い概念織り物でありことば幽霊である。しかし、こんにち気にかけなければならないのは、〈もろもろのことばと価値とが死滅した世界のなかで、国民的統一にあらためて負担がかけられ社会的な緊張緩和の実現が妨げられる〉ということがないようにすることである。

『救援』、一九三三年三月十八日

11 マクス・リーベルマン追悼

〔二月八日に亡くなった〕リーベルマン〔一八四七－一九三五〕は、ほとんど二世代を通して、ベルリーンの絵画の本来の特質をきめてきた。このことは、まさにベルリーン的なものを、広い意味での辺境的なものを、それに与えることによって、であった。かれの脇には、部分的にはかれと対立して、二人の画家が立っていた、――悪魔的なものにとらわれた・大きくて不恰好なコリントと、えりぬきの多彩さと発明的なデザインのアイディアに富んだ幻想性とを具えた・生きいきしたスレフォークトとである。けれどもこの二人は、東プロイセン人とプファルツ人とであって、この都市〔ベルリーン〕ではどちらかと言うと客人であった。〔ベルリーン子である〕リーベルマンはしかしそれの本質を、この都市がそのやわらかさをそれを使って覆いかくす懐疑的で才気に満ちたところを、自分のなかに具えていた。感傷的と見なされまいために言えば、強力な労働エネルギーのしつけのゆきとどいた活動的なところと、責任を負わされた決定の軍人的な明確さと、である。帝国首都がかれ〔リーベルマン〕をなん年も前に名誉市民としたのには、深い理由があった。それは外面的な行為とはなにかちがうものだったのである。

この男の数十年つづいた仕事には、まとまった特徴がない。かれの初期の芸術の粘土を含んだ色とりどりは、長い時間、絵の或る種の色がうせた姿勢に席をゆずる。すなわち、灰色・黄色・青色・銀色あるいはくすんだ色になる。色の目盛りはわずかに段がついているだけで、デザイン的なもの・空間＝運動モチーフが絵の秩序と性格とを担う。その後しかし画家が六〇歳ちかくになると、色が同時に明るさと力づよさとを増してくる。太陽がもろもろの対立をかくまうのではなく活気づかせ、なにかのんびりとみずみずしいものがこの老年期のもろもろの水彩画・公園風景から語りかけてくる。

　それでもかれは、ドイツ人の意識のなかへは肖像画家として、村での湖畔でのつましい生活の描き手として、はいりこむであろう。男たちの画家である、――女性の肖像画がないわけではないが、背後にしりぞく。リーベルマンは一世代の代表的な描き手である。〔フランツ・フォン・〕レンバッハ〔一八三六―一九〇四〕は、同時代人たちをちがったふうに描いた、「もっと興味ぶかく」ほとんどいつも頭部だけを描き、そしてそのさい魔術を使った。これはリーベルマンはしなかった、そうしようとは思わずまたかれにはできなかった。かれの肖像画から出ていく独特な力は、生命力がしっかりつかまれていることのなかにある。すなわち、かれは、或るなにか特徴的な運動・姿勢をしている人間全体を、ぴんと張りつめたところやくつろいだところを、与えるのである、――ものすごく鋭く本質的に重要な表現を感じ取って。こうした肖像画は、けっしてきらびやかではなく、まったく「美しく」ないこともしじゅうあるが、しかし一つの才気に満ちた自由の記録(ドクメンテ)であり、再現であり注訳(コメンタール)なのである。

　若い画家の才能発揮は、「自然主義」(Naturalismus)という刻印を押された時代に当たる。この語は、誤解をたくさん包みかくしまた呼びおこさずにはすまなかった。それは、空疎になったコンヴェンショナリズム〔約束説〕にたいする健全でみのりの多い反動から長つづき要求を伴なった一つの芸術哲学をつくろうとするもろもろの企てによって、かなり不評をこうむったのである。

　当時は詩も絵画も「社会的な」雰囲気のなかへ連れていかれた。労働者・小市民が描写の対象となっていて、たしかにそのさいなにか多種多様なサロン芸術にたいする抗議のようなものも一役(ひと)買っていたのである。それでもしかしこの時代の業績をただ精神史的にだけ見るのであれば、完全に見当はずれになろう。すなわち、諸作品自身が価値あるものであったのかまたずっとそうであるのかという第一の問いがそのままなのである。こんにち人びとはこうした作品をよろこんで歴史的と見る。そして、十九世紀のものであるにもかかわらず非常に現代的と見ずにはすむまい。なぜかと言うと、こうした作品のなかで、こんにち〈人間と風景との結びつき〉という綱領的なスローガンの下へ押し込まれたもろもろの事物がつかまれて形にされているからである。あの時代のリーベルマンの絵――漁師の妻、農夫、足どりの重い仕事に疲れた人間たち――のことを思うと、かれが乏しさの壮大な記念碑を、センチメンタルなあるいは文学的な副音(Beiton)なしにしかし感動的な真剣さをもって、つくり出したかのようである。そこには、衣装画家たち――農民気質(かたぎ)・漁師気質から夏の保養という用事をつくり出したしまたつくり出す衣装画家たち――の楽しい牧歌的様式(スタイル)はまったくなくて、なにか恭うやしいものがかれのこの諸作品に潜んでいる。無言の告白が。そうだ、しかしいったいこの男（ひと）は、ベルリーンのユダヤ系上流市民階層の出で、当意即妙なかならずしも人がよいとは限らない機知（ウイット）によって有名な、懐疑家・「合理主義者」ではなかったか？　まさしくそうであった。しかし、実りゆたかな懐疑もある。すなわち、大げさなこと・病的にふくれあがったことに反論するあの懐疑が、目のさめた精神的な釈明・自分自身のもろもろの限界についても行なわれる釈明の清潔な明瞭さを承知している、あの懐疑が。

リーベルマンは、芸術について熟考した。そしていくつかの考えを書きとめた、――かれの流儀から言って賛歌ではなくてただ分別のあるもろもろの洞察でしかなかったが。非常に気持ちのよいもので、そのなかには偉大な教育的な力と作用とがつまっている。この作用は、かれが「学派」をつくったり教職についたりしたためしはなかったのに、いつもかれから発していたのである。〔ベルリーン〕分離派（Sezession）が形成されたとき、新しい基盤から将来へ向かう一つの道を戦いとるために脇へそれたのは、ともに一人の解放者であるとするかれの使命であった、一人の見張り役になるのがかれの職務となったわけである。

「保守的な革命家」――この概念は、政治的なもののなかでは、プロイセン人気質の一片を人間的に書きかえるために、まだそれのよく陽のあたる場所を探している。造形美術の分野で、この語がリーベルマンの人物と業績とのかたわらに立っていてほしい！

『救援』、一九三五年二月十六日

ドイツのメルケル首相のこと

茅野太郎

新型コロナウイルスが世界中を震撼させ始めた三月、ドイツのメルケル首相が異例のテレビスピーチを行い、大きな話題になった。「第二次世界大戦以来の試練」に直面して国民の連帯を呼びかけた内容で、十五分弱の間に「民主主義」という言葉を四回も使ったのが印象的だった。「直截で、正直で、思いやりにあふれたメッセージ。まさにリーダーのあるべき姿を示した」とあるアメリカのメディアは評した。

・「開かれた民主主義とは、政府が透明な政治判断をして、それを、誰もが理解するように全力で伝えることです」

・「真っ先に感謝したいのは医療現場の人たちの献身です。皆さんの素晴らしい仕事に心からのお礼を申し上げます」

・「普段あまり光の当たらない人たちにもお礼を言いたいのです。スーパーマーケットのレジや棚に物品を補充している人たち。私たち仲間のために困難な仕事を続けていることに、本当に有難う」

・「ウィルスとの戦いでいちばん大事なのは私たち自身です。他人は気にしなくていいのだと一瞬たりとも考えずに、誰もが大切な存在。そのために連帯しなければなりません」

――と語る彼女は、優れた政治家の「共感力」と「説得力」を示した好例として一カ月以上経った本稿執筆時点でもなお、世界のあちこちで語り継がれている。

再度アレクサンドロスの東征を考える

三宅中子

大牟田章氏の訳書と塩野七生氏の著書と

二〇一九年の十一月に大牟田章氏が亡くなられた。大牟田氏は一九九六年二月に東海大学出版会からフラウィオス・アッリアノスの『アレクサンドロス東征記およびインド誌』の本文篇と註釈篇とを出された。大牟田氏が徹底した改訂を施した第二刷は一九九九年五月に刊行されている。両方合わせると厚さが十五、六センチメートル程になってしっかりした箱に納まっている。動かそうとしてもそう簡単にいきそうもなかったが、私はこの二冊のページを当時大急ぎで繰った。実は私が次第に関心を寄せるようになっていた懐疑派の哲学者ピュロンがマケドニアのアレクサンドロス、いわゆるアレクサンダー大王の東征に従軍していたことがわかったからである。インド誌を除外した抄録版は二〇〇一年六月に岩波文庫の『アレクサンドロス大王東征記』全二巻として刊行されていることを付記しておきたい。

そこで私はわくわくとして東征軍の中にピュロンを捜して追いかけることにした。どうしてピュロンを追いかけるようになったかについては今まで例えば本誌19号の四三頁から四五頁にかけておよそ以下のように記している。

二十代の半ば、習慣に支配されて生きている自分に気付き、習慣を問題にしてみようと思い立ち、パスカルの『パンセ』の中の「習慣が第二の自然であるように、この自然それ自身も第一の習慣であるに過ぎないのではないかということを大いに恐れる」というくだりに出会って、そのままこの文の意味の理解を求めてパスカルの中に引きずり込まれた。

ここでモンテーニュやセクストゥス・エンピリクスとの関係を知り、モンテーニュの『エッセー』やセクストゥスの著書『ピュロン主義概説』をも繙くことになった。こうしてそれ迄全く不案内の古代哲学に踏み込むことになってしまった。

モンテーニュとの関係ではセクストゥスの考え方がより重要で、本誌19号では「五百年後のピュロン――新しい考え方の建設へ」というタイトルにしたのだが、その前にピュロンの考え方をとらえねばならなかった。

さしあたりロエブの古典叢書からとり出した、加来彰俊訳『ギリシャ哲学者列伝』（岩波文庫、上巻、一九八二年十月第一版）によってディオゲネス・ラエルティオスの著書にあたってみる。直接当方が恩恵に浴したのは下巻（第一版、一九九四年七月）に属する第九巻第十一章ピュロンの項である。

ディオゲネス・ラエルティオスの生きた時期を特定する一つの手がかりが、ピュロンの章の次の十二章のティモンの終りの方にあるようだ。ティモンはピュロンの弟子であるが、このティモンの章の終わりにはその周辺にいた経験派の医者（セクストゥス・エンピリクス）のことに触れられていて、特にそのうちの一人をセクストゥス・エンピリクスとして、彼が懐疑派の哲学に関する書物をはじめその他にも立派な著作の著者であることを挙げている。つまり『ピュロン主義概説』の著者のセクストゥス・エンピリクスのことである。で、加来氏によれば『哲学者列伝』ではディオゲネス・ラエルティオスが以上のようにセクストゥスのことをとりあげているので、セクストゥス自体の年代の特定にも問題があるが、一般にはセクストゥスが二世紀後半に活躍したと推定されているところに従えば、ディオゲネス・ラエルティオスはその少しあと、つまり二世紀の終り頃乃至は三世紀前半の早い時期以降というのが現在の大方の学者の一致した見解であるようだ。

で、ディオゲネス・ラエルティオスの『列伝』の第十一章ピュロンの章は大方以下のようにして始まる。

「ピュロンはエリスの人で、……初めは画家であったが……スティルポンの子ブリュソンの弟子になり……それからアナクサルコスの弟子になり、その人の伴をしてどこへでも出かけた。」

アナクサルコスはアレクサンドロス大王の側近にいた哲学者の一人であり、ピュロンはその弟子として行動を共にし、アレクサンドロスの東征の際も従軍することになった、という訳である。

更に大牟田章訳『アレクサンドロス東征記およびインド誌』の著者、フラウィオス・アッリアノスは『東征記』の本文訳の解説の冒頭によれば、紀元二世紀の人で、ローマ帝国属州ビテュニア出身のギリシャ人で、元老院議員身分のローマ市民として政界に活躍、ハドリアヌス帝（パックス・ローマーナの平和時代の五賢帝の一人――筆者註）の時代（紀元一一七〜一三八年）にはコンスル、皇帝使節（属州総督）など帝国最高の要職を歴任した。政治家又軍人として時人の間に顕われたが、他方、多くの著作により、哲学者、歴史家、文人としての名声を得、世上に「第一級のローマ人」とも謳われた。

問題の東征記の執筆された時期を特定することには問題があるようだが、今のところは大牟田著註釈編の索引のアナクサルコスの項に、「アブデラ出身の哲学者、弟子のピュッロンと共に従軍」とあるところに注目しておこう。

以上、東征記に関して何かと大牟田氏のお仕事の恩恵にも浴することになったことを想い出していて、二〇二〇年が明けて二月の下旬になって、塩野七生さんがＮＨＫのテレビに出演することがわかった。わざわざローマから出身の大学の付属の女子高等科と男子高等科の代表の生徒達との対話のために帰国したということであった。テレビでは彼等は矢継ぎ早やに塩野先輩に質問を投げかけ、塩野さんはそれに対して即答を返していた。時にはかなり生々しくさえあったが、彼等は満足げに見えた。

塩野さんと私とは大学の学年は私のほうが四年程上になるようで高等学校と大学の学科が同じだったということになるのであるが、塩野さんの仕事と私のやってきたこととでほんの少し共通したところがあるのではないかと思った。それはアレクサンドロスの東征のあたりである。そこで私は塩野七生さんの著作の『ギリシア人の物語Ⅲ新しき力』（新潮社、二〇一七年十二月）を遅れ馳せながら読んでみることにした。

一、東に向かうアレクサンドロスとピュロン

かつて四十年近く前のこと、一家でアテネに四、五日居たことがあった。高校生になっていた長男にも中学生だった長女にもギリシャでは何事かを見つけてほしい、と何となく思った。アテネに着いた時鶴丸マークの飛行機が空港に駐機していて、皆何かホッとしたような気持になったことだった。八月の終りになっていたように思う。ホテルはたしかアクロポリスの丘が見えるところにあった。丘に至る斜面は大変に急であって、ごろごろした岩石の間にアネモネが群生していて、特に赤いのが印象に残った。ミュケーナイの遺跡を訪ねて世界史の教科書の写真にあるようなものが次々と目の前に現われて皆ショックの連続だった。時にはアテネを出発してデルフォイやコリントを経て戻ってくるバス旅行もあって、神託で知られるデルフォイがバス道から少し入ったところなのに気がついてみると深山幽谷の中に居り、アポロンの神殿もあって、他のどの観光地でも経験したことのない言いようのない感動を覚えた。今、再びアレクサンドロスの歩みを見て行くに際して例えばかつてスパルタがあったペロポンネソス半島につながるコリント地峡の狭さ等の記憶は決して邪魔にはならないと思った。息子はアテネの国立博物館からやっと出て来たと思ったら又大急ぎで入って行くので後からついていってみると、奥の方に置いてあった小さい女神像にしばらく見入っているのを見て連れてきた甲斐が少しはあったかと思っていたら、結局鶴丸マークの飛行機の会社に入ってしまった。

塩野さんは初めからアテネのようなポリス群を向うにまわして優勢になる王政を特徴とする北方のマケドニアの特異性を説明する。マケドニアは消滅しないで今日でも国家としてマザーテレサのような人を出している国である。マケドニアの何ともいえないパワーを支配する王達に見る。フィリッポス一世、二世、それにアレクサンドロスのアレクサンダー大王。そしてマケドニアは戦う集団として、密集重装歩兵集団（ファランクス）というもので恐れられていた。

ファランクスには以前から興味を持っていたにもかかわらず、アレクサンドロスを扱った際（三宅中子著『習慣と秩序』など）立ち入ることは出来なかった。私の関心は飽くまでもピュロンを追いピュロンの動きを通して東征を見ることにあるのであるが、ピュロンが直接例えばその密集部隊に槍を担いで参加していたとは思えないにしても少なくとも見ていたには違いないので、この際は取り上げてみたいと思う。実はアッリアノスの東征記の本文の註のところで大牟田氏が詳しく説明しているし、塩野著でも図入りで理解を深めようとしている。

プルタルコス（紀元五〇～一二〇年）はその『英雄伝（中）』（村川堅太郎編、筑摩書房、二十二頁以下）のアレクサンドロスの項の初めの方で、例のシノペのディオゲネスとアレクサンドロスとの有名なエピソードに触れている。コリント地峡にギリシャ人が集まってペルシャに対してアレクサンドロスと共に遠征することを決議し、彼は総司令官（ヘゲモーン）に宣告された。多くの政治家や哲学者が彼に会いに来て祝いの言葉を述べ、アレクサンドロスは当時コリントで日を過ごしていたシノペのディオゲネスも同じことをするだろうと期待していたが、ディオゲネスはアレクサンドロスを全く問題にしないので、アレクサンドロスは自ら彼のところに赴いた。丁度ディオゲネスは日向ぼっこをしていて、一寸身を起こしてアレクサンドロスをじっと見た。アレクサンドロスは彼に挨拶をして「何かほしいものはないか」ときくと、「少し日の当たる所からどいてください」と言った。折角日なたぼっこを楽しんでいるのに、という訳である。

これに対しアレクサンドロスは非常に心を打たれ、侮辱されながらも、この人の誇りと偉大さに感服し、人々は彼を嘲笑しながら立ち去ったがアレクサンドロスは「私がもしアレクサンドロスでなかったならば、ディオゲネスになりたい」と言ったと伝えられる。

更に、遠征について神（アポロン）から神託を得ようと思ってデルフォイに行ったが、たまたまそれは神託が行われない厄日であったのにアレクサンドロスは無理に巫女を神殿に連れて行った。彼女は熱心さに負けたように「あなたは負けない人だ」と言った。アレクサンドロスはこれを聞いて、もう他の予言はいらない、望んでいた予言を巫女から貰ったと言った。

筑摩文庫の『プルタルコス英雄伝　中』の表紙の裏にプルタルコスに就いて以下のように記されている。

中部ギリシャの素封家の家に生まれる。アテナイに遊学する。後ローマ皇帝をはじめローマ帝国の主要人物と広く交際し、このことが『英雄伝』を著す契機となる。晩年デルフォイの最高神官となる。

大牟田章著の本文の訳注の解説にはプルタルコスの『英雄伝』について以下のように記されている。

プルタルコス（五〇〜一二〇年頃）が全巻二十二組から成る、有名な『対比列伝』を発表したのはおおよそ紀元一一〇年から一一五年頃と推定されている。その発表の時期はちょうど、アッリアノスがニコポリスに留学滞在していた期間とも重なっていた。

かように東征に出かける前からアレクサンドロスの人柄のわかるような数々のエピソードに事欠かないが、今回この拙文では先ずファランクスとして有名な歩兵隊のことと、もう一つ、東征軍の存続を揺るがす大事件となったペルシャ式の王への礼（跪拝礼、プロキュネーシス）を取り入れるかどうかをめぐる動きを取り上げてみようと思う。

二、密集重装歩兵隊（ファランクス）

ファランクスに詳しいのはアッリアノスの東征記についての大牟田章の註である。先ずその註の前になされた解説によると、アッリアノスは数多あるアレクサンドロスについての記述のうち、ラゴスの子プトレマイオスのものとアリストブーロスのものを重視したという。註のトップはプトレマイオスになっているが、この人は先ずアレクサンドロスによって選ばれた側近で、第二に大王亡きあと三分された帝国のうちのエジプトを確保し、プトレマイオス王朝を創始したあのプトレマイオスである。アッリアノスはプトレマイオスが武人として大王を支えつつ、比較的主観を交えず正確に記録していると思われるところを大きく評価して史料として取り上げ、それを補なう意味でアリストブーロスを使ったという。註の2がアリストブーロスでそれによると、彼は土木建設関係の技術者として東征に従軍したようで、軍事よりはむしろ地誌、自然誌への関心をうかがうことが出来、後代からのストラボンの『地理学』、特に『インド地誌』に多くの貴重な史料を提供したようだ（以上、『アレクサンドロス東征記およびインド誌』註一二二九〜一二三二頁）。

東征軍には各方面の学者が参加しており、アリストテレスの甥のソフィストのカッリステネスも記録者の一人であったようだ。植物学関係の学者達が各地から送った植物の標本等がアリストテレスの分類学に貢献したことは知られている。ピュロンやその師のアナクサルコスもソフィストとして連なっていたようだ。

東征を前にして父フィリッポス二世が暗殺されたことはアレクサンドロスの周辺の不穏さがクライマックスに達していたことを物語る。アッリアノスによるとアレクサンドロスの在任期間は十二年八ヶ月で、死んだ日は前三二三年六月十日と確認されているから逆算すれば、アレクサンドロスの即位は前三三六年十月で、アリストブーロスは彼の享年を三十二歳八ヶ月と伝えているから、即位当時はおよそ二十歳だったと思われる。

ピリッポス王暗殺の背景、アレクサンドロスの即位に至る権力闘争の推移についてアッリアノスは暗示的に言及するだけにとどめている。例えば塩野七生はピリッポス王暗殺の犯人についての説明もさることながら以下のように続けている。

> フィリッポス二世は四十六歳で退場したがこの時期に退場したのが、息子にとって良かっただけでなく父親にとっても良かった。これ以上生きていたとしてもこの父と息子はいずれ正面から激突していただろう。それが避けられたのは、父と子にとって幸いであっただけでなく、ギリシャ全体にとっても幸いであったと思う。

大牟田章訳アッリアノスの『アレクサンドロス東征記』本文一六三頁によると前三三四年春の訪れと共にアレクサンドロスは後を託し、自ら軽装兵、弓兵を含めて三万を多く出ない数の歩兵と五千騎余の騎兵とを率いてヘッレスポントスに向け進発した。大牟田著『註釈編』一三〇〇頁によるとその歩兵の一万二千がマケドニア人の重装歩兵で東征進発時いわゆる密集歩兵部隊ファランクスは全六隊、各隊一五〇〇人編成で計九〇〇〇人から成った（同書一二四〇頁）。同じ大牟田註によるとファランクスは長槍を武器とし、密集戦列（方陣）を組んで戦う重装歩兵の部隊。アレクサンドロスに先立ってピリッポス二世は戦闘部隊を改良再編し、兵士達には彼等に相応しく武器を給し、訓練を施すことでギリシャに学びながらもそれを凌ぐマケドニア独自の密集戦闘部隊を初めて組織化することになったという。重装歩兵の実際の装備は、ギリシャ式の重装歩兵と軽装兵の中間をゆく、混合型だったという。ギリシャの重装歩兵が防具として兜、胸甲、銅鎧、すね当て及び径およそ一メートルの丸盾あるいは長方形の大楯を装備し、長さ約二・四乃至二・七メートルの手槍と短剣を武器として携えたのに対し、マケドニア軍密集戦列の重装歩兵はこれらのうち胸甲を用いず、楯も軽量小型、軽装兵用の丸楯、槍は手槍の代わりに長大な「サリッサ」を使用した。

「サリッサ」は五十五センチメートルに及ぶ鉄製長葉状の穂先を装着した、全長五・五乃至六メートルの長槍。槍の重さはおよそ七キログラム。両手で担い構える必要から、防具の楯は軽小なものを頸から懸け吊るして左肩側の防護用とした。密集戦列を組んだ集団では、最前列から第三列乃至第四列までの兵士が、サリッサを水平に構え、前面に槍ぶすまを突き出して前進し、後続の隊伍はサリッサを斜め上向きに保持しながら後方から集団としての衝圧力を強める役割を担う。長大なサリッサは専ら束になって集団的に槍ぶすまを作ることで、相手を圧倒する威力があったが、一騎打ちの戦闘には用いられなかった。そのような戦闘には騎兵がいたし、特別に選ばれて訓練された「王の親衛隊」がいた。

塩野七生著の『ギリシア人の物語Ⅲ』の一一五頁以下にファランクスが登場する。「史料がないので想像するしかないのだが」といいつつ、同じファランクスの具体的説明に入り、これを図入りで巨大なハリネズミの集団に譬えていう。

しかし会戦ともなれば数個になるこの「ファランクス」を敵側から見たらどうであったろう。巨大なハリネズミの集団に迫ってこられるに似た恐怖を感じたのではないだろうか。

但し、その一一七頁の図の中に二つに分けたらしい槍を担いでいる兵士がいて、それについては以下のような説明がある。

この長槍は重く、これでは防御にも攻撃にも役に立たなかった。フィリッポスはこの欠陥を二つの方策で解決することを考える。七メートルにも迫る長さの長槍は真中で二分割して、金属製の筒で連結できる造りに変えたのだ。これだと木製ゆえに自然にしなってくる欠陥も相当な程度にまで防ぐことが出来た。

それに移動時にも便利だった。盾はついている帯状のひもで肩から背負い、二本に分けた長い槍は肩にかついで行けたのだから。

以上のような槍を二つに分けたかどうかの説明は大牟田註にはまだ見つかっていない。

それにしてもファランクスは機能的にみて私にはトンネルマシーンのように思える。このマシーンはドーバー海峡の海底トンネルさえ作ってしまったのだったが。我々がアレクサンドロスといえば馬（愛馬ブーケファラスか）にまたがって相手をかっと目を見開いてにらみつけている画をよく見るがこれはポンペイ出土の床面モザイク画なのである。相手はペルシャのダレイオス三世でイッソスの会戦で勝敗を決した瞬間をとらえた場面である（大牟田章著『アレクサンドロス大王』清水書院、二〇一七年、九二～九三頁）。これは東征に出発した翌年十一月のことであった。すでに早々にグラニコス河畔の会戦後アレクサンドロスは病んで休養した後のことであった。このモザイク画の場面ではアレクサンドロスは自ら騎兵隊を率いて最前線に出ていることになるが、ハリネズミを生かし、臨機応変にいろいろな陣形がとられていたようである。

三、エジプトのアレクサンドリアの建設へ

アッリアノス東征記第三巻は前三三一年の初め、エジプトのペルシオン到着で始まる。イッソス会戦後、ペルシャ人の支配からエジプトを解放することはそれ程難しいことではなかった。土着のエジプト人から解放者として歓迎された。早速にナイル川河口付近の調査が行われ、アレクサンドロスは都市建設のための適地をみつけ異常な熱意をもって、新都市の設計図引きを行なった。アレクサンドリアの誕生である。都市計画の細部と施工の実際は有名な建築家に委ねられ、アレクサンドリアは世界第一の都市に、大牟田章著『アレクサンドロス大王』一〇四頁によれば、ディオドロスの『歴史集録』に「美観と規模と入ってくる富の豊かさにおいて他の都市をはるかにしのぐ」と謳われるまでに発展するに至った。

アレクサンドロスは当初から土着の信仰、伝統を大切にする姿勢をとっていたが、エジプト滞在は半年に及び、都市建設や政治問題の処理にめどがつくと南にひろがる砂漠地帯に踏み込むことさえしている。何のためかよくわからないが、エジプト征服はアレクサンドロスの目標の一つだったという事で、エジプトに対する並々ならぬ関心の深さを感じる。こうしたことを王の側近のラゴスの子プトレマイオスは感じ取っていたのではあるまいか。

後にアレクサンドリアは千年にわたる並びなき知の都であり続けたが、それはギリシャ人によるプトレマイオス王朝の、このプトレマイオス一世を初めとする歴代の王達の強力な支えあってのことであった。

アレクサンドリアがいよいよ学問の都として特別の存在になってくるのはその建設から八年後の大王の死あたりからである。相次いでその一年後に師のアリストテレスが死ぬ。アレクサンドリアの学者達の中で最も重要な人物はエウクレイデス（ユークリッド）であるが、大王やその師の死のあたりですでに仕事をしていたらしいのである。ここで私はユークリッドが決して過去の人ではないことを記しておきたい。

ユークリッドの著した『幾何学原本（ストイケイア）』は今に至るまで数学や学問の基礎で誰にとっても重要なものである。私は以前から黄金比が何故一対一・六一八になるのか知りたいと思っていた。黄金比は自然の中にも多く見出だすことができるし、例えば身の回りでは郵便葉書の縦横の割合がそれである。で、数学の本を見るしかないことを知った。黄金比を幾何学の命題として提起したのはユークリッドなのであるが、『幾何学原本』（以下『原本』）の第二巻命題十一がそれである。そこで又日本語訳の恩恵をこうむると、以下のようになる（『ユークリッド原論』訳・解説池田美恵以下三氏、共立出版、初版一九七一年、四五～四六頁）。

「与えられた線分を二分し、全体と一つの部分とに囲まれた矩形を残りの部分の上の正方形に等しくすること」

『原本』は一つ一つ命題として言葉で記されている。図や数式や文字はない。このままではどこに黄金比があるというのであろう。そこで、四六頁の脚注を参考にして、さしあたり各線分をそれぞれA、Bとすると、この命題は次のようになるであろう。

$A(A+B)=B^2$　この二次式を解いてA、Bを求めればよいということになるが、その時A、Bに分割する点をpとすると、pが線分を黄金比に分割する点になる。で、式を解いて黄金比の値を計算すると求める一対一・六一八になる。従って一と一・六一八を両辺とするような矩形は黄金矩形ということになる。

実は先の脚注には「これはバビロニア代数の二次方程式に対応する」とある。エジプトにはそもそも土地測量術としてのゲオメトリア（幾何学）があり、オリエントには又独特な数学があった。我々が中学以降で教わるのはアラビアで出来上がったアルジェブラ（代数学）で、0はインド起源だが、文字や数字を使って解く。二次方程式は例の根（解）の公式に当てはめれば求めるものが出てくる。ユークリッドの二巻の命題十一の言葉だけでは取りつく島がない。ナイル河の氾濫後の等積の問題ではなく、黄金比の値を知りたい場合には命題十一を先ず数字、文字化して更に解の公式を持ち出さなくてはならないわけである。おかげでやっと古来人々が好む、例えば正五角形の対角線どうしでできるような黄金比の求め方がわかった。この数字に実に何千年のしかも広い範囲にわたる人類の知恵が関わっていたことになるのである。

ダンネマンはその『大自然科学2』（安田徳太郎訳、三省堂、一九七七年）においていう。ユークリッドの『幾何原本』はその完璧さと厳密な証明法の故に、のちのちまで模範とされ、最近にいたるまで初歩的教授の基本として、さかんに用いられた。彼はラゴスの子プトレマイオスつまり後のプトレマイオス一世が、もう少しやさしく数学が学べないものかと問うた時、数学に王道はないという有名な格言を吐いたという(同書、五頁)。十七世紀において、西欧の知識階級の学問は先ずユークリッドの『原本』だったのである。あの書物をまるでゲームのソフトでもねだるように十二歳のパスカルがほしがったのである。

しかしダンネマンによると、ユークリッドの仕事を更に完成させ新しい分野を開拓したのはアルキメデスで、彼は古代の最も天才的な数学者である。ダンネマンの先の書物で、アルキメデスの展開した驚くべき数学を見ていると例えばデカルトやパスカルなど十七世紀の西欧の学問革命を担った人達が如何に貪欲に吸収することから始めたかを知らされる。アルキメデスはしかしむしろ浮力のような物理学で親しまれている。入浴中いきなりヘウレーカ（わかった）といって飛び出した彼は何がわかったのだろう。アルキメデスが数字や図を書いていたのはシラクサの家の庭の砂地の上である。もう一寸で解き上がるという時入って来たローマの兵隊に突き殺された。最後の言葉は「わたしの円をめちゃくちゃにしないで」だった（ダンネマン、同書、一四頁）。

四、跪拝礼（プロキュネーシス）導入の試み
カッリステネスとアナクサルコス

前三三一年エジプトを進発、ガウガメラの会戦に勝利、バビロンに入城、ついでペルシア帝国の首都スサを占領そして王宮のある、すでに主なきペルセポリスの新しい主となったアレクサンドロスは人々を困惑させるところをみせるようになる。早くいえばペルシア王のようになろうとするところである。

例えばアレクサンドロスのペルシア様式嗜好について塩野

七生は『ギリシア人の物語Ⅲ』において以下のようにいう（三四九頁）。

コスチューム・プレイの嗜好はない私でも、中国に行ったときは中国服を着てみたいと思ったたし、インドを訪れたときは、サリーを一式買ってきたくらいである。……アレクサンドロスはしばしば、実際の彼の年令以上の成熟さを示したが、一方では二十代の若者らしい好奇心は持ち続けていた。が、ペルシア式の衣服に袖を通すのは宮殿内での休息時ぐらいではなかったか。

しかしペルセポリス王宮の炎上（大王の放火という説がある）、王暗殺の陰謀発覚、「関係者」の処刑、暗殺、「東方的専制君主になりおおせた王」に猛然と抗議した幼い時からの親友のクレイトスの刺殺。王にペルシア風の「跪拝礼（プロキュネーシス）」採用の考えがあることがわかって周辺はついに騒然となった。

「跪拝礼」はペルセポリス王宮のレリーフで知られているが、これはペルシア宮廷に伝統的な大王への拝謁方法で、膝まずき、右手の指先を唇にあてて投げキスの形をとるのがその古典的作法であった。王にしてみればこの礼の採用は東西融和、対等化の一歩前進という意図以上に出るものではなかった（大牟田章著『アレクサンドロス大王』一六七〜一七〇頁）にしても、ギリシャ人にしてみれば、そのような礼の対象は神であって人間ではない。

この礼をめぐって王のまわりは二つに分かれた。これを受け入れるものはアナクサルコス、アブデラの人でピュロンの師のアナクサルコスである。それに対して断固拒否したものは大王の師、哲学者アリストテレスの甥のカッリステネスである。ともかく我々はここでやっとピュロンが居た筈のところを見つけたわけだが、アッリアノスが大牟田章訳『アレクサンドロス東征記』第四巻でその間の様子を詳しく伝えている。

王の側近はある時アナクサルコスを王のもとに招いた。それはあのクレイトス事件のあとである。彼を刺殺したのち我に返った王は深く懊悩する日々を送っていた。そこで見かねた側近がアナクサルコスを招いたのだったが、アッリアノスは王のクレイトス刺殺をアナクサルコスが正当化しつつ慰撫する様子を批判的に伝えている。又アッリアノスは跪拝礼に関しては王へのお追従から採用をそそのかす連中にことかかなかったと言って、取り巻きの哲学者達のうちアナクサルコスとピュロンではないがもう一人を挙げている。

アッリアノスは王と側近と哲学者達の間で跪拝礼について話し合われた時の様子を以下のように伝えている。口火を切ったのはアナクサルコスで、こう語った。王の功業は如何に多く如何に偉大であるか、王は神と仰がれるに相応しい、王が亡くなってから神として祀っても王には何のとくにもならないのだから御存命のうちにそうすべきである、と。すると跪拝礼を採用しようと画策していた連中は早速そうしようとしたが、大部分のマケドニア人はアナクサルコスの演説に不快感を抱いて黙していると、カッリステネスがそのあとを受けてこう語った。

王が並外れた王の中の王、勇者であることは疑いようがないのだから人間の尺度にかなった栄誉を捧げることこそ相応しい。我々は人を神域に入れるわけにはいかない。アナクサルコスよ、君は哲学者として教育者としてアレクサンドロスを神として祀ろうとしたりする者をおさえる役目を持っている筈ではないか、それなのに君は寧ろお先棒を担いでいるなんてどうかしている、という意味のことを言い、演説は長く続いた。マケドニア人にとっては胸のすくような発言ではあったが、これは王を喜ばせなかった。王はそれ以上の話し合いを打ち切らせた。

アッリアノスは引き続きカッリステネスの不幸な顛末について記す。跪拝礼に関する一連の出来事の中では王も王ならカッリステネスもカッリステネスである。人間万事節度慎重を旨とすべきだ。王の思い上がりにも決して感心しないが、臣たるものは王の功業をいやが上にも偉大なものに見せるように努力すべきだ。王がカッリステネスの時宜をわきまえない勝手放題な物言いや傲慢な頑固さに触れて彼に敵意を抱くようになったのも無理からぬことだったかも知れない。カッリステネスは王の年少の近習達の間で起きた王の暗殺計画に巻き込まれた。事が発覚して近習達をそそのかしたのはカッリステネスだということになり、日頃からカッリステネスを快く思っていない連中にたやすく信じ込まされたようだ。ラゴスの子プトレマイオスによれば、カッリステネスは拷問にかけられ、絞首刑によって死んだと伝えられている。

かくして跪拝礼導入の試みは失敗に終わった。前三二七年のことである。

ところでピュロンは跪拝礼についての王との話し合いの席に師のアナクサルコスやカッリステネス等と連なっていたのであろうか。アッリアノスが彼の師を王への追従者として批判的に語る時ピュロンをもその仲間に入れていることはなかったか。それにしても彼の師とその対抗者の発言をどう聞いていたのであろう。その対抗者の方は間もなく姿を消してしまったのである。

五、インドの哲学者カラノスとの出会い

アレクサンドロス率いる全軍が無事にインダス河の東の西北インド最大の都市タクシラに侵入したのは前三二六年である。タクシラ王は意外にも友好的で、戦火ひとつ交えず、この豊かな王国の首都に賓客として歓迎され、戦闘に次ぐ戦闘に明け暮れていた者としては、その好意は身にしみて、タクシラ滞在はひと月にも及び、アレクサンドロスもその将兵たちも十分にリラックスしてインドの人々の生活習慣や習俗、

思想、社会制度について見聞を深めることになったのである。

アレクサンドロスは、プルタルコスもいうように、師のアリストテレスの薫陶を受けて、哲学者に敬意を表するところがあって、ピュロンの師アナクサルコスもその例にもれなかったのだが、タクシラでも「裸の哲学者（ギムノソフィスタイ）」とギリシャ人が呼んだ賢者に関心を払った。しかしインドの「哲学者」はなかなかにしたたかで、いろいろの問答を通じて、かのシノペのディオゲネスの時よりももっと「してやられる」という状況になることが多かった様子が、プルタルコスやアッリアノスの書いたものにうかがわれる。例えば大王の、どうすれば人間が神になれるかという質問に、人間が出来ないことをすればと答え、生と死とどちらが強いかときかれた者は、これほどの悪に堪えている生の方が強いと返し、人間はいつまで生きればいいかときかれて、死ぬ方が生きているよりはましだと思わない間はと即答した。またある時、野外で過ごしていたインド人の哲学者の一団に出会ったとき、彼らは足で地面を踏んでみせたのでアレクサンドロスがその理由をたずねさせると、人間はみな自分が立っているだけの土地を占有すれば十分なのだ、王は故国を去ってこんなに遠征してきて、あくせくと煩いを背負い込み、また他人にも煩いをもたらしているが、王も人間にすぎない、間もなく死んで、身体の埋葬に必要なだけの土地を占有するに過ぎなくなるのだ、と説明した。

アレクサンドロスがタクシラに着いてから特にかかわりを持つことになった「裸の哲学者」はダンダミスとその弟子たちで、その中の一人のカラノスとギリシャ人が呼ぶことになった哲学者がこの先、軍に同行することになった。アレクサンドロスのタクシラ滞在後に待っていたのは、タクシラ王の年来の仇敵ポロス王との困難な戦いであった。この戦いとポロス王に対するアレクサンドロスの勝利は彼の東征上重要な意味を持った。しかし疲れ切った兵士たちは進軍を拒否し、アレクサンドロスは、インドからの撤退を余儀なくされる。新たに聞き込んだ、インダス河の川向うのインドについての情報――広い沙漠、その彼方の巨大なガンジス河、そのまた彼方のマガダ王国――に心を残しながら、困難を極めた死の行軍の末、約二年後スーサにたどりつく。カラノスはここで死期を悟って、立派な自焚死を遂げ、その一部始終を見守ったギリシャ人たちがいいようのないショックを受けた様子をどの史料も感慨を込めて伝えている。

死に臨んでカラノスはアレクサンドロスにまもなくバビロンで会いましょうと言ったというが、その一年後アレクサンドロスはバビロンまで戻り、前三二三年に死んだ。タクシラからスーサまでの二年間、ピュロンはカラノスと深いかかわりをもったと考えてよいであろう。

ジョージ・ウッドコックはその著『古代インドとギリシア文化』（金倉円照・塚本啓祥訳、平楽寺書店、一九七二年、二二

〜二二三頁）において以下のように言う。

アリストテレスの弟子たるアレクサンドロスは将軍たちだけではなく、多くの種類の科学者と哲学者を含む幕僚を連れて旅行した。その中には当時の最も有名なソフィストの三人、カッリステネスとアナクサルコスとその弟子ピュロンが含まれていた。カッリステネスはインドに到達しなかった。彼はバクトラにおけるアレクサンドロスに対する陰謀のために他人の身代わりとなった。アナクサルコスはインドに到達した。しかし彼は学んだことをギリシャに持ち帰るまで生き長らえていなかった。帰る途中キュプロスの海岸で難破した。キュプロスの王ニコクレオンは、アナクサルコスが過去に犯した毒舌の無礼に対し、石臼の中で彼を砕いた。ピュロンだけが従軍十一年の灼熱と危険の両方から免れることになった。

ピュロン派の哲学はおそらくアレクサンドロスの遠征がインドからギリシャへもたらした、最も重要な直接の贈り物であったろう、とウッドコックは断定している。

そしてウッドコックは、カラノスのことを「裸のジャイナの教師」ときめつけているが、ピュロンがギリシャのエリスに戻ってからの弟子のティモンの伝えるピュロンの言葉は、釈迦といわれるゴータマ・ブッダの唱えたテトラ・レンマあるいは四句分別そのものではないかと思われるのである。

ティモンは、ヘレニズムについての貴重な史料であるところのカイサレアの司祭エウゼビオス（二六三頃〜三三九年）の著作『福音の準備』の中にピュロンの言葉として以下のように伝えている。

事物はおしなべて無差別なものであり、不確定なものであり、判定不可能なものである。それ故我々の判断も真もしくは偽を述べることがない。それ故に又それら判断を頭から信ずべきではなく、むしろひとつひとつのものについて、それは「あらぬ以上にあることはない」とか「ありもすればあらぬでもある」とか「ありもしないしあらぬものでもない」といって判断を下さぬ者、どの一つにも傾くことのない者、揺れることのない者であらねばならない。このような態度を保っている者には先ず第一に定言の回避とエポケ（判断停止）が、ついで平静心（アタラクシア）が結果としてめぐりくることになる（傍点は筆者）。

傍点のはじめの部分はブロシャールの『ギリシャの懐疑論者達』（V. Brochard, Les Sceptiques Greque, 1969, 五四頁）に従って「否定してもいけないし同様に肯定してもいけない」と言い換えることが出来るであろう。従って傍点の部分は（一）Aである（二）非Aである（三）Aにして非A（四）Aでもなく非Aでもない、と書き直してみることが出来るであろう。

ものごとについての以上と全く同じ論じ方をピュロンから約百年程遡る古代インドのサンジャヤという懐疑論者に影響

されたと思われる、我々が釈迦とかゴータマ・シダールタ、ゴータマ・ブッダと呼んでいる人の言行録の中に認めることが出来るのである。このことについては既に本誌16号に拙稿「祇園精舎での問答」として発表した。哲学青年マールンキャプッタの例えば人は死後存在するかという問いに、ブッダは「わたしは人は死後存在するともしないとも、存在しながら存在しないとも、存在するのでもなく存在しないのでもないとも説かない、私が説くのは苦、苦の原因、苦の消滅とそれに進む道である」と答えている。

このブッダの説き方の論法はテトラ・レンマといわれるもので、ブッダの教えはテトラ・レンマと正しい悟りに至る道である。これは大変驚くべきことであるが、カラノスの素性が何であれ、ピュロンがあの二年間に身につけたのは仏教のエッセンスだったということになる。だから寧ろピュロンにこそ、古代インドで出来上がった考え方が純粋に遺ったといえるかもしれない。エリスに戻ってピュロンは人々にこうした教えに徹して清く生活し、人々から尊敬され、弟子入りを乞う人があとを絶たず八十歳位まで生きたと伝えられる。

五〇〇年後のピュロン（本誌19号）のセクストゥス・エンピリクスは二世紀の人で、アッリアノスと同じ時期に生きていた訳であるが、ピュロンの説いていた「テトラ・レンマ」はずっと縮小された形になり、寧ろ哲学をはじめとする近世の学問に生かされることになったのではないであろうか。

従って「ピュロンのインド土産」には計り知れないものがあり、ジョージ・ウッドコックがここにアレクサンドロス東征の意味を認めるのも故無きことではないように思われる。

ただ、アレクサンドロスの東征が我々に考えさせることがもう一つある。それは、我々は自分の国を仏教国と思っているが、果たしてシャカ、ゴータマ・ブッダの説いたことがじかに我々に伝わったのかということである。我々のまわりにあるのは実は中国人の理解した中国仏教ではなかったか。かつて本誌16号の拙論でみたような教えに我々は出会うことがないのであろうか。ゴータマ・ブッダは絶対的なものに対しては判断停止して縁起（関係性）をもって物事をとらえて正しい道に進むことを心がけることを説き、そして何よりもカーストの平等を熱っぽく説いていた。数年前、私は一冊の本に出会った。アンベートカル著、山際素男訳『ブッダとそのダンマ』（光文社新書、二〇〇四年）である。まるでブッダがそこにいて語っているかのようであった。この著者は、現インド憲法の起草者であるが、不可触民に生まれ、一九五六年、約五十万の被抑圧カーストの人達と仏教へ改宗、インドの仏教復興運動を始めて間もなく亡くなった。後継者は元日本人でインド国籍を取得した佐々井秀嶺である。佐々井師には『必生闘う仏教』（集英社新書、二〇一〇年）などがある。ブッダはインドで復活していたのである。

編集後記

■コロナ禍で東京オリンピックの延期が決定された頃、「光冠（コロナ）が五輪の旗を引き下ろし」と戯れ句を口にしていたものだが、以降、所謂パンデミックはほぼ世界を覆い、六月初めの感染者は五百五十万人以上、死者は三十万人以上をかぞえ、とても軽口など口にすることは出来なくなった。寺田寅彦の警句とされる「天災は忘れた頃にやって来る」は一九二三年に起こった関東大震災をふまえてのことであるが、「地震の予知は不可能」と公言する専門家もいて、私たちはお手上げ状態。せめて阪神淡路大震災や東日本大震災の生々しい記憶をもとに起こるべく日に備えることしかできないが、不可能を可能としてきた科学の発達は何時の日か地震予知を現実のものとするだろう。しかし、ウイルス感染によるパンデミックを予測予知するのはさらに困難だ。化学者はペストもコレラも有効な薬を発見し人類に貢献してきたが、細菌相手の予測予知はまず不可能。新型コロナウイルスを根治せしめる薬の発見開発は早晩期待されても、ヒトもモノも急激に世界を行き交う時代に生きているかぎり新しいウイルスと付き合わざるを得ないのであろう。

■この最中、さまざな、そして予期しない出来事が起こったのは、事が世界規模であるだけに当然であるが、国内のやや細部な出来事の中にアルベール・カミュの『ペスト』が瞬く間に版を重ねたことがあげられる。新刊書店では品切れ状態で、電子版を合わせると相当部数の伸びを示しているらしい。アルジェリアのオランを舞台にし、ペストに対する行政の不手際を重ねる描写が、新型コロナに対する日本政府の対応ぶりを想起させて読まれているそうだが、この本の存在を周知させたSNSは、検察庁人事問題に異を唱え、安倍政権の支持率降下にも一役かった。若い人たちの新しい異議申し立てにアナログオジサンは瞠目しながら、期待して見守ることとしよう。

■小誌は42号をもって表紙のデザインを一新。編集室の意を汲んで装丁家の桂川潤さんが引き受けてくれました。桂川さんに感謝します。この装丁に呼応するかのように木方元治さん、松原和音さん、松田祥吾さんがそれぞれ見事な作品をもって新しく参加してくださったのは、他の執筆者と相まって有難くも嬉しいかぎりです。

（N・H）

あとらす42号

2020年7月25日初版第1刷発行

編　　集　あとらす編集室

発 行 人　日高徳迪

（編集顧問）熊谷文雄・川本卓史

発行所　株式会社 西田書店

〒101-0051東京都千代田区神田神保町2-34　山本ビル

Tel 03-3261-4509　Fax 03-3262-4643

e-mail : nishi-da@f6.dion.ne.jp

印刷・製本　神戸軽印刷社